P9-AOM-894

06/24
STAND PRICE
$ 5.00

Angie Thomas
The Hate U Give

Angie Thomas

THE HATE U GIVE

Aus dem Amerikanischen
von Henriette Zeltner

Sollte diese Publikation Links auf Webseiten Dritter
enthalten, so übernehmen wir für deren Inhalte keine
Haftung, da wir uns diese nicht zu eigen machen,
sondern lediglich auf deren Stand zum Zeitpunkt der
Erstveröffentlichung verweisen.

 Dieses Buch ist auch als E-Book erhältlich.

MIX
Papier aus verantwor-
tungsvollen Quellen
FSC
www.fsc.org
FSC® C014496

Verlagsgruppe Random House FSC® N001967

3. Auflage 2017
Copyright © 2017 by Angela Thomas
Published by Arrangement with Angela Thomas
Dieses Werk wurde vermittelt durch die Literarische Agentur
Thomas Schlück GmbH, 30827 Garbsen
Die amerikanische Originalausgabe erschien unter dem Titel
»The Hate U Give« bei Balzer + Bray,
an Imprint of HarperCollins Publishers, New York.
© 2017 für die deutschsprachige Ausgabe by
cbt Kinder- und Jugendbuchverlag
in der Verlagsgruppe Random House GmbH,
Neumarkter Straße 28, 81673 München
Alle deutschsprachigen Rechte vorbehalten
Aus dem Amerikanischen von Henriette Zeltner
Lektorat: Antje Steinhäuser
Umschlaggestaltung: init | Kommunikationsdesign,
Bad Oeynhausen
Umschlagmotive: © 2017 Debra Cartwright
he · Herstellung: AnG
Satz: KompetenzCenter, Mönchengladbach
Druck und Bindung: GGP Media GmbH, Pößneck
ISBN: 978-3-570-16482-2
Printed in Germany

www.cbt-buecher.de

Für Grandma, die mir gezeigt hat,
dass es in der Dunkelheit auch Licht geben kann.

Teil 1

ALS
ES PASSIERT

Kapitel 1

Ich hätte nicht auf diese Party gehen sollen.

Ich bin mir nicht mal sicher, ob ich da überhaupt hingehöre. Es hat nichts damit zu tun, dass ich mich für was Besseres halte. Es gibt nur einfach ein paar Orte, wo es nicht reicht, ich selbst zu sein. Wo keine Version von mir reicht. Die Spring-Break-Party von Big D ist einer davon.

Ich quetsche mich zwischen schwitzenden Körpern durch und folge Kenya mit ihren wippenden Locken. Der Raum liegt wie im Nebel, es riecht nach Gras und die Musik bringt den Fußboden zum Vibrieren. Irgendein Rapper fordert jeden auf, *Na-Naa* zu singen, darauf folgen ein paar »Heys«, weil die Leute sich ihre eigene Version ausdenken. Kenya hält ihren Becher hoch und tänzelt durch die Menge. Bei dem Kopfweh von der scheißlauten Musik und der Übelkeit von dem Grasgestank würde es mich wundern, wenn ich es durch den Raum schaffe, ohne meinen Drink zu verschütten.

Wir lösen uns aus der Masse. Big Ds Haus ist knallvoll. Ich wusste schon, dass – nun ja, außer mir – echt alles, was laufen kann, zu seinen Spring-Break-Partys kommt, aber, verdammt, ich habe nicht gedacht, dass es *so* viele sind. Die Mädchen tragen ihre Haare getönt, gelockt, gelegt und geglättet. Deshalb fühle ich mich mit meinem Pferdeschwanz auch total *basic*. Jungs in ihren saubersten Sneakers und Saggy Pants raspeln so eng an den Mädchen entlang, dass sie fast ein Kondom bräuchten. Meine Nana pflegt zu sagen, der Frühling bringt die Liebe. In Garden Heights bringt er zwar nicht immer Liebe, dafür verspricht er aber Babys im Winter. Sollte mich nicht wundern, wenn eine Menge davon in der Nacht von Big Ds Party gezeugt würden. Er veranstaltet sie immer am Freitag der Ferien, weil man den Samstag zum Erholen braucht und den Sonntag fürs Bereuen.

»Hör auf, mir nachzulaufen, und geh tanzen, Starr«, sagt Kenya. »Die Leute sagen sowieso schon, du denkst wohl, du wärst was Besseres.«

»Wusste gar nicht, dass in Garden Heights so viele Gedankenleser wohnen.« Oder dass man mich als was anderes wahrnimmt als »Big Mavs Tochter, die im Laden aushilft«. Ich nippe an meinem Drink und spucke ihn wieder zurück in den Becher. Mir war schon klar, dass da mehr als Hawaii-Punsch drin ist, aber dieses Zeug ist viel stärker, als ich es gewohnt bin. So was sollte man überhaupt nicht Punsch nennen. Das ist schlicht harter Sprit. Während ich den Becher auf den Couchtisch stelle, sage ich zu ihr: »Leute, die meinen, sie wüssten, was ich denke, gehen mir auf den Zeiger.«

»Hey, ich sag's dir ja nur. Du benimmst dich, als würdest du keinen kennen, bloß weil du auf diese Schule gehst.«

Das höre ich jetzt schon sechs Jahre. Seit meine Eltern mich in die Williamson Prep schicken. »Egal«, murmle ich.

»Und es würde dich auch nicht umbringen, wenn du dich nicht ...«, sie rümpft die Nase und mustert mich von den Sneakern bis zu meinem Oversize-Hoodie, »... so anziehen würdest. Ist das nicht der Hoodie von meinem Bruder?«

Von *unserem* Bruder. Kenya und ich haben einen gemeinsamen älteren Bruder, Seven. Aber sie und ich, wir sind nicht verwandt. Ihre Momma ist auch Sevens Momma, und mein Dad ist auch Sevens Dad. Verrückt, ich weiß.

»Ja, der gehört ihm.«

»Klar. Und weißt du, was die Leute noch sagen? Du hast es echt schon so weit gebracht, dass man dich für mein Girlfriend hält.«

»Seh ich so aus, als würde es mich kümmern, was die Leute denken?«

»Nein. Und genau das ist das Problem!«

»Mir egal.« Hätte ich gewusst, dass Mitgehen auf die Party so was bedeutet wie eine Folge von *Extreme Makeover – Das Umstyling von Starr Carter*, dann wäre ich gleich zu Hause geblieben und hätte mir im Fernsehen Wiederholungen von *Der Prinz von Bel-Air* angeschaut. Meine Jordans sind bequem und verdammt noch mal neu. Das ist immerhin etwas. Der Hoodie ist zwar viel zu groß, aber ich mag das. Außerdem rieche ich das Gras nicht so, wenn ich ihn mir über die Nase ziehe.

»Na schön, ich werde jedenfalls nicht den ganzen Abend deinen Babysitter spielen, also überleg dir gefälligst was«, sagt Kenya und lässt ihren Blick durch den Raum schweifen. Kenya könnte ein Model sein, und das meine ich total ernst. Sie hat makellose dunkelbraune Haut – ich glaube, sie kriegt nie auch nur einen einzigen Pickel –, braune

Mandelaugen und lange Wimpern, die nicht gekauft sind. Sie hätte auch die perfekte Größe zum Modeln, ist aber ein bisschen dicker als diese Zahnstocher auf den Catwalks. Nie trägt sie ein Outfit zweimal. Dafür sorgt ihr Daddy King.

Kenya ist ungefähr der einzige Mensch aus Garden Heights, mit dem ich abhänge. Ist ja auch nicht so einfach, Freunde zu finden, wenn du in eine Schule gehst, die fünfundvierzig Minuten entfernt ist, und du ein Schlüsselkind bist, das man nur im Laden seiner Familie antrifft. Mit Kenya was auszumachen, ist wegen unserer gemeinsamen Verbindung zu Seven einfach. Trotzdem ist sie manchmal höllisch schwierig. Immer streitet sie mit irgendwem und sagt schnell mal, ihr Daddy würde jemandem den Arsch versohlen. Das stimmt zwar, aber ich wünschte mir trotzdem, sie würde aufhören, immer Streit zu suchen, nur damit sie ihre Trumpfkarte zücken kann. Verdammt, ich könnte das ja auch. Jeder weiß, dass man sich mit meinem Dad, Big Mav, besser nicht anlegt, und definitiv nicht mit seinen Kids. Trotzdem gehe ich nicht rum und mache solchen Bullshit.

Zum Beispiel schaut sie auf Big Ds Party Denasia Allen an, als wäre die Abschaum. Ich weiß nicht mehr viel über Denasia, ich erinnere mich nur noch, dass sie und Kenya sich praktisch seit der vierten Klasse nicht ausstehen können. Heute Abend tanzt Denasia mit irgendeinem Typen auf der anderen Seite des Raums und achtet überhaupt nicht auf Kenya. Aber egal, wo wir hingehen, sobald Kenya Denasia erspäht, starrt sie sie wütend an. Und das Blöde an dieser Glotzerei ist ja, dass du es irgendwann spürst. Das ist dann sozusagen die Einladung, jemandem einen Arschtritt zu verpassen oder selber einen zu kassieren.

»Aah! Ich halt die nicht aus«, zischt Kenya. »Letztens standen wir in der Schulcafeteria in der Schlange, ja? Und sie hinter mir, verrenkt sich den Hals und tuschelt. Sie hat meinen Namen nicht genannt, aber ich wusste, dass sie mich meinte. Jedenfalls hat sie behauptet, ich hätte versucht, was mit DeVante anzufangen.«

»Echt jetzt?«, sage ich, weil mir sonst nichts einfällt.

»Mhm. Aber ich will ihn gar nicht.«

»Klar.« Ganz ehrlich? Ich weiß nicht mal, wer DeVante ist. »Also, was hast du gemacht?«

»Was glaubst du denn? Ich hab mich umgedreht und sie gefragt, ob sie ein Problem mit mir hat. Alter Trick, dann zu kommen mit ›Ich hab gar nicht von dir gesprochen‹. Dabei wusste ich, dass sie genau das gemacht hat! Du hast so ein Glück, dass du auf diese Weißen-Schule gehst und dich mit solchen Schlampen nicht abgeben musst.«

Ist das nicht total bescheuert? Vor nicht mal fünf Minuten wurde ich noch für eingebildet gehalten, weil ich auf die Williamson gehe. Und jetzt ist das mein Glück? »Glaub mir, an der Schule gibt's auch Schlampen. Die hast du einfach überall.«

»Pass mal auf, heute Abend erledigen wir sie.« Kenyas Killerblick wird noch tödlicher. Denasia spürt ihn und schaut Kenya direkt an. »Aha«, bestätigt Kenya, als könne Denasia sie auf die Entfernung hören. »Jetzt pass auf.«

»Moment mal. *Wir*? Hast du mich deshalb angebettelt,

auf diese Party zu kommen? Damit du noch jemand in deiner Mannschaft zum Auswechseln hast?«

Sie traut sich tatsächlich, ein beleidigtes Gesicht zu ziehen. »Als ob du was Besseres zu tun gehabt hättest! Oder irgendwen anderen zum Abhängen. Ich tu dir doch bloß einen Gefallen damit.«

»Ach ja, Kenya? Du weißt aber schon, dass ich Freunde habe, oder?«

Sie verdreht die Augen. Aber wie. So, dass ein paar Sekunden lang nur das Weiße zu sehen ist. »Diese kleinen Spießermädchen von deiner Schule zählen nicht.«

»Das sind keine Spießermädchen und sie zählen wohl.« Glaube ich. Zwischen Maya und mir läuft es cool. Wie es zwischen mir und Hailey steht, da bin ich mir gerade nicht so sicher. »Und ganz ehrlich? Wenn du mir zu mehr Anschluss verhelfen willst, indem du mich in einen Streit reinziehst, dann danke nein. Mein Gott, du musst immer so ein Drama veranstalten.«

»Ach bitte, Starr!« Sie zieht das »bitte« extra in die Länge. Zu sehr. »Das hab ich mir überlegt: Wir warten, bis sie sich von DeVante entfernt, ja? Und dann können wir ...«

Mein Handy vibriert an meinem Oberschenkel und ich werfe einen Blick aufs Display. Seit ich seine Anrufe ignoriere, schickt Chris mir stattdessen Nachrichten.

Können wir reden?

Ich wollte nicht, dass es so läuft.

Klar, dass nicht. Gestern dachte er nämlich, es würde total anders laufen. Genau das ist ja das Problem. Ich schiebe das Handy zurück in die Tasche. Was ich antworten werde, weiß ich noch nicht, aber auf jeden Fall kümmere ich mich erst später darum.

»Kenya!«, schreit jemand.

Das große hellhäutige Mädchen mit Haaren, die wie gebügelt aussehen, schiebt sich durch die Menge auf uns zu. Ein großer Typ mit schwarz-blondem Afro-Irokesen folgt ihr. Beide umarmen Kenya und versichern ihr, wie süß sie aussieht. Ich existiere nicht mal.

»Warum hast du mir denn nicht gesagt, dass du herkommst?«, sagt das Mädchen und schiebt sich ihren Daumen in den Mund. Davon hat sie schon einen Überbiss. »Du hättest doch bei uns mitfahren können.«

»Nee. Ich musste noch Starr abholen«, sagt Kenya. »Wir sind zusammen hergelaufen.«

Erst da nehmen sie mich zur Kenntnis, obwohl ich nur eine Handbreit neben Kenya stehe.

Der Junge kneift die Augen leicht zusammen und mustert mich von oben bis unten. Nur eine Millisekunde lang runzelt er die Stirn, aber ich hab's trotzdem gesehen. »Bist du nicht Big Mavs Tochter, die im Laden arbeitet?«

Was hab ich gesagt? Die Leute tun so, als wäre das der Name auf meiner Geburtsurkunde. »Genau. Die bin ich.«

»Ohhhh!«, macht das Mädchen. »Ich wusste doch, dass ich dich kenne. Wir waren zusammen in der Dritten. In der Klasse von Ms. Bridges. Ich saß hinter dir.«

»Oh.« Jetzt sollte ich mich wohl an sie erinnern, tue ich aber nicht. Wahrscheinlich hat Kenya doch recht – eigentlich kenne ich keinen mehr. Ihre Gesichter sind irgendwie vertraut, aber man kriegt ja die Namen und Lebensgeschichten von Leuten nicht mit, bloß weil man ihre Lebensmittel in eine Tüte packt.

Dann lüge ich eben. »Stimmt, ich erinnere mich auch an dich.«

»Mädel, lass das Lügen«, sagt der Typ. »Du weißt genau, dass du ihre Visage nicht kennst.«

»*Why you always lying?*«, stimmen Kenya und das Mädchen den aktuellen Song von Nicholas Fraser an. Der Typ fällt auch noch mit ein und dann prusten sie alle vor Lachen.

»Bianca und Chance, seid jetzt mal nett«, sagt Kenya schließlich. »Das hier ist Starrs erste Party. Ihre Familie lässt sie nirgends hin.«

Ich werfe ihr einen demonstrativen Blick von der Seite zu. »Ich gehe aber auf Partys, Kenya.«

»Habt ihr sie hier schon mal auf irgendeiner Party gesehen?«, fragt Kenya.

»Nope!«

»Eben. Und bevor du damit kommst, Vorstadtpartys von kleinen, langweiligen weißen Kids zählen nicht.«

Chance und Bianca kichern. Verdammt, ich wünschte, dieser Hoodie könnte mich auf der Stelle komplett verschlucken.

»Ich wette, die werfen Molly und solchen Scheiß ein, was?«, fragt Chance mich. »Weiße Kids lieben es ja, Pillen zu schlucken.«

»Und dazu hören sie Taylor Swift«, fügt Bianca hinzu, an dem Daumen in ihrem Mund vorbei.

Okay, damit liegen sie zwar nicht ganz daneben, aber

das werde ich bestimmt nicht zugeben. »Nö, eigentlich sind ihre Partys ziemlich cool«, sage ich. »Einmal hatte dieser Junge J. Cole für einen Auftritt auf seiner Geburtstagsparty da.«

»Verdammt. Echt jetzt?«, fragt Chance. »Shiiit, Girl, das nächste Mal nimmst du mich mit. Dafür mach ich auch mit weißen Kids Party.«

»Wie auch immer«, geht Kenya laut dazwischen. »Wir haben gerade davon gesprochen, uns Denasia vorzuknöpfen. Die Bitch tanzt da drüben mit DeVante.«

»Alte Schlampe«, nuschelt Bianca. »Du weißt, dass sie sich über dich das Maul zerreißt? Das war letzte Woche im Unterricht von Mr. Donald, als Aaliyah mir erzählt hat –«

Chance verdreht die Augen. »Uaaah! Mr. Donald.«

»Du bist doch bloß sauer auf den, weil er dich rausgeschmissen hat«, sagt Kenya.

»Na klar, verdammt!«

»Wie auch immer, Aaliyah hat mir jedenfalls –«, setzt Bianca noch mal an.

Ich höre nicht mehr hin, während es um Klassenkameraden und Lehrer geht, die ich nicht kenne. Dazu habe ich nichts beizutragen. Macht aber nichts. Ich bin sowieso unsichtbar.

Das geht mir hier oft so.

Während sie sich noch über Denasia und ihre Lehrer beklagen, sagt Kenya irgendwas von wegen ›neuen Drink besorgen‹, und alle drei ziehen ohne mich davon.

Plötzlich bin ich wie Eva im Paradies, nachdem sie diese Frucht gegessen hat – als würde mir plötzlich klar, dass ich nackt bin. Ich bin allein auf einer Party, auf der ich eigentlich nicht sein sollte und kaum jemanden kenne. Und die Person, die ich tatsächlich kenne, hat mich gerade stehengelassen.

Kenya hat mich wochenlang bearbeitet, mit auf diese Party zu gehen. Ich wusste, dass ich mich total unwohl fühlen würde, aber jedes Mal, wenn ich Kenya das erklärte, sagte sie, ich würde mich aufführen, als sei ich »zu gut für eine Garden-Heights-Party«. Ich war es irgendwann leid, mir diesen Shit anzuhören und beschloss, ihr zu beweisen, dass sie unrecht hat. Das Problem ist nur, es hätte Black Jesus gebraucht, um meine Eltern davon zu überzeugen, mich da hingehen zu lassen. Jetzt muss Black Jesus mich retten, falls sie rauskriegen, dass ich hier bin.

Ein paar Leute schauen zu mir rüber und haben dabei einen Blick, der sagt: »Wer ist denn die da drüben, die so lahm allein an der Wand lehnt?« Ich schiebe die Hände in meine Hosentaschen. Solange ich die Coole spiele und für mich bleibe, sollte es einigermaßen gehen. Aber der Witz an der Sache ist, dass ich an der Williamson gar nicht die Coole spielen muss – da bin ich als eine der wenigen schwarzen Kids automatisch cool. Mir Coolness in Garden Heights zu verdienen, ist dagegen schwerer, als Retro-Jordans an dem Tag zu ergattern, wenn sie in die Läden kommen.

Trotzdem komisch, wie das mit den weißen Kids läuft. Es ist cool, schwarz zu sein, bis es schwer wird, schwarz zu sein.

»Starr!«, höre ich da eine vertraute Stimme.

Das Meer der Gäste teilt sich für ihn, als wäre er ein Moses mit brauner Haut. Jungs hauen ihre Faust gegen seine, Mädchen verrenken sich den Hals, um einen Blick zu ergattern. Er lächelt mich an und seine Grübchen ruinieren seine ganze Gangster-Aura.

Khalil ist heiß. Kann man nicht anders sagen. Und ich hab früher mit ihm gebadet. Nicht *so*, sondern damals, als wir noch rumkicherten, weil er einen ›Pippi‹ hatte und ich eine ›Pippa‹, wie seine Grandma das nannte. Ganz ehrlich, das hatte überhaupt nichts Perverses.

Er umarmt mich und riecht nach Seife und Babypuder. »*What's up, Girl*? Hab dich schon ewig nicht gesehen.« Er lässt mich wieder los. »Du schreibst keine Nachrichten, nix. Wo hast du gesteckt?«

»Hab viel mit der Schule und dem Basketballteam zu tun«, sage ich. »Aber ich bin ja immer im Laden. Du bist derjenige, den man nicht mehr sieht.«

Seine Grübchen verschwinden, und er reibt sich über die Nase, wie er das immer macht, bevor er lügt. »Hatte zu tun.«

Anscheinend. Die brandneuen Jordans, das strahlend weiße T-Shirt, die Diamanten in seinen Ohren. Wenn du in Garden Heights aufwächst, weißt du, was »zu tun haben« bedeutet.

Fuck. Ich wünschte, er hätte nichts in dieser Art zu tun. Und ich weiß nicht, ob ich in Tränen ausbrechen oder ihm eine scheuern soll.

Aber so, wie Khalil mich mit seinen Haselnuss-Augen ansieht, kann ich ihm kaum böse sein. Ich fühle mich, als wäre ich wieder zehn, stünde im Keller der Christ Temple Church und würde ihn in der Ferien-Bibel-Schule zum ersten Mal küssen. Plötzlich fällt mir wieder ein, dass ich einen schlabbrigen Hoodie anhabe, nach nichts aussehe … und dass ich eigentlich auch einen Freund habe. Zwar antworte ich gerade nicht auf die Anrufe und Nachrichten von Chris, aber er gehört immer noch mir, und ich will auch, dass das so bleibt.

»Wie geht's deiner Grandma?«, frage ich. »Und Cameron?«

»Sind okay. Grandma ist allerdings krank.« Khalil nippt an seinem Becher. »Die Ärzte sagen, sie hat Krebs oder so.«

»Mist. Tut mir leid, K.«

»Hmhmm, sie kriegt Chemo. Sorgen macht sie sich nur, weil sie sich eine Perücke besorgen muss.« Er lacht gekünstelt; diesmal ohne Grübchen. »Sie wird's schon schaffen.«

Das ist eher ein Gebet als eine Prophezeiung. »Hilft deine Momma mit Cameron?«

»Die gute alte Starr. Immer noch auf der Suche nach dem Guten im Menschen. Du weißt genau, dass sie nicht hilft.«

»Hey, war nur eine Frage. Letztens war sie mal im Laden. Sie sieht besser aus.«

»Zurzeit«, sagt Khalil. »Sie behauptet, sie würde versuchen, clean zu werden, aber es ist nur das Übliche. Ein paar Wochen bleibt sie clean, dann beschließt sie, sich noch einen einzigen Schuss zu genehmigen, und damit ist alles wieder beim Alten. Aber wie schon gesagt. Mit geht's gut, Cameron geht's gut, Grandma geht's gut.« Er zuckt mit den Achseln. »Das ist alles, was zählt.«

»Klar«, sage ich, aber ich erinnere mich an die Abende, die ich mit Khalil auf seiner Veranda verbrachte, als wir darauf warteten, dass seine Mutter nach Hause kam. Ob es ihm passt oder nicht, er hängt an ihr.

Die Musik ändert sich und Drake rappt aus den Lautsprechern. Ich nicke im Rhythmus und rappe leise mit. Alle auf der Tanzfläche schreien mit bei: »*started from the bottom, now we're here*«. An manchen Tagen sind wir hier in Garden Heights tatsächlich ganz unten, aber irgendwie verbindet uns trotzdem noch das Gefühl, es könne, verdammt noch mal, auch noch schlimmer sein.

Khalil beobachtet mich. Als seine Lippen sich schon zu einem Lächeln verziehen wollen, schüttelt er den Kopf. »Kann nicht glauben, dass du diesen Jammerlappen Drake immer noch magst.«

Ich starre ihn mit offenem Mund an. »Sag nichts gegen meinen Ehemann!«

»Deinen *schmalzigen* Ehemann. *Baby, you my everything, you all I ever wanted*«, singt Khalil mit weinerlicher Stimme. Ich remple ihn mit der Schulter an, er lacht und sein Drink schwappt über. »Du weißt schon, dass er so klingt!«

Da zeige ich ihm den Stinkefinger. Er zieht die Lippen zusammen und macht ein Kussgeräusch. Obwohl wir uns all die Monate nicht gesehen haben, ist sofort alles normal zwischen uns.

Khalil schnappt sich eine Serviette vom Couchtisch und wischt seine Jordans ab – die 3 Retros. Die kamen schon vor ein paar Jahren raus, aber ich würde schwören, dass seine hier nagelneu sind. Sie kosten um die dreihundert

Dollar – und das auch nur, wenn man jemand Gutmütigen auf eBay findet. Das hat Chris geschafft. Ich habe meine für hundertfünfzig bekommen, aber ich trage auch die günstigere Kindergröße. Dank meiner kleinen Füße können Chris und ich im Partnerlook gehen. Ja, genau so ein Paar sind wir. Aber verdammt, wir sind auch ziemlich cool. Wenn er es hinkriegt, keinen Blödsinn mehr zu machen, werden wir richtig gut sein.

»Mir gefallen deine Sneaker«, sage ich zu Khalil.

»Danke.« Er rubbelt weiter mit der Serviette. Ich zucke zusammen. Denn mit jedem festen Rubbeln schreien die Schuhe nach meiner Hilfe. Ungelogen, jedes Mal wenn ein Sneaker nicht korrekt gereinigt wird, stirbt ein Katzenbaby.

»Khalil«, sage ich, kurz davor, ihm die Serviette zu entreißen. »Entweder vorsichtig drüberreiben, vor und zurück, oder abtupfen. Nicht rubbeln. Echt jetzt.«

Grinsend schaut er zu mir hoch. »Okay, Ms. Sneakerhead.« Und Black Jesus sei Dank, er tupft. »Da du Schuld dran bist, dass ich meinen Drink verschüttet hab, solltest du sie sauber machen.«

»Das macht dann sechzig Dollar.«

»Sechzig?«, schreit er und richtet sich wieder auf.

»Yeah, verdammt. Und wenn sie *Icy*-Sohlen hätten, wären es achtzig.« Durchsichtige Sohlen sind fies zu reinigen. »Reinigungssets sind nicht billig. Und außerdem scheinst du eine Menge Kohle zu machen, wenn du dir die leisten kannst.«

Khalil nippt an seinem Drink, als hätte ich nichts gesagt. Dann murmelt er: »Verdammt, ist das Zeug stark«, und stellt seinen Becher auf dem Tisch ab. »Ach, sag deinem Pops, dass ich ihn bald mal anrufe. Da passieren Sachen, über die ich mit ihm reden muss.«

»Was für Sachen?«

»Das ist nur was für Erwachsene.«

»Genau, weil du ja so was von erwachsen bist.«

»Fünf Monate, zwei Wochen und drei Tage älter als du.« Er zwinkert mir zu. »Hab ich nicht vergessen.«

In der Mitte der Tanzfläche gibt's irgendeinen Tumult. Schimpfwörter fliegen hin und her.

Mein erster Gedanke? Kenya hat sich wie angekündigt Denasia vorgeknöpft. Aber die Stimmen sind tiefer als die der beiden.

Peng! Ein Schuss knallt. Ich ducke mich.

Peng! Ein zweiter Schuss. Die Menge trampelt Richtung Tür, was noch mehr Fluchen und wüstes Gedrängel erzeugt, weil es nicht alle auf einmal raus schaffen.

Khalil packt mich bei der Hand. »Komm.«

Da sind viel zu viele Leute und viel zu viele Locken, als dass ich Kenya irgendwo entdecken könnte. »Aber Kenya –«

»Vergiss sie, los, weg hier!«

Er zieht mich durch die Menge, schubst Leute aus dem Weg und tritt anderen auf die Füße. Das allein könnte uns schon ein paar Kugeln einbringen. Zwischen panischen Gesichtern suche ich nach Kenya, aber keine Spur von ihr. Ich bemühe mich, nicht hinzusehen, wer angeschossen wurde und von wem. Wer nichts gesehen hat, kann auch keinen verpfeifen.

Draußen rasen Autos davon und die Leute rennen in die Nacht. In alle Richtungen, wo nicht geschossen wird. Khalil führt mich zu einem Chevy Impala, der unter dem schwachen Schein einer Straßenlaterne parkt. Er schiebt mich von der Fahrerseite aus hinein und ich klettere auf den Beifahrersitz. Mit quietschenden Reifen rasen wir los. Das Chaos lassen wir im Rückspiegel hinter uns zurück.

»Immer ist irgendein Scheiß«, murmelt er. »Kann man nicht mal mehr eine Party feiern, ohne dass einer erschossen wird?«

Er klingt wie meine Eltern. Und genau darum lassen sie mich »nirgends hin«, wie Kenya es ausdrückt. Zumindest nicht in Garden Heights.

Ich schicke Kenya eine Nachricht und hoffe, sie ist okay. Zwar bezweifle ich, dass diese Kugeln für sie gedacht waren, aber Kugeln fliegen ja hin, wo sie wollen.

Kenya antwortet ziemlich schnell.

> Bin ok.
> Aber ich seh die Schlampe. Werde ihr gleich i d Arsch treten.
> Wo bist du?

Ist das Mädel noch bei Trost? Wir sind gerade um unser Leben gerannt und sie ist schon wieder zum Streiten aufgelegt? Auf diesen Bullshit antworte ich nicht mal.

Khalils Impala ist nett. Nicht so protzig wie manche Autos der Jungs. Beim Einsteigen habe ich keine besonderen Felgen gesehen, und das Leder auf den Vordersitzen hat ein paar Risse. Aber innen ist alles limettenfarben, also muss es schon gepimpt sein.

Ich zupfe an einem Riss im Sitz herum. »Wer glaubst du, wurde angeschossen?«

Khalil nimmt seine Haarbürste aus dem Seitenfach in der Tür. »Wahrscheinlich ein King Lord«, sagt er und bürstet über die Seiten seines Fade-Cuts. »Als ich ankam, gingen gerade ein paar Garden Disciples rein. Da war schon irgendwas im Busch.«

Ich nicke. Garden Heights war in den letzten zwei Monaten Schauplatz irgendwelcher bescheuerter Revierkämpfe. Ich bin als »Queen« geboren, weil Daddy früher ein King Lord war. Aber als er aus dem Gangleben ausstieg, war es auch mit meinem königlichen Status auf der Straße vorbei. Doch selbst wenn ich damit aufgewachsen wäre, würde ich nicht kapieren, warum man um Straßen kämpft, die ja sowieso keinem gehören.

Khalil lässt die Bürste wieder in das Seitenfach fallen und dreht die Stereoanlage auf. Die plärrt einen alten Rap-Song, den Daddy auch schon tausendmal gespielt hat. Ich verziehe das Gesicht. »Warum hörst du dir immer dieses alte Zeug an?«

»Mann, du kannst gleich aussteigen! Tupac war das einzig Wahre.«

»Vor zwanzig Jahren.«

»Nee, auch heute noch. Wie das hier.« Er zeigt mit dem Finger auf mich, was bedeutet, dass jetzt gleich einer von Khalils philosophischen Momenten kommt. »Pac hat gesagt, *Thug Life* steht für ›The Hate U Give Little Infants Fucks Everybody‹.«

Ich ziehe die Augenbrauen in die Höhe. »Was?«

»Hör zu! *The Hate U* – also mit dem Buchstaben U geschrieben – *Give Little Infants Fucks Everybody*. *T-H-U-G L-I-F-E*. Das bedeutet, was die Gesellschaft uns als Kinder antut, das kriegt sie später zurück, wenn wir raus ins Leben ziehen. Kapiert?«

»Yeah, verdammt.«

»Siehst du? Hab doch gesagt, dass er wichtig ist.« Er nickt zu den Beats und rappt mit. Ich aber frage mich, was genau die Gesellschaft von ihm gerade zurückkriegt. Ich kann es mir zwar denken, aber hoffentlich irre ich mich. Ich muss es einfach von ihm selbst hören.

»Warum hattest du wirklich zu tun?«, frage ich. »Vor ein paar Monaten meinte Daddy, du hättest im Laden gekündigt. Seither hab ich dich nicht mehr gesehen.«

Er beugt sich tiefer übers Lenkrad. »Wo soll ich dich hinbringen, zu dir nach Hause oder zum Laden?«

»Khalil –«

»Nach Hause oder zum Laden?«

»Wenn du dieses Zeug verkaufst –«

»Kümmer dich um deine eigenen Angelegenheiten, Starr! Mach dir um mich keine Sorgen. Ich tue, was ich tun muss.«

»Bullshit. Du weißt, mein Dad würde dir helfen.«

Er wischt sich vor der nächsten Lüge wieder über die Nase. »Ich brauch von niemand Hilfe, okay? Und dieser kleine Mindestlohn-Job, den dein Pops mir gegeben hat, damit konnte ich ja wohl nichts reißen. Ich war es leid, mich zwischen Kippen und Essen zu entscheiden.«

»Ich dachte, deine Grandma würde arbeiten.«

»Hat sie auch. Als sie krank wurde, haben diese Clowns im Krankenhaus behauptet, sie würden sie unterstützen. Aber als sie zwei Monate später ihr Pensum nicht mehr schaffte – denn wenn man eine Chemo durchmacht, kann man eben keine verfluchten Riesenmülleimer rumschieben –, da haben sie sie gefeuert.« Er schüttelt den Kopf. »Witzig, was? Das Krankenhaus hat sie gefeuert, weil sie krank war.«

Im Impala ist es still bis auf Tupac, der fragt *Who do you believe in?* Ich weiß es nicht.

Mein Handy vibriert wieder. Wahrscheinlich ist das entweder Chris, der um Entschuldigung bittet, oder Kenya, die Verstärkung gegen Denasia anfordert. Stattdessen erscheinen aber die Großbuchstaben meines großen Bruders auf dem Display. Keine Ahnung, warum er das macht. Wahrscheinlich glaubt er, mich damit einzuschüchtern. Stattdessen ärgert es mich echt maßlos.

WO BIST DU?

DU U KENYA SEID BESSER NICHT AUF DER PARTY.

HAB GEHÖRT DA WURDE GESCHOSSEN

Das Einzige, was noch schlimmer ist als behütende Eltern, sind ältere Brüder, die einen beschützen wollen. Nicht mal Black Jesus kann mich vor Seven retten.

Khalil wirft mir einen Blick zu. »Seven, was?«

»Woher weißt du das?«

»Weil du jedesmal aussiehst, als würdest du am liebsten auf irgendwas einschlagen, wenn er mit dir redet. Erinnerst du dich noch an deine Geburtstagsparty damals,

als er dir dauernd sagen wollte, was du dir beim Kerzenausblasen wünschen solltest?«

»Und ich hab ihm eine runtergehauen.«

»Dann war Natasha sauer, weil du so gemein zu ihrem ›Boyfriend‹ warst«, erzählt Khalil lachend weiter.

Ich verdrehe die Augen. »Sie ist mir dermaßen auf die Nerven gegangen, weil sie in Seven verknallt war. Ich glaube, jedes zweite Mal ist sie nur vorbeigekommen, um ihn zu sehen.«

»Nee, das war, weil du die Harry-Potter-Filme hattest. Wie haben wir uns damals genannt? Das Hood-Trio. Das enger zusammenhält, als es –«

»In Voldemorts Nase je sein könnte. Das war schon ziemlich schwach.«

»Ja, oder?«, sagt er.

Wir lachen, aber irgendwas fehlt. Irgend*jemand* fehlt. Natasha.

Khalil schaut auf die Straße. »Verrückt, dass das schon sechs Jahre her ist.«

Das Aufheulen einer Sirene lässt uns zusammenzucken. Im Rückspiegel flackert Blaulicht.

Kapitel 2

Als ich zwölf war, führten meine Eltern zwei Gespräche mit mir.

Das eine war das übliche, über Blumen und Bienen. Also, nicht wirklich die übliche Version, denn meine Mom Lisa ist ausgebildete Krankenschwester. Sie erklärte mir, was wohin gehört und was wo nicht hin darf, also verdammt noch mal nirgendwohin, bis ich erwachsen wäre. Damals bezweifelte ich sowieso, dass irgendwas irgendwo hinkäme. Während alle anderen Mädchen zwischen der sechsten und siebten Klasse Brüste bekamen, blieb meine Vorderseite so flach wie mein Rücken.

Das zweite Gespräch handelte davon, was zu tun ist, wenn man von einem Cop angehalten wird.

Momma regte sich auf und meinte zu Daddy, ich sei noch zu jung dafür. Er konterte, dass ich auch nicht zu jung sei, um verhaftet oder erschossen zu werden.

»Starr-Starr, du machst alles, was sie sagen«, meinte er. »Halt deine Hände so, dass man sie sieht. Mach keine plötzlichen Bewegungen. Red nur, wenn du was gefragt wirst.«

Mir war klar, wie ernst die Angelegenheit war. Daddy hat die größte Klappe von allen, die ich kenne. Und wenn er sagt, sei still, dann musste man unbedingt still sein.

Ich hoffe, jemand hat dieses Gespräch auch mit Khalil geführt.

Er flucht leise, dreht die Lautstärke von Tupac runter und lenkt den Impala an den Straßenrand. Wir befinden uns auf der Carnation, wo die meisten Häuser leer stehen und die Hälfte der Straßenlaternen kaputt ist. Kein Mensch zu sehen, außer uns und dem Streifenwagen.

Khalil macht die Zündung aus. »Ich frag mich, was der Idiot will.«

Der Polizist parkt ebenfalls und schaltet sein Fernlicht ein. Ich blinzle, weil es mich blendet.

Dann erinnere ich mich an noch etwas, das Daddy mir gesagt hat. Wenn du mit jemand anderem unterwegs bist, kannst du nur hoffen, dass die bei dem nichts finden, sonst seid ihr beide verloren.

»K, du hast doch nichts im Auto, oder?«, frage ich.

Er beobachtet den Cop im Außenspiegel. »Nee.«

Der Polizist kommt zur Fahrertür und klopft an die Scheibe. Khalil kurbelt sie runter. Als wären wir nicht schon genug geblendet, leuchtet er uns auch noch mit seiner Taschenlampe ins Gesicht.

»Führerschein, Zulassung und Versicherungsnachweis.«

Khalil bricht eine Regel – er tut nicht, was der Cop will. »Warum haben Sie uns angehalten?«

»Führerschein, Zulassung und Versicherungsnachweis.«

»Ich sagte, warum haben Sie uns angehalten?«

»Khalil«, flehe ich. »Tu, was er sagt.«

Khalil stöhnt auf und holt seine Brieftasche heraus. Der Polizist folgt seinen Bewegungen mit der Taschenlampe.

Mein Herz hämmert laut, aber ich habe Daddys Anweisungen im Ohr: Sieh dir das Gesicht von dem Cop genau an. Wenn du dir seine Dienstnummer merken kannst, noch besser.

Während das Licht der Taschenlampe auf Khalils Hand gerichtet ist, kann ich die Nummer auf seinem Abzeichen erkennen – einhundertfünfzehn. Er ist weiß, ungefähr Mitte dreißig, Anfang vierzig, hat einen braunen Bürstenhaarschnitt und eine feine Narbe an der Oberlippe.

Khalil gibt ihm seine Papiere und den Führerschein.

Hundertfünfzehn sieht sie sich flüchtig an. »Wo kommt ihr beiden gerade her?«

»*Nunya*«, sagt Khalil und meint damit, geht dich nichts an. »Warum haben Sie mich angehalten?«

»Dein Rücklicht ist kaputt.«

»Krieg ich dann jetzt einen Strafzettel oder wie?«, fragt Khalil.

»Weißt du was? Steig mal aus, du Klugscheißer.«

»Mann, gib mir einfach meinen Strafzettel –«

»Aussteigen! Und die Hände hoch, sodass ich sie sehen kann.«

Khalil steigt mit erhobenen Händen aus. Hundertfünfzehn zerrt ihn am Arm und drückt ihn gegen die hintere Tür.

Ich habe Mühe, meine Stimme wiederzufinden. »Er wollte doch gar nicht –«

»Hände aufs Armaturenbrett!«, fährt der Polizist mich an. »Keine Bewegung!«

Ich tue, was er sagt, aber meine Hände zittern zu sehr, um ruhig liegen zu bleiben.

Er tastet Khalil ab. »Okay, Klugscheißer, dann wollen wir mal sehen, was wir heute bei dir finden.«

»Sie werden gar nichts finden«, sagt Khalil.

Hundertfünfzehn tastet ihn noch zweimal ab und findet nichts.

»Bleib da stehen«, befiehlt er Khalil. »Und du«, er schaut durchs Fenster zu mir. »Rühr dich nicht.«

Ich schaffe es nicht mal zu nicken.

Dann geht der Beamte zu seinem Streifenwagen zurück.

Meine Eltern haben mir nicht beigebracht, die Polizei zu fürchten, sondern mich in ihrer Gegenwart einfach klug zu verhalten. Sie haben mir erklärt, dass es nicht klug ist, sich zu bewegen, während ein Cop dir den Rücken zudreht.

Khalil macht genau das. Er kommt zur Fahrertür.

Eine plötzliche Bewegung ist auch nicht klug.

Khalil macht aber genau das. Er öffnet die Fahrertür.

»Starr, bist du okay –«

Peng!

Khalils Körper zuckt. Von seinem Rücken spritzt Blut. Er klammert sich an die Tür, um sich auf den Beinen zu halten.

Peng!

Khalil keucht auf.

Peng!

Khalil sieht mich erstaunt an.

Er stürzt zu Boden.

Ich bin wieder zehn und sehe Natasha fallen.

Ein ohrenbetäubender Schrei dringt aus meiner Kehle,

explodiert in meinem Mund und nutzt jeden Zentimeter meines Körpers für seine Resonanz.

Mein Verstand sagt mir, ich soll mich nicht bewegen, aber alles andere drängt mich, nach Khalil zu sehen. Ich springe aus dem Wagen und renne auf die andere Seite. Khalil starrt in den Himmel, als hoffe er, Gott zu sehen. Sein Mund ist wie zu einem Schrei geöffnet. Ich schreie laut genug für uns beide.

»Nein, nein, nein«, ist alles, was ich sagen kann. So als wäre ich erst ein Jahr alt und könnte noch kein anderes Wort. Ich weiß nicht, wie ich neben ihm auf dem Boden lande. Meine Mom hat mal gesagt, wenn jemand angeschossen wird, dann versuch, die Blutung zu stoppen, aber da ist so viel Blut. Zu viel Blut.

»Nein, nein, nein.«

Khalil rührt sich nicht. Sagt kein Wort. Er sieht mich nicht einmal an. Sein Körper verkrampft sich und dann ist er tot. Ich hoffe, er sieht Gott.

Jemand anders schreit.

Ich blinzle gegen meine Tränen an. Der Polizeibeamte Hundertfünfzehn schreit mich an und zielt mit derselben Waffe auf mich, mit der er gerade meinen Freund getötet hat.

Ich hebe die Hände.

Kapitel 3

Sie lassen Khalil auf der Straße liegen wie ein Ausstellungsstück. Entlang der Carnation Street stehen Polizeiautos und Krankenwagen mit Blaulicht. Am Rand sind auch Leute, die versuchen zu sehen, was passiert ist.

»Verdammt, Bro«, sagt irgendwer. »Die haben ihn umgebracht!«

Die Polizei ruft den Leuten zu, sie sollen verschwinden. Keiner reagiert.

Die Sanitäter können einen Dreck für Khalil tun, also setzen sie wenigstens mich hinten in einen Krankenwagen, als würde ich Hilfe brauchen. Das helle Licht macht auf mich aufmerksam, und die Leute recken den Hals, um irgendwas zu sehen.

Ich fühle mich nicht wie etwas Besonderes. Ich fühle mich elend.

Die Cops durchwühlen Khalils Auto. Ich versuche, ihnen zu sagen, sie sollen das lassen. Bitte, deckt ihn zu. Bitte, schließt seine Augen. Bitte, schließt seinen Mund. Nehmt die Pfoten von seinem Wagen. Fasst seine Haarbürste nicht an. Aber es kommt kein Laut über meine Lippen.

Hundertfünfzehn sitzt am Bordstein und hat das Gesicht in den Händen vergraben. Andere Polizisten klopfen ihm auf die Schulter und versichern ihm, alles würde gut.

Endlich breiten sie ein Laken über Khalil. Da drunter kann er nicht atmen. Ich kriege keine Luft.

Ich kann nicht.

Atmen.

Ich schnappe nach Luft.

Schnappe wieder danach.

Und wieder.

»Starr?«

Braune Augen mit langen Wimpern direkt vor mir. Sie sehen aus wie meine.

Ich konnte den Cops nicht viel sagen, aber immerhin habe ich die Namen und die Telefonnummern meiner Eltern herausgebracht.

»Hey«, sagt Daddy. »Komm, wir gehen.«

Ich öffne den Mund, um zu antworten. Es kommt nur ein Schluchzen heraus.

Da wird Daddy beiseite geschoben und Momma nimmt mich in die Arme. Sie streicht mir über den Rücken, spricht leise auf mich ein und erzählt mir Lügen.

»Alles ist gut, Baby. Ist schon gut.«

So verharren wir lange. Irgendwann hilft Daddy uns aus dem Krankenwagen. Er legt den Arm um mich, schirmt mich damit gegen neugierige Blicke ab und führt mich zu seinem Chevrolet Tahoe, der ein Stück die Straße runter steht.

Er fährt los. Im vorbeiziehenden Licht einer Straßenlaterne sehe ich, wie fest er die Zähne zusammenbeißt. An seinem kahlen Kopf treten die Adern hervor.

Momma trägt ihre Schwesternkleidung, die mit den

Entchen drauf. Sie war heute für eine Sonderschicht in der Notaufnahme. Ein paarmal wischt sie sich über die Augen. Wahrscheinlich weil sie an Khalil denkt oder daran, dass auch ich auf der Straße hätte liegen können.

Mein Magen krampft sich zusammen. Das ganze Blut, das aus ihm raus kam. Etwas davon ist an meinen Händen, auf Sevens Hoodie und meinen Sneakern. Vor einer Stunde haben wir noch gelacht und Neuigkeiten ausgetauscht. Jetzt ist sein Blut ...

Heiße Spucke in meinem Mund. Mein Magen zieht sich noch heftiger zusammen. Ich muss würgen.

Momma wirft im Rückspiegel einen Blick auf mich. »Halt an, Maverick!«

Ich hechte über die Rückbank und drücke die Tür auf, bevor der Truck ganz zum Stehen kommt. Es fühlt sich an, als käme alles aus mir heraus. Und ich kann nichts tun, als es zuzulassen.

Momma springt aus dem Wagen und kommt zu mir gelaufen. Sie hält mir die Haare aus dem Gesicht und streichelt über meinen Rücken. »Es tut mir so leid, Baby«, sagt sie.

Als wir zu Hause sind, hilft sie mir beim Ausziehen. Sevens Hoodie und meine Jordans verschwinden auf Nimmerwiedersehen in einer schwarzen Mülltüte.

Ich setze mich in die heiße Badewanne und schrubbe meine Hände wund, um Khalils Blut abzuwaschen. Daddy trägt mich ins Bett und Momma streicht mir mit den Fingern durchs Haar, bis ich eingeschlafen bin. Immer wieder wecken mich Albträume auf. Momma erinnert mich daran zu atmen. So wie früher, als ich noch Asthma hatte. Ich glaube, sie bleibt die ganze Nacht in meinem Zimmer, denn jedes Mal wenn ich aufwache, sitzt sie an meinem Bett.

Aber jetzt ist sie nicht da. Meine Augen blinzeln gegen die Helligkeit meiner neon-blauen Wände an. Der Wecker zeigt fünf Uhr an. Mein Körper ist das Aufwachen um fünf so gewöhnt, dass es keine Rolle spielt, ob Samstag ist.

Ich starre auf die Leuchtsterne an meiner Zimmerdecke und versuche, mich an den vergangenen Abend zu erinnern. Die Party fällt mir ein, die Schießerei dort. Hundertfünfzehn, der Khalil und mich zum Anhalten zwingt. Der erste Schuss dröhnt in meinen Ohren. Dann der zweite. Der dritte.

Ich liege im Bett. Khalil liegt im Leichenschauhaus des Bezirks.

Dort ist auch Natasha gelandet. Das war vor sechs Jahren, aber ich erinnere mich noch an alle Einzelheiten von jenem Tag. Ich wischte damals den Boden in unserem Lebensmittelladen, um mir mein erstes Paar J's zusammenzusparen, als Natasha reingerannt kam. Sie war stämmig (ihre Momma sagte immer, das sei noch Babyspeck), hatte dunkle Haut und eine Flechtfrisur, die immer wie neu gemacht aussah. Ich wünschte mir so sehr eine Frisur wie ihre.

»Starr, der Hydrant an der Elm Street ist kaputt!«, rief sie.

Sie hätte ebenso gut sagen können, wir haben einen gratis Wasser-Fun-Park. Ich erinnere mich, Daddy angesehen und stumm gebettelt zu haben. Er sagte, ich könne gehen, wenn ich verspräche, in einer Stunde wieder da zu sein.

Ich glaube, ich habe Wasser noch nie so weit in die Höhe schießen gesehen, wie an jenem Tag. Fast alle aus der Nachbarschaft waren auch da. Einfach um Spaß zu haben. Ich war zunächst die Einzige, die das Auto bemerkte.

Ein tätowierter Arm streckte sich aus einem der hinteren Fenster, in der Hand eine Glock. Die Leute rannten weg. Ich nicht. Meine Füße verschmolzen mit dem Gehweg. Natasha planschte weiter fröhlich im Wasser. Dann –

Peng! Peng! Peng!

Ich sprang in einen Rosenstrauch. Als ich daraus wieder aufstand, schrie jemand: »Ruft die 911!« Zuerst dachte ich, das wäre meinetwegen, weil an meinem Shirt Blut klebte. Ich war an den Dornen des Rosenbuschs hängen geblieben. Mehr nicht. Aber es ging um Natasha. Ihr Blut vermischte sich mit dem Wasser und man sah nur einen roten Bach die Straße runterlaufen.

Sie sah verängstigt aus. Wir waren zehn und wussten nicht, was passiert, wenn man tot ist. Ich weiß es immer noch nicht, und sie wurde gezwungen, es herauszufinden, obwohl sie das gar nicht wollte.

Ganz sicher wollte sie das nicht. Ebensowenig wie Khalil.

Meine Zimmertür öffnet sich einen Spalt breit und Momma schaut herein. Sie versucht zu lächeln. »Wer ist denn da schon wach?«

Sie setzt sich an ihre übliche Stelle aufs Bett und befühlt meine Stirn, obwohl ich kein Fieber habe. Aber sie kümmert sich so oft um kranke Kinder, dass das bei ihr eine Art Reflex ist. »Wie fühlst du dich, Mümmel?«

Mein Spitzname. Meine Eltern behaupten, seitdem ich kein Fläschchen mehr bekam, hätte ich dauernd irgendwas gemümmelt. Meinen großen Appetit habe ich nicht mehr, aber den Spitznamen werde ich nicht los. »Müde«, sage ich. Meine Stimme klingt besonders tief. »Ich will im Bett bleiben.«

»Ich weiß, Süße, aber ich möchte nicht, dass du allein hier bist.«

Dabei will ich genau das, allein sein. Sie sieht mich durchdringend an, aber es kommt mir vor, als würde sie mich sehen, wie ich früher war: ihr kleines Mädchen mit Zöpfen und Wackelzahn, das Stein und Bein schwor, ein Powerpuff Girl zu sein. Es ist seltsam, aber irgendwie auch wie eine Decke, in die ich eingewickelt werden möchte.

»Ich hab dich lieb«, sagt sie.

»Ich dich auch.«

Da steht sie auf und streckt mir die Hand hin. »Komm. Lass uns mal was zu essen für dich finden.«

Langsam gehen wir Richtung Küche. Black Jesus hängt in einem Bild auf dem Flur am Kreuz, daneben ein Foto von Malcolm X mit Gewehr. Nana beklagt sich immer noch über diese Anordnung.

Wir wohnen in ihrem früheren Haus. Sie hat es meinen Eltern überlassen, nachdem sie in das gigantische Haus meines Onkel Carlos in die Vorstadt gezogen ist. Onkel Carlos war es nie recht, dass Nana allein in Garden Heights lebte, vor allem weil dort überdurchschnittlich häufig bei älteren Leuten eingebrochen wird und Raubüberfälle passieren. Nana hält sich allerdings nicht für alt. Sie weigerte sich selbst dann noch, wegzuziehen, als jemand einbrach und ihr den Fernseher klaute. Ungefähr einen Monat später behauptete Onkel Carlos, er und Tante Pam bräuchten ihre Hilfe mit den Kindern. Da Tante Pam nach Nanas Aussage »diesen armen Babys rein gar nichts Anständiges kochen kann«, willigte sie schließlich ein. Unser Haus hat trotzdem immer noch viel von Nana: Überall riecht es nach Potpourris, die Tapeten haben Blümchenmuster und in fast jedem Zimmer gibt es irgendwas Pinkfarbenes.

Daddy und Seven unterhalten sich, bevor wir die Küche erreichen. Als wir reinkommen, verstummen sie.

»Guten Morgen, Baby Girl.« Daddy steht vom Tisch auf und küsst mich auf die Stirn. »Konntest du einigermaßen schlafen?«

»Ja«, lüge ich, während er mich zu einem Stuhl führt. Seven schaut mich nur an.

Momma öffnet den Kühlschrank, dessen Tür mit Magneten in Obstform und Speisekarten von Take-Out-Restaurants zugepflastert ist. »Also, Mümmel«, sagt sie, »möchtest du Putenschinken oder normalen?«

»Normalen.« Die Auswahl wundert mich. Wir haben eigentlich nie Schweinefleisch da. Wir sind aber keine Muslime. Eher »Christlime«. Momma wurde noch in Nanas Bauch Mitglied der Christ Temple Church. Daddy glaubt an Black Jesus, hält sich aber eher an das Zehn-Punkte-Programm der Black Panthers als an die Zehn Gebote. In einigen Punkten stimmt er der Nation of Islam zu, aber darüber, dass sie Malcolm X getötet haben könnte, kommt er nicht hinweg.

»Schwein in meinem Haus«, knurrt Daddy und setzt sich zu mir. Seven hinter ihm grinst. Er und Daddy sehen sich total ähnlich. Wenn man jetzt noch meinen kleinen Bruder Sekani dazusetzt, meint man, dieselbe Person mit acht, siebzehn und sechsunddreißig zu sehen. Alle drei sind dunkelbraun, schlank und haben kräftige Augenbrauen sowie lange Wimpern, die fast feminin wirken. Sevens Dreadlocks sind so lang, dass er dem kahl rasierten Daddy und Sekani mit seinem Kurzhaarschnitt beiden noch einen Kopf voll davon abgeben könnte.

Bei mir scheint Gott die Hautfarben meiner Eltern in einem Farbeimer gemischt zu haben, um meinen mittelbraunen Teint hinzukriegen. Ich habe auch Daddys Wimpern geerbt – und bin mit seinen Augenbrauen gestraft. Ansonsten komme ich eher nach meiner Mom, mit großen braunen Augen und einer etwas zu hohen Stirn.

Momma geht mit dem Schinken hinter Seven vorbei und drückt seine Schulter. »Danke, dass du gestern bei deinem Bruder geblieben bist, damit wir –« Ihre Stimme erstirbt, aber die Erinnerung an die Ereignisse gestern Abend stehen im Raum. Sie räuspert sich. »Wir wissen das zu schätzen.«

»Kein Problem. Ich musste sowieso da raus.«

»Ist King über Nacht geblieben?«, fragt Daddy.

»Eher eingezogen. Iesha redet schon davon, dass wir eine Familie sein könnten –«

»Hey«, sagt Daddy. »Das ist deine Momma, Junge. Nenn sie nicht beim Vornamen, als wärst du schon erwachsen.«

»Einer in dem Haus muss ja erwachsen sein«, meint Momma. Sie holt die Pfanne raus und ruft in den Flur: »Sekani, ich werd's dir nicht noch mal sagen. Wenn du übers Wochenende zu Carlos willst, solltest du besser mal aufstehen! Deinetwegen komme ich nicht zu spät zur Arbeit.« Bestimmt muss sie heute die Tagschicht übernehmen, um gestern auszugleichen.

»Pops, du weißt doch, wie es laufen wird«, sagt Seven. »Er schlägt sie, sie schmeißt ihn raus. Dann kommt er zurück, sagt er habe sich geändert. Der einzige Unterschied ist, dass ich diesmal nicht zulassen werde, dass er mir gegenüber handgreiflich wird.«

»Du kannst jederzeit bei uns einziehen«, sagt Daddy.

»Ich weiß, aber ich kann Kenya und Lyric nicht zurücklassen. Der ist irre genug, um die beiden auch noch zu schlagen. Dabei kümmert es ihn nicht, dass sie seine Töchter sind.«

»Na gut«, meint Daddy. »Sag nichts zu ihm. Wenn er dir gegenüber handgreiflich wird, lass mich das regeln.«

Seven nickt, dann schaut er mich an. Er öffnet den Mund, und es vergeht eine Weile, bevor er sagt: »Das mit gestern Abend tut mir leid, Starr.«

Endlich spricht jemand die Wolke an, die über der Küche schwebt, was aus irgendeinem Grund auch bedeutet, mich zur Kenntnis zu nehmen.

»Danke«, sage ich, obwohl das eigentlich unpassend ist. Nicht ich verdiene Mitgefühl, sondern Khalils Familie.

Man hört den Schinken in der Pfanne zischen. Ich komme mir vor, als hätte ich einen »Zerbrechlich«-Aufkleber auf der Stirn, und anstatt das Risiko einzugehen und etwas zu sagen, das mich zerbrechen könnte, sagen sie lieber gar nichts.

Aber Schweigen ist das Schlimmste.

»Ich hatte mir deinen Hoodie geliehen, Seven«, murmle ich. Das ist banal, aber immer noch besser als nichts. »Den blauen. Momma musste ihn wegschmeißen. Khalils Blut ...« ich schlucke. »Sein Blut war drauf.«

»Oh ...«

Eine Minute lang sagt niemand mehr was.

Momma wendet sich der Pfanne zu. »Ergibt überhaupt keinen Sinn. Das Kind –«, sagt sie mit belegter Stimme. »Er war doch noch ein Kind.«

Daddy schüttelt den Kopf. »Der Junge hat nie jemand was getan. Er hat das nicht verdient.«

»Warum haben die ihn erschossen?«, fragt Seven. »War er vielleicht eine Bedrohung oder so?«

»Nein«, sage ich leise.

Ich starre auf den Tisch und spüre, wie sie mich alle wieder beobachten.

»Er hat gar nichts gemacht«, sage ich. »*Wir* haben gar nichts gemacht. Khalil hatte ja nicht mal eine Waffe.«

Daddy atmet langsam aus. »Wenn das die Leute hier erfahren, werden sie ausrasten.«

»Bei denen aus der Gegend ist schon auf Twitter davon die Rede«, sagt Seven. »Hab ich gestern Abend gesehen.«

»Wurde deine Schwester erwähnt?«, fragt Momma.

»Nein. Nur RIP Khalil-Nachrichten, *Fuck the police*, solches Zeug. Ich glaube nicht, dass die Einzelheiten kennen.«

»Was wird mit mir passieren, wenn die Einzelheiten rauskommen?«, frage ich.

»Was meinst du damit, Baby?«, fragt meine Mom.

»Außer dem Cop bin ich der einzige Mensch, der dabei war. Und ihr habt so was doch schon erlebt. Das kommt in die landesweiten Nachrichten. Leute kriegen Morddrohungen, die Polizei nimmt sie ins Visier, lauter solches Zeug.«

»Ich werde nicht zulassen, dass dir irgendwas passiert«, sagt Daddy. »Keiner von uns.« Er sieht Momma und Seven an. »Wir erzählen keinem, dass Starr dort war.«

»Sollte Sekani Bescheid wissen?«, fragt Seven.

»Nein«, sagt Momma. »Es ist am besten, wenn er nichts weiß. Jetzt reden wir erst mal nicht mehr darüber.«

Ich habe es immer wieder erlebt: Ein Schwarzer wird erschossen, nur weil er schwarz ist, und die Hölle bricht los. Ich habe RIP-Hashtags getweetet, Bilder auf Tumblr weitergebloggt und jede Petition, die es gab, unterzeichnet. Immer habe ich gesagt, wenn ich dabei wäre, wenn so was passiert, dann hätte ich die lauteste Stimme und würde dafür sorgen, dass die Welt erfährt, was passiert ist.

Jetzt bin ich genau diese Person und habe zu viel Angst, den Mund aufzumachen.

Ich würde am liebsten zu Hause bleiben und *Der Prinz von Bel-Air*, meine absolute Lieblingsserie, anschauen. Wahrscheinlich kenne ich jede einzelne Folge auswendig. Klar ist sie urkomisch, aber mir kommt es auch vor, als würde ein Teil meines eigenen Lebens auf dem Bildschirm widergespiegelt. Ich kann mich sogar mit dem Titelsong identifizieren. Denn ein paar Gangmitglieder, die nichts Gutes im Sinn hatten, haben in meiner Nachbarschaft Ärger gemacht und Natasha ermordet. Meine Eltern bekamen es mit der Angst zu tun und schickten mich zwar nicht zu Tante und Onkel in eine Reichengegend, aber zumindest auf eine Privatschule für bessere Leute.

Ich wünschte nur, ich könnte an der Williamson ich selbst sein, so wie Will in Bel-Air.

Irgendwie will ich auch zu Hause bleiben, damit ich Chris zurückrufen kann. Nach gestern Abend kommt es mir dämlich vor, auf ihn wütend zu sein. Ich könnte auch Hailey und Maya anrufen. Die Mädchen, von denen Kenya behauptet, sie wären nicht meine Freundinnen. Ich kann schon verstehen, warum sie das sagt. Nie lade ich sie zu mir ein. Warum sollte ich? Sie wohnen in Mini-Villen. Mein Zuhause ist einfach nur mini.

In der siebten Klasse habe ich den Fehler gemacht, sie zu einer Übernachtungsparty einzuladen. Momma hätte uns erlaubt, die Fingernägel zu lackieren, die ganze Nacht aufzubleiben und so viel Pizza zu essen, wie wir wollten. Das wäre genauso toll geworden wie die Wochenenden, die wir bei Hailey verbracht hatten. Die wir immer noch manchmal dort verbringen. Ich hatte Kenya auch eingeladen, damit ich endlich mal etwas mit allen Dreien zusammen unternehmen konnte.

Hailey kam nicht. Ihr Dad wollte nicht, dass sie in »dem Ghetto« übernachtete. Das hörte ich meine Eltern sagen. Maya kam zwar, rief dann aber noch am selben Abend ihre Eltern an, damit sie sie abholten. Um die Ecke hatte jemand aus einem fahrenden Auto geschossen, und das Geräusch der Schüsse hatte sie erschreckt.

Da erkannte ich, dass Williamson eine Welt ist und Garden Heights eine andere. Und dass ich die beiden voneinander trennen musste.

Es spielt jedoch keine Rolle, was ich heute gern tun würde – meine Eltern haben sich etwas anderes für mich überlegt. Momma erklärt mir, ich würde heute mit Daddy in den Laden gehen. Bevor Seven zur Arbeit aufbricht, kommt er in seinem *Best Buy*-Elektromarkt-Poloshirt und Khakihose in mein Zimmer und umarmt mich.

»Hab dich lieb«, sagt er.

Genau deshalb hasse ich es, wenn jemand stirbt. Weil die Leute dann Sachen machen, die sie sonst nicht machen. Selbst Momma umarmt mich länger und fester und mit mehr Mitgefühl als »nur so«. Sekani dagegen klaut mir Schinken vom Teller, späht auf mein Handy und trampelt mir beim Rausgehen absichtlich auf den Fuß. Für all das liebe ich ihn.

Unserem Pitbull Brickz bringe ich eine Schüssel Hundefutter und den Rest vom Schinken nach draußen. Daddy hat ihm diesen Namen gegeben, weil er schon immer so schwer wie *bricks*, also Ziegelsteine, war. Sobald er mich sieht, springt er auf und ab und versucht, sich von seiner Kette zu befreien. Als ich nah genug bei ihm bin, hüpft der hyperaktive Kerl meine Beine hoch, sodass ich fast das Gleichgewicht verliere.

»Platz!«, sage ich. Da kauert er sich auf den Rasen und schaut jaulend aus seinen großen Hundeaugen zu mir hoch. Das ist Brickz' Version einer Entschuldigung.

Ich weiß, dass Pitbulls aggressiv sein können, aber Brickz ist meistens wie ein Baby. Ein großes Baby. Würde aber jemand versuchen, in unser Haus einzubrechen, bekäme derjenige es nicht mit Baby Brickz zu tun.

Während ich ihn füttere und seine Wasserschüssel auffülle, pflückt Daddy ein paar Kohlköpfe in seinem Garten und schneidet Rosen ab, deren Blüten so groß sind wie meine Handflächen. Jeden Abend verbringt er Stunden dort, mit Umgraben, Pflanzen und Reden. Er behauptet nämlich, ein guter Garten brauche gute Gespräche.

Ungefähr eine halbe Stunde später fahren wir mit offenen Fenstern in seinem Truck. Im Radio fragt Marvin Gaye, was los sei. Draußen ist es noch dunkel, aber lange wird es nicht mehr dauern, bis die Sonne hinter den Wolken hervorkommt. Auf der Straße ist kaum jemand zu sehen. So früh am Morgen dringt das Rumpeln der Sattelzüge vom Freeway herüber.

Daddy summt bei Marvin mit, obwohl er einen Ton nicht mal halten könnte, wenn er ihn auf dem Präsentierteller überreicht bekäme. Er trägt ein Trikot der Lakers mit nichts drunter, sodass die Tattoos, die seine Arme überziehen, gut zu erkennen sind. Eines meiner Babyfotos schaut mich von dort an. Darunter der Schriftzug *Something to live for, something to die for.* Seven und Sekani teilen sich seinen anderen Arm, darunter derselbe Satz. Liebesbriefe in ihrer einfachsten Form.

»Möchtest du noch weiter über gestern Abend reden?«, fragt er.

»Nee.«

»In Ordnung. Wann immer du willst.«

Noch eine Liebesbotschaft in einfachster Form.

Wir biegen in die Marigold Avenue, wo Garden Heights gerade wach wird. Ein paar Damen, die Kopftücher mit Blumenmuster tragen, kommen mit großen gefüllten Waschkörben aus dem Waschsalon. Mr. Reuben schließt die Ketten vor seinem Restaurant auf. Sein Neffe Tim, der Koch, lehnt an der Mauer und reibt sich den Schlaf aus den Augen. Ms. Yvette betritt gähnend ihren Kosmetiksalon. Im Spirituosen- und Weinladen *Top Shelf* brennen die Lichter, aber das tun sie immer.

Daddy parkt direkt vor *Carter's Grocery*, dem Laden unserer Familie. Er hat ihn dem früheren Besitzer, Mr. Wyatt, abgekauft, als der Garden Heights verließ, um den ganzen Tag lang nur noch am Strand zu sitzen und hübschen Frauen nachzuschauen. (Das waren Mr. Wyatts Worte, nicht meine.) Mr. Wyatt war der einzige Mensch, der bereit war, Daddy einzustellen, nachdem er aus dem Gefängnis kam. Und später sagte er, Daddy sei der einzige Mensch, dem er den Laden anvertrauen würde.

Verglichen mit dem Walmart an der Ostseite von Garden Heights ist unser Lebensmittelladen winzig. Weiß gestrichene Metallgitter schützen die Fenster und die Tür. Sie lassen das Geschäft wie ein Gefängnis aussehen.

Mr. Lewis vom Friseurladen nebenan steht genau vor unserer Tür und hat die Arme über seinem dicken Bauch verschränkt. Aus schmalen Augen starrt er Daddy an.

Der seufzt. »Da haben wir's.«

Wir springen aus dem Wagen. Mr. Lewis schneidet mit die besten Frisuren in Garden Heights – Sekanis hoher Fade beweist es –, aber selbst trägt er einen unordentlichen Afro. Sein eigener Bauch versperrt ihm den Blick auf seine Füße, und seit seine Frau gestorben ist, sagt ihm niemand mehr, dass seine Hose zu kurz ist oder die Socken nicht zusammenpassen. Heute ist einer gestreift, der andere kariert.

»Früher hatte der Laden pünktlich um 5 Uhr 55 geöffnet«, sagt er. »Um 5 Uhr 55!«

Es ist fünf nach sechs.

Daddy schließt die Vordertür auf. »Ich weiß, Mr. Lewis, aber ich habe Ihnen doch schon gesagt, dass ich den Laden nicht genauso führe wie Wyatt.«

»Das kann man wohl sagen. Zuerst hängen Sie seine Bilder ab – wer zum Teufel ersetzt Dr. Martin Luther King durch irgendeinen Niemand –«

»Huey Newton ist kein Niemand.«

»Jedenfalls ist er nicht Dr. King! Und dann heuern Sie diese Taugenichtse an, die hier arbeiten. Hab gehört, dass dieser Junge Khalil sich gestern Abend hat erschießen lassen. Wahrscheinlich hat er dieses Zeug verkauft.« Mr. Lewis schaut von Daddys Trikot zu seinen Tattoos. »Man fragt sich, wo er die Idee wohl herhatte.«

Daddy beißt die Zähne zusammen. »Starr, wirf für Mr. Lewis die Kaffeemaschine an.«

Damit er hier verdammt noch mal verschwindet, vollende ich Daddys Satz in Gedanken.

Sofort schalte ich die Maschine am Selbstbedienungstisch ein, über dem Huey Newton mit für Black Power erhobener Faust wacht.

Eigentlich sollte ich den Filter wechseln, frischen Kaffee und frisches Wasser einfüllen, aber weil er so schlecht über Khalil geredet hat, bekommt Mr. Lewis seinen Kaffee aus dem einen Tag alten Satz.

Er humpelt durch die Gänge, nimmt sich eine Honigschnecke, einen Apfel und eine Packung Sülze. Das Gebäck gibt er mir. »Mach das mal warm, Mädchen. Aber ja nicht zu heiß.«

Ich lasse die Schnecke in der Mikrowelle, bis die Plastikverpackung ganz prall ist und aufplatzt. Mr. Lewis beißt hinein, kaum dass ich sie ihm gegeben habe.

»Das Ding ist ja glutheiß!« Gleichzeitig kaut und pustet er. »Das hast du zu lang drin gelassen, Mädchen. Hab mir fast den Mund verbrannt!«

Als Mr. Lewis geht, zwinkert Daddy mir zu.

Dann kommt die übliche Kundschaft. Etwa Mrs. Jackson, die darauf besteht, ihr Gemüse nur bei Daddy und sonst niemandem zu kaufen. Vier rotäugige Jungs in besonders schlabbrigen Saggy Pants kaufen fast unseren gesamten Chipsbestand auf. Daddy sagt ihnen, es wäre noch zu früh, um dermaßen zugedröhnt zu sein, und sie lachen viel zu laut darüber. Einer von ihnen leckt im Gehen schon den nächsten Joint an. Gegen elf kauft Mrs. Rooks ein paar Rosen und Knabberzeug für das Treffen ihres Bridge-

Clubs. Sie hat hängende Augenlider und vergoldete Schneidezähne. Ihre Perücke ist auch goldfarben.

»Ihr bräuchtet hier ein paar Lottoscheine, Baby«, sagt sie, während Daddy kassiert und ich ihre Sachen einpacke. »Da gibt's heute Abend dreihundert Millionen!«

Daddy lächelt. »Im Ernst? Was würden Sie denn mit dem ganzen Geld machen, Mrs. Rooks?«

»Hach, Baby, die Frage ist doch eher, was würde ich mit dem ganzen Geld nicht machen. Bei Gott, ich würde in den ersten Flieger steigen, der mich von hier wegbringt.«

Daddy lacht. »Wirklich? Wer soll denn dann Red Velvet Cake für uns backen?«

»Jemand anders, weil ich weg wäre.« Sie zeigt auf das Zigarettensortiment hinter uns. »Baby, gib mir eine Schachtel von den Newports.«

Das ist auch Nanas Lieblingssorte. Und es war Daddys, bevor ich ihn gebeten habe aufzuhören. Ich nehme ein Päckchen und gebe es Mrs. Rooks.

Sie wendet den Blick nicht von mir ab, klopft mit der Schachtel gegen ihren Handrücken, und ich warte darauf, dass *es* kommt. Das Mitgefühl. »Baby, ich hab gehört, was mit Ms. Rosalies Enkelsohn passiert ist«, sagt sie. »Es tut mir so leid. Ihr wart doch befreundet, nicht wahr?«

Das »wart« tut weh, aber ich sage nur »Yes, Ma'am.«

»Hmm!« Sie schüttelt den Kopf. »*Lord have Mercy*. Mir brach fast das Herz, als ich es gehört habe. Ich wollte gestern Abend noch zu ihr rübergehen, aber da waren schon so viele Leute bei Ms. Rosalies Haus. Arme Ms. Rosalie. Was sie sowieso schon alles durchmacht und jetzt das.

Barbara meinte, Ms. Rosalie sei sich gar nicht sicher, wie sie seine Beerdigung bezahlen soll. Wir haben uns überlegt, dass wir etwas Geld sammeln. Würdest du auch was beisteuern, Maverick?«

»Natürlich. Sagt mir einfach Bescheid, was ihr braucht, dann erledige ich das.«

Lächelnd lässt sie ihre Goldzähne aufblitzen. »Junge, es ist gut zu sehen, was der Herr aus dir gemacht hat. Deine Momma wäre stolz.«

Daddy nickt bedächtig. Grandma ist jetzt schon zehn Jahre tot – lange genug, dass Daddy nicht mehr täglich um sie weint, aber auch noch nicht so lange, dass es ihn nicht traurig stimmen würde, wenn jemand sie erwähnt.

»Und sieh sich einer dieses Mädchen an«, sagt Mrs. Rooks und mustert mich wieder. »Lisa wie aus dem Gesicht geschnitten. Maverick, da passt du besser auf. Die kleinen Jungs hier aus der Gegend werden nichts unversucht lassen.«

»Die sollten sich lieber in Acht nehmen. Weißt du, so was dulde ich nicht. Sie darf erst mit Jungs ausgehen, wenn sie vierzig ist.«

Meine Hand stiehlt sich automatisch zu meiner Hosentasche, weil ich an Chris und seine Nachrichten denken muss. Mist, ich hab mein Handy zu Hause vergessen. Selbstverständlich weiß Daddy nicht das Geringste von Chris. Dabei sind wir schon seit über einem Jahr zusammen. Seven weiß Bescheid, weil er Chris aus der Schule kennt, und Momma kam dahinter, weil Chris und ich uns dauernd bei Onkel Carlos zu Hause getroffen haben. Dabei behauptete Chris, er sei nur ein guter Freund. Einmal haben Onkel Carlos und sie uns beim Küssen erwischt, und sie stellten klar, dass gute Freunde sich nicht so küssen. Noch nie im Leben habe ich Chris so rot werden sehen.

Sie und Seven haben nichts dagegen, dass ich mit Chris zusammen bin, obwohl ich, wenn es nur nach Seven ginge, Nonne werden sollte, aber egal. Trotzdem habe ich nicht den Mumm, es Daddy zu sagen. Und zwar nicht nur, weil er nicht will, dass ich schon was mit Jungs habe. Das größere Problem ist, dass Chris weiß ist.

Zuerst dachte ich, meine Mom würde vielleicht was dagegen haben, aber sie meinte nur: »Er könnte auch getupft sein, solange er nicht kriminell ist und dich anständig behandelt.« Daddy dagegen schimpft, dass Halle Berry sich »aufführt, als könnte sie nicht mehr mit Schwarzen« und wie verkorkst das sei. Jedes Mal wenn er erfährt, dass Schwarze mit Weißen zusammen sind, dann stimmt mit den Betreffenden plötzlich was nicht mehr. Und ich will einfach nicht, dass er so von mir denkt.

Zum Glück hat Momma ihm nichts gesagt. Sie weigert sich, zwischen die Fronten dieser Auseinandersetzung zu geraten. Mein Boyfriend, meine Verantwortung, es Daddy zu sagen.

Mrs. Rooks verlässt den Laden. Sekunden später geht die Glocke wieder. Kenya kommt hereinstolziert. Ihre Sneaker sind süß – Bazooka Joe Nike Dunks, die ich noch nicht in meiner Sammlung habe. Kenya trägt immer Fly Sneakers.

Sie holt sich ihre üblichen Artikel aus dem Regal. »Hey, Starr. Hey, Onkel Maverick.«

»Hey, Kenya«, antwortet Daddy, obwohl er gar nicht ihr Onkel ist, sondern der Dad ihres Bruders. »Geht's dir gut?«

Sie kommt mit einer Riesentüte Hot Cheetos und einer Sprite zu uns. »Alles klar. Meine Momma will nur wissen, ob mein Bruder bei euch geschlafen hat.«

Schon wieder nennt sie Seven »meinen Bruder«, als ob sie die Einzige wäre, die das behaupten kann. Das ärgert mich maßlos.

»Sag deiner Momma, ich ruf sie später an«, sagt Daddy.

»Okay.« Kenya bezahlt ihre Sachen und sucht meinen Blick. Dann ruckt sie mit dem Kopf ein bisschen zur Seite.

»Ich fege mal die Gänge«, sage ich zu Daddy.

Kenya folgt mir. Ich schnappe mir den Besen und gehe zu dem Gang auf der anderen Seite des Ladens, wo Obst und Gemüse angeboten werden. Ein paar Trauben sind runtergekullert, weil diese rotäugigen Jungs davon probiert haben, bevor sie sie kauften. Ich habe kaum mit dem Kehren angefangen, als Kenya schon loslegt.

»Hab das von Khalil gehört«, sagt sie. »Tut mir so leid, Starr. Bist du okay?«

Ich zwinge mich zum Nicken. »Ich ... ich kann's einfach nicht glauben, verstehst du? Ich hatte ihn ja eine Weile nicht gesehen, aber ...«

»Es tut weh.« Damit sagt Kenya, was ich nicht aussprechen kann.

»Genau.«

Mist, ich merke, wie mir die Tränen kommen. Ich werde nicht weinen, ich werde nicht weinen, ich werde nicht weinen ...

»Irgendwie hatte ich beim Reinkommen gehofft, er würde hier sein«, sagt sie leise. »So wie früher. Als er in dieser hässlichen Schürze Einkäufe einpackte.«

»In der grünen«, murmle ich.

»Ja. Und davon labert, dass Frauen auf Männer in Uniform stehen.«

Ich starre auf den Fußboden. Wenn ich jetzt losheule, höre ich vielleicht nie mehr auf.

Kenya reißt ihre Tüte mit den Hot Cheetos auf und hält sie mir hin. Trostfutter.

Ich greife rein und nehme mir ein paar. »Danke.«

»Schon okay.«

Schweigend kauen wir. Khalil sollte eigentlich hier bei uns sein.

»Also, ähm«, sage ich mit ganz rauer Stimme. »Seid ihr, du und Denasia, dann gestern noch aneinandergeraten?«

»Girl.« Sie klingt, als lauere sie schon seit Stunden darauf, diese Geschichte endlich loszuwerden. »DeVante kam gestern auf mich zu, kurz bevor dieser Wahnsinn losging. Er hat mich nach meiner Nummer gefragt.«

»Ich dachte, er wäre Denasias Freund?«

»DeVante ist nicht der Typ, den du anbinden kannst. Jedenfalls kam Denasia rüber, um Ärger zu machen, aber da fielen auch schon die Schüsse. Wir rannten dann sogar dieselbe Straße runter und ich hatte die ganze Zeit ihren Arsch vor mir. Das war soo witzig! Hättest du sehen sollen!«

Das hätte ich auch lieber gesehen als den Polizisten mit der Dienstnummer 115. Oder als Khalil, der in den Himmel starrt. Oder als das viele Blut. Mein Magen zieht sich wieder zusammen.

Kenya wedelt mit der Hand vor meinem Gesicht. »Hey. Alles okay?«

Ich blinzle Khalil und den Cop weg. »Ja. Mir geht's gut.«

»Sicher? Du bist ganz schön still.«

»Sicher.«

Dabei belässt sie es, und ich lasse sie erzählen, was sie mit Denasia in der nächsten Runde vorhat.

Da ruft Daddy mich zu sich nach vorn. Er drückt mir einen Zwanziger in die Hand. »Hol mir ein paar Rinderrippchen von *Reuben's*. Außerdem möchte ich –«

»Kartoffelsalat und frittierte Okras«, sage ich, denn das isst er samstags immer.

Er gibt mir einen Kuss auf die Wange. »Du kennst deinen Daddy. Nimm du dir, was du möchtest, Baby.«

Kenya folgt mir aus dem Laden. Wir lassen ein Auto vorbeifahren, aus dem Musik dröhnt und dessen Fahrer seine Sitzlehne so weit nach hinten gestellt hat, dass nur seine Nasenspitze mit dem Song mitzuwippen scheint. Dann überqueren wir die Straße und gehen zu *Reuben's*.

Der Räucherduft wabert bis auf den Gehsteig und dazu schallt noch ein Blues-Song nach draußen. Drinnen sind die Wände tapeziert mit Fotos von Anführern der Bürgerrechtsbewegung, Politikern und anderen Prominenten, die schon mal dort gegessen haben, etwa James Brown oder Bill Clinton, vor seiner Bypass-OP. Es gibt auch ein Foto von Dr. King und einem sehr viel jüngeren Mr. Reuben.

Eine kugelsichere Wand trennt die Kasse von den Kunden. Ich fächle mir nach ein paar Minuten in der Schlange selbst Luft zu. Die Klimaanlage vor dem Fenster ist schon seit Monaten außer Betrieb und der Räucherofen heizt das ganze Gebäude auf.

Als wir dran sind, begrüßt uns Mr. Reuben mit einem Zahnlücken-Lächeln hinter der Trennscheibe. »Hey, Starr und Kenya. Wie geht's euch denn so?«

Mr. Reuben ist einer der wenigen Leute hier in der Gegend, die mich tatsächlich bei meinem Namen nennen. Irgendwie kann er sich die Namen von allen merken. »Hey, Mr. Reuben«, sage ich. »Mein Daddy möchte das Übliche.«

Er schreibt es auf einen Block. »Alles klar. Beefs, Kartoffelsalat, Okras. Und ihr beiden wollt frittierte BBQ Wings und Pommes? Und extra Soße für dich, Starr-Baby?«

Irgendwie schafft er es, sich dazu auch noch die üblichen Bestellungen von allen zu merken. »Yes, Sir«, sagen wir.

»Alles klar. Haltet ihr euch auch aus allem Ärger raus?«

»Yes, Sir«, lügt Kenya mühelos.

»Wie wär's dann mit einem Stückchen Pound Cake aufs Haus? Als Belohnung für gutes Benehmen.«

Wir sagen Ja und bedanken uns. Aber Mr. Reuben könnte sogar von Kenyas Streit wissen und würde ihr trotzdem Kuchen anbieten. Er ist einfach so nett. Wenn Kinder mit ihren Zeugnissen vorbeikommen, spendiert er ihnen eine Mahlzeit. Wenn es sich um ein gutes handelt, macht er eine Kopie davon und hängt sie an seine »All-Star Wall«. Wenn es ein schlechtes Zeugnis ist, kriegt man trotzdem eine Gratismahlzeit, solange man dazu steht und verspricht, sich zu bessern.

»Wird ungefähr fünfzehn Minuten dauern«, sagt er.

Das bedeutet hinsetzen und warten, bis unsere Nummer aufgerufen wird. Wir ergattern einen freien Tisch neben ein paar weißen Typen. In Garden Heights sieht man selten Weiße, aber wenn, dann sind sie meistens bei *Reuben's*. Die Männer schauen Nachrichten auf dem kastenförmigen Fernseher, der in einer Ecke von der Decke hängt.

Ich mümmele noch ein paar von Kenyas Hot Cheetos. Mit Käsesoße würden sie viel besser schmecken. »War in den Nachrichten irgendwas über Khalil?«

Sie achtet mehr auf ihr Handy. »Als ob ich Nachrichten schaue. Ich glaube aber, ich hab was auf Twitter gesehen.«

Ich warte. Zwischen dem Bericht über einen schweren Autounfall auf dem Freeway und einer Mülltüte voll mit lebenden Welpen, die man in einem Park gefunden hat, gibt es eine kurze Meldung, dass eine Schießerei untersucht wird, in die ein Polizeibeamter verwickelt war. Dabei wird nicht mal Khalils Name erwähnt. Was für ein Bullshit.

Wir bekommen unser Essen und machen uns auf den Rückweg zum Laden. Gerade als wir die Straße überqueren, bleibt ein grauer BMW neben uns stehen. Die Bässe wummern darin, als hätte das Auto einen eigenen Herzschlag. Dann fährt das Fenster an der Fahrerseite runter, Rauch quillt heraus und die männliche Dreihundert-Pfund-Version von Kenya lächelt uns an. »Was geht ab, Queens?«

Kenya beugt sich durch das Fenster hinein und küsst ihn auf die Wange. »Hey, Daddy.«

»Hey, Starr-Starr«, sagt er. »Willst du deinen Onkel denn nicht begrüßen?«

Du bist nicht mein Onkel, möchte ich am liebsten sagen. Du bist einen Scheiß für mich. Und wenn du meinen Bruder noch mal anrührst, werde ich – »Hey, King«, murmle ich schließlich.

Sein Lächeln verblasst, als hätte er meine Gedanken gehört. Er zieht an einer Zigarre und bläst den Rauch aus dem Mundwinkel. Unter sein linkes Auge sind zwei Tränen tätowiert. Zwei Leben, die er auf dem Gewissen hat. Mindestens.

»Wie ich sehe, wart ihr bei *Reuben's*. Hier.« Er streckt uns zwei fette Geldschein-Rollen hin. »Das sollte für alles reichen, was ihr ausgegeben habt.«

Kenya nimmt ohne Zögern eine Rolle, aber ich fasse dieses dreckige Geld nicht an. »Nein danke.«

»Komm schon, Queen.« King zwinkert mir zu. »Nimm ruhig das bisschen Geld von deinem Patenonkel.«

»Nee, lass mal«, sagt Daddy.

Er schlendert zu uns, bückt sich zum Autofenster runter, sodass er auf Augenhöhe mit King ist, und tauscht mit ihm eine von diesen Begrüßungen aus, die aus so vielen Bewegungen besteht, dass man sich fragt, wie sie sich die alle merken können.

»Big Mav«, sagt Kenyas Dad grinsend. »Was geht ab, King?«

»Lass den Scheiß und nenn mich nicht so.« Das sagt

Daddy weder laut noch wütend, sondern so, wie ich jemandem erklären würde, er solle keine Zwiebeln und Mayo auf meinen Burger tun. Daddy hat mir mal erzählt, dass Kings Eltern ihn nach der Gang benannt haben, der er sich später angeschlossen hat, und dass ein Name deshalb wichtig ist. Der definiert dich. King wurde also schon mit seinem ersten Atemzug ein King Lord.

»Ich wollte meiner Patentochter gerade ein bisschen Taschengeld geben«, sagt King. »Hab gehört, was mit ihrem kleinen Kumpel passiert ist. Beschissene Sache.«

»Jaa. Du weißt ja, wie es ist«, sagt Daddy. »Die PO POs schießen gleich und stellen erst hinterher Fragen.«

»Absolut. Manchmal sind die schlimmer als wir.« King lacht glucksend. »Aber hey? Jetzt mal was Geschäftliches, ich krieg da bald ein Paket geliefert, muss es irgendwo aufbewahren. Auf Ieshas Haus schauen im Moment zu viele.«

»Ich hab dir schon mal gesagt, dass der Scheiß hier nicht läuft.«

King reibt sich den Bart. »Oh, okay. Dann steigen manche also aus dem Geschäft aus, vergessen, wo sie herkommen, vergessen, dass sie ohne meine Kohle ihren kleinen Laden gar nicht hätten –«

»Und hättest du mich nicht gehabt, wärst du im Knast gelandet. Staatsgefängnis, drei Jahre, erinnerst du dich noch? Ich schulde dir rein gar nichts.« Daddy lehnt sich neben das Fenster und fügt noch hinzu: »Aber wenn du Seven noch mal anrührst, dann schulde ich dir einmal-die-Fresse-Polieren. Merk dir das, jetzt, wo du wieder bei seiner Momma eingezogen bist.«

King zieht hörbar die Luft durch die Zähne. »Kenya, steig in den Wagen.«

»Aber Daddy –«

»Ich sagte, beweg deinen Arsch in den Wagen.«

Kenya murmelt ein »Bye« in meine Richtung. Dann umrundet sie das Auto und steigt rasch auf der Beifahrerseite ein.

»Na schön, Big Mav. Ist das dein letztes Wort?«, sagt King.

Daddy richtet sich auf. »Mein allerletztes.«

»Also schön. Dann pass bloß auf, dass du deine Fresse nicht zu weit aufreißt. Ich muss dir nicht sagen, was ich sonst mache.«

Dann rollt der BMW davon.

Kapitel 4

In dieser Nacht versucht Natasha mich zu überreden, mit ihr zum Hydranten zu kommen, und Khalil bettelt, ich soll mit ihm eine Runde im Auto drehen.

Mit zitternden Lippen zwinge ich mich zu einem Lächeln und erkläre den beiden, dass ich nicht mit ihnen abhängen kann. Sie bitten mich immer wieder, aber ich bleibe bei meinem Nein.

Dunkelheit kriecht auf sie zu. Ich versuche noch, sie zu warnen, doch meine Stimme versagt. Der Schatten verschluckt sie augenblicklich. Jetzt kommt er auf mich zu. Ich weiche zurück, da ist er plötzlich hinter mir.

Dann wache ich auf. Die Digitalanzeige meines Weckers zeigt 23:05.

Ich hole tief Luft. Das Tanktop und die Basketballshorts kleben an meiner verschwitzten Haut. In der Nachbarschaft heulen Sirenen und Brickz antwortet zusammen mit ein paar anderen Hunden bellend darauf.

Im Bett sitzend reibe ich mir übers Gesicht, als könnte ich auf diese Weise den Albtraum wegwischen. An Schlaf ist nicht mehr zu denken. Jedenfalls nicht, wenn ich sie dann wieder sehe.

Meine Kehle fühlt sich an wie Schleifpapier. Ich brauche dringend einen Schluck Wasser. Als meine Füße den kalten Boden berühren, kriege ich am ganzen Körper Gänsehaut. Daddy dreht die Klimaanlage im Frühling und Sommer immer derart hoch, dass es bei uns so kalt wird wie in einem Kühlhaus. Alle anderen frieren sich den Hintern ab, aber ihm gefällt's. »So 'n bisschen Kälte hat noch keinem geschadet«, behauptet er immer. Ist gelogen.

Schließlich schleppe ich mich auf den Flur. Auf halbem Weg in die Küche höre ich Momma sagen: »Warum können die nicht warten? Sie hat gerade einen ihrer besten Freunde sterben sehen. Das muss sie jetzt nicht unbedingt gleich noch mal durchleben.«

Ich bleibe stehen. Licht fällt aus der Küche in den Flur.

»Wir müssen in der Sache ermitteln, Lisa«, sagt da eine zweite Stimme. Onkel Carlos, Mommas älterer Bruder. »Wir möchten die Wahrheit herausfinden, genau wie alle anderen.«

»Du meinst wohl, ihr wollt rechtfertigen, was dieses Schwein getan hat«, sagt Daddy. »Die Ermittlungen sind für den Arsch.«

»Maverick, jetzt mach daraus nicht etwas, das es nicht ist«, sagt Onkel Carlos.

»Ein sechzehn Jahre alter schwarzer Junge ist tot, weil ein weißer Cop ihn ermordet hat. Was soll es denn sonst sein?«

»Pscht!«, zischt Momma. »Seid leise. Starr hatte auch so schon Mühe, überhaupt einzuschlafen.«

Darauf sagt Onkel Carlos was, aber zu leise, als dass ich es verstehen könnte. Ich schleiche ein bisschen näher.

»Hier geht es nicht um Schwarz oder Weiß«, sagt er jetzt.

»Bullshit«, sagt Daddy. »Wenn das draußen in Riverton

Hills passiert und sein Name Richie gewesen wäre, dann hätten wir diese Diskussion jetzt nicht.«

»Ich habe gehört, dass er ein Drogendealer war«, sagt Onkel Carlos.

»Und deshalb ist es okay?«, fragt Daddy.

»Das habe ich nicht gesagt, aber es könnte Brians Entscheidung erklären, falls er sich bedroht fühlte.«

Ich habe schon ein »Nein« auf der Zunge, das ich am liebsten rausschreien würde. Khalil war an diesem Abend keine Bedrohung. Und wie kam der Cop darauf, er sei Drogendealer?

Moment. *Brian.* So heißt Hundertfünfzehn also?

»Ach, dann kennst du ihn also«, ätzt Daddy. »Warum überrascht mich das nicht?«

»Er ist ein Kollege, stimmt, und, ob du's glaubst oder nicht, einer von den Guten. Ich bin mir sicher, ihm macht das auch zu schaffen. Wer weiß, was er sich zu dem Zeitpunkt gedacht hat.«

»Du hast doch selbst gesagt, dass er Khalil für einen Dealer hielt«, sagt Daddy. »Für einen *Thug.* Wie kam er überhaupt da drauf? Hm? Hat er ihm das angesehen? Erklär mir das mal, Detective.«

Schweigen.

»Warum saß sie überhaupt bei einem Dealer im Wagen?«, fragt Onkel Carlos. »Lisa, das sage ich dir doch immer wieder, du musst sie und Sekani aus diesem Viertel fortschaffen. Das ist Gift für sie.«

»Ich habe schon darüber nachgedacht.«

»Und wir ziehen nirgendwo anders hin«, sagt Daddy.

»Maverick, sie musste bereits mit ansehen, wie zwei ihrer Freunde getötet wurden«, sagt Momma. »Zwei! Dabei ist sie erst sechzehn.«

»Und einer davon starb durch die Hand von jemandem, der eigentlich dazu da war, sie zu beschützen! Glaubst du etwa, wenn sie deine Nachbarn wären, würden sie dich anders behandeln?«

»Warum muss es bei dir immer um Rasse gehen?«, fragt Onkel Carlos. »Dabei bringen andere Rassen längst nicht so viele von uns um, wie wir das unter uns tun.«

»*Ne-gro*, ich bitte dich. Wenn ich Tyrone umlege, wandere ich in den Knast. Wenn ein Cop mich umlegt, wird er beurlaubt. Wenn überhaupt.«

»Weißt du was? Es bringt rein gar nichts, dieses Gespräch mit dir zu führen«, sagt Onkel Carlos. »Würdet ihr wenigstens darüber nachdenken, Starr mit den Detectives sprechen zu lassen, die in dem Fall ermitteln?«

»Wahrscheinlich sollten wir ihr erst einen Anwalt besorgen, Carlos«, sagt Momma.

»Das ist im Moment nicht nötig«, sagt er.

»Genauso wenig war es nötig, dass dieser Cop den Abzug gedrückt hat«, sagt Daddy. »Glaubst du wirklich, wir lassen die mit unserer Tochter sprechen und ihr das Wort im Mund herumdrehen, nur weil sie keinen Anwalt hat?«

»Keiner wird ihr das Wort herumdrehen! Ich hab dir doch schon gesagt, dass wir auch wollen, dass die Wahrheit ans Licht kommt.«

»Ach, die Wahrheit kennen wir schon, die wollen wir gar nicht«, sagt Daddy. »*Wir* wollen Gerechtigkeit.«

Onkel Carlos seufzt. »Lisa, je eher sie mit der Polizei redet, desto besser. Das läuft ganz einfach ab. Sie muss nur ein paar Fragen beantworten. Sonst nichts. Völlig unnötig, jetzt schon Geld für einen Anwalt zu verschwenden.«

»Ganz ehrlich, Carlos, wir wollen nicht, dass überhaupt jemand erfährt, dass Starr dabei war«, sagt Momma. »Sie hat Angst. Und ich auch. Wer weiß, was noch passiert?«

»Das verstehe ich, aber ich versichere euch, dass sie beschützt wird. Wenn ihr dem System schon nicht traut, könnt ihr dann wenigstens mir vertrauen?«

»Keine Ahnung«, sagt Daddy. »Können wir das?«

»Weißt du was, Maverick? Ich hab echt langsam genug von dir –«

»Dann kannst du ja einfach mein Haus verlassen.«

»Ohne mich und meine Mom wäre das noch nicht mal dein Haus!«

»Hört ihr wohl sofort auf!«, sagt Momma.

Ich verlagere mein Gewicht auf den anderen Fuß und der verdammte Fußboden knarzt so laut, dass es wie ein Alarm klingt. Momma steckt den Kopf aus der Tür und sieht mich im Flur stehen. »Starr, Baby, warum bist du denn auf?«

Jetzt bleibt mir nichts anderes übrig, als in die Küche zu kommen. Die drei sitzen am Tisch. Meine Eltern schon in Pyjamas, Onkel Carlos in Jogginghose und einem Hoodie.

»Hey, Kleines«, sagt er. »Wir haben dich aber nicht geweckt, oder?«

»Nein«, sage ich und setze mich neben Momma. »Ich war schon wach. Hab schlecht geträumt.«

Alle drei sehen mich mitleidig an, auch wenn ich das nicht gesagt habe, um Mitleid zu erregen. Eigentlich hasse ich Mitleid.

»Was machst du hier?«, frage ich Onkel Carlos.

»Sekani hatte Bauchweh und hat mich gebeten, ihn nach Hause zu fahren.«

»Aber dein Onkel wollte gerade wieder gehen«, fügt Daddy hinzu.

Onkel Carlos' Kiefer mahlen. Sein Gesicht ist rundlicher, seit er zum Detective befördert wurde. Er hat den gleichen hellen Teint wie Momma. »High yella« nennt Nana das. Wenn er wütend ist, wird sein Gesicht so rot wie jetzt gerade. »Das mit Khalil tut mir leid, Baby Girl«, sagt er. »Ich habe deinen Eltern gerade erzählt, dass die Detectives dich gerne auf dem Revier sehen würden, damit du ein paar Fragen beantwortest.«

»Aber du musst nicht, wenn du nicht willst«, sagt Daddy.

»Weißt du was –«, fängt Onkel Carlos an.

»Aufhören, bitte«, sagt Momma. Sie sieht mich an. »Mümmel, möchtest du mit den Cops reden?«

Ich schlucke. Gerne würde ich Ja sagen können, aber ich bin mir nicht sicher. Einerseits sind es die Cops. Es wäre also nicht so, als würde ich einfach nur mit irgendjemandem reden.

Andererseits sind es *die Cops*. Einer von denen hat Khalil getötet.

Aber Onkel Carlos ist auch ein Cop, und er würde nie etwas von mir verlangen, das mir schaden würde.

»Wird das Gerechtigkeit für Khalil bringen?«, frage ich.

Onkel Carlos nickt. »Das wird es.«

»Wird Hundertfünfzehn dabei sein?«

»Wer?«

»Der Officer, das ist seine Dienstnummer«, sage ich. »Die hab ich mir gemerkt.«

»Oh. Nein, er wird nicht da sein. Versprochen. Und es wird okay.«

Versprechen von Onkel Carlos sind wie Garantien. Manchmal sind sie sogar zuverlässiger als die meiner Eltern. Er benutzt das Wort nur, wenn er es mit absoluter Gewissheit so meint.

»Okay«, sage ich. »Dann mache ich es.«

»Danke.« Onkel Carlos kommt um den Tisch herum und gibt mir zwei Küsse auf die Stirn, wie er es zu tun pflegt, seit er mich früher gelegentlich ins Bett brachte. »Lisa, bring sie am Montag einfach nach der Schule vorbei. Es sollte auch nicht lange dauern.«

Momma steht auf und umarmt ihn. »Danke.« Dann begleitet sie ihn über den Flur zur Haustür. »Pass auf dich auf, ja? Und schick mir eine SMS, wenn du zu Hause bist.«

»Yes, Ma'am. Du klingst schon wie unsere Momma«, zieht er sie auf.

»Egal. Ich kann dir nur raten, mir zu schreiben –«

»Okay, okay. Gute Nacht.«

Momma kehrt in die Küche zurück und bindet ihren Morgenmantel enger. »Mümmel, dein Vater und ich werden morgen Früh Ms. Rosalie besuchen, anstatt in die Kirche zu gehen. Du kannst gerne mitkommen, wenn du möchtest.«

»Genau«, sagt Daddy. »Und kein Onkel zwingt dich dazu.«

Momma wirft ihm einen strafenden Blick zu und richtet ihre Aufmerksamkeit dann wieder auf mich. »Also meinst du, du schaffst das, Starr?«

Mit Ms. Rosalie zu sprechen, das könnte ehrlich gesagt härter werden, als mit den Cops zu reden. Aber ich schulde es Khalil, dass ich seine Großmutter besuche. Vielleicht weiß sie nicht mal, dass ich dabei war, als die Schüsse fielen. Falls doch und falls sie wissen will, was genau passiert ist, hat sie mehr als jeder andere ein Recht darauf, zu fragen.

»Yeah. Ich gehe hin.«

»Dann sollten wir ihr besser gleich einen Anwalt suchen«, sagt Daddy.

»Maverick.« Momma seufzt. »Wenn Carlos meint, das sei jetzt noch nicht nötig, vertraue ich seiner Einschätzung. Außerdem werde ich die ganze Zeit über dabei sein.«

»Schön, dass wenigstens einer seiner Einschätzung vertraut«, sagt Daddy. »Und du hast echt wieder übers Umziehen nachgedacht? Das haben wir doch schon besprochen.«

»Maverick, darüber rede ich heute Abend nicht mit dir.«

»Wie wollen wir denn hier irgendwas ändern, wenn wir –«

»Mav-rick!«, zischt sie mit zusammengebissenen Zähnen. Wenn Momma einen Namen so auseinanderzieht, kann man nur hoffen, dass es nicht der eigene ist. »Ich sagte gerade, heute Abend nicht.« Sie mustert ihn von der Seite und wartet auf eine Erwiderung, doch die kommt nicht. »Versuch wieder einzuschlafen, Baby«, sagt sie zu mir und küsst mich auf die Wange, bevor sie in ihrem gemeinsamen Schlafzimmer verschwindet.

Daddy stellt die Becher in die Spüle und geht zum Kühlschrank. »Magst du ein paar Trauben?«

»Mmhm. Wieso müssen du und Onkel Carlos immer streiten?«

»Weil er ein Blödmann ist.« Er setzt sich mit einer Schüssel grüner Trauben zu mir. »Aber mal im Ernst, er hat mich noch nie gemocht. Hielt mich für einen schlechten Einfluss auf deine Momma. Dabei war Lisa ganz schön wild, als ich sie kennenlernte. Genau wie all die anderen Mädchen an der katholischen Schule.«

»Ich wette, er hat auf Momma noch mehr aufgepasst als Seven auf mich, was?«

»O ja«, sagt er. »Carlos hat getan, als wäre er Lisas Daddy. Als ich eingebuchtet wurde, hat er euch alle zu sich geholt und meine Anrufe blockiert. Er hat sie sogar zu einem Scheidungsanwalt geschleppt.« Er grinst. »Trotzdem ist er mich nicht losgeworden.«

Ich war drei, als Daddy ins Gefängnis wanderte, und sechs, als er wieder rauskam. Ich habe zwar viele Erinnerungen an ihn, aber auch viele frühe, in denen er fehlt. Erster Schultag, erster Zahn, der mir ausfiel, das erste Mal Fahrradfahren ohne Stützräder. In diesen Erinnerungen ist das Gesicht von Onkel Carlos an der Stelle, wo Daddys sein sollte. Ich glaube, das ist der wahre Grund dafür, warum sie immer streiten.

Daddy trommelt auf die Mahagoniplatte des Esstischs,

sodass ein leise klopfender Beat zu hören ist. »Nach einer Weile verschwinden die Albträume«, sagt er. »Kurz danach sind sie immer am schlimmsten.«

So war das bei Natasha. »Wie viele Menschen hast du schon sterben sehen?«

»Genug. Am schlimmsten war es bei meinem Cousin Andre.« Unwillkürlich streicht er mit dem Finger über das Tattoo an seinem Unterarm – ein A mit einer Krone darüber. »Da wurde aus einem Drogendeal ein Raubüberfall, und man hat ihm zweimal in den Kopf geschossen. Vor meinen Augen. Das war ein paar Monate, bevor du auf die Welt kamst. Deshalb habe ich dich Starr genannt.« Er schenkt mir ein kleines Lächeln. »Mein Licht in all der Finsternis.«

Daddy kaut geräuschvoll ein paar Trauben. »Hab keine Angst wegen Montag. Erzähl den Cops die Wahrheit und lass dir nichts in den Mund legen. Gott hat dir deinen eigenen Verstand mitgegeben. Da brauchst du ihren nicht. Und vergiss nicht, dass du nichts falsch gemacht hast – sondern der Cop. Lass dir von denen nichts anderes einreden.«

Etwas quält mich. Ich wollte es Onkel Carlos fragen, aber irgendwie konnte ich nicht. Daddy ist anders. Während Onkel Carlos es schafft, scheinbar unmögliche Versprechen zu halten, ist Daddy immer ehrlich zu mir. »Glaubst du, die Cops wollen Gerechtigkeit für Khalil?«, frage ich.

Klopf-klopf-klopf. Klopf… klopf… klopf. Die Wahrheit wirft einen Schatten über unsere Küche. Leute wie wir werden in solchen Situationen zu Hashtags, aber Gerechtigkeit kriegen sie kaum einmal. Trotzdem glaube ich, dass wir alle auf dieses eine Mal warten, *dieses eine Mal*, bei dem es gerecht ausgeht.

Vielleicht wird es das diesmal.

»Keine Ahnung«, sagt Daddy. »Das werden wir wohl sehen.«

Am Sonntagmorgen parken wir vor einem kleinen gelben Haus. Leuchtende Blumen blühen unterhalb der Veranda. Auf dieser Veranda habe ich früher immer mit Khalil gesessen.

Meine Eltern und ich steigen aus dem Truck. Daddy trägt eine mit Alufolie bedeckte Auflaufform mit Lasagne, die Momma zubereitet hat. Sekani behauptet immer noch, eine Magenverstimmung zu haben, und ist deshalb zu Hause geblieben. Seven ist bei ihm. Ich nehme ihm dieses Kranksein allerdings nicht ab – denn wenn die Frühlingsferien zu Ende gehen, kriegt Sekani immer irgendeine Magenverstimmung.

Als ich den Weg zu Ms. Rosalies Haus hinaufgehe, überfallen mich die Erinnerungen. Von meinen Stürzen auf diesen Beton habe ich Narben an Armen und Beinen davongetragen. Einmal fuhr ich auf meinem Roller und Khalil schubste mich runter, weil ich ihn nicht hatte fahren lassen. Als ich wieder aufstand, war der Großteil meiner Haut am Knie ab. Noch nie in meinem Leben habe ich so laut geschrien.

Wir spielten auch Kästchenhüpfen und Seilspringen auf diesen Platten. Zuerst wollte Khalil nie mitmachen und meinte, das seien bloß Mädchenspiele. Aber er gab jedesmal nach, wenn Natasha und ich sagten, der Gewinner bekäme einen *Freeze Cup* – gefrorenes Kool-Aid-Getränk in einem Pappbecher – oder ein Päckchen *Nileators*, diese Kaubonbons, die eigentlich *Now & Later* hießen. Ms. Rosalie war die Süßigkeiten-Dame der ganzen Nachbarschaft.

Ich verbrachte fast so viel Zeit bei ihr wie zu Hause. Als Kinder waren Momma und Rosalies jüngste Tochter Tammy beste Freundinnen. Als Momma dann mit mir schwanger wurde, während sie noch im letzten Jahr auf die Highschool ging, da warf Nana sie raus. Ms. Rosalie nahm sie auf, bis meine Eltern endlich eine eigene Wohnung gefunden hatten. Momma sagt, Ms. Rosalie war eine ihrer größten Stützen und habe bei der Zeugnisverleihung an der Highschool geweint, als wäre ihre eigene Tochter auf die Bühne gekommen.

Drei Jahre später traf Ms. Rosalie Momma und mich bei Wyatt's – das war noch lange, bevor wir den Laden übernahmen. Als sie meine Mutter fragte, wie es auf dem College laufe, sagte die, weil mein Dad im Gefängnis sei, könne sie sich die Kinderbetreuung nicht leisten; und dass Nana nicht auf mich aufpassen würde, weil ich ja nicht ihr Baby und deshalb nicht ihr Problem sei. Und so dachte Momma darüber nach, das College abzubrechen. Da trug Ms. Rosalie ihr auf, mich am nächsten Tag zu ihr nach Hause zu bringen und ja kein Wort darüber zu verlieren, dass sie etwas dafür bezahlen wolle. So war sie dann, während Momma das College besuchte, die ganze Zeit über erst meine und später Sekanis Babysitterin.

Momma klopft an die Tür, was das Fliegengitter zum Rattern bringt. Tammy taucht auf, mit einem Tuch um den Kopf, in T-Shirt und Jogginghose. Während sie die Riegel öffnet, ruft sie über ihre Schulter ins Haus: »Maverick, Lisa und Starr sind hier, Ma.«

Das Wohnzimmer sieht noch genauso aus wie damals, als Khalil und ich hier Verstecken spielten. Auf dem Sofa und dem Fernsehsessel sind immer noch Plastiküberzüge. Wenn man da im Sommer zu lange mit Shorts draufsitzt, bleibt einem das Plastik fast an den Beinen kleben.

»Hey, Tammy Girl«, sagt Momma und die beiden umarmen sich fest und lange. »Wie geht es dir?«

»Ich halte durch.« Tammy umarmt auch Daddy und mich. »Ich hasse es bloß, dass das hier der Grund ist, warum ich nach Hause kommen musste.«

Es ist so seltsam, Tammy anzuschauen. Sie sieht aus wie Khalils Mutter Brenda aussehen würde, wäre sie nicht cracksüchtig. Große Ähnlichkeit mit Khalil. Die gleichen haselnussbraunen Augen und Grübchen. Einmal meinte Khalil, er wünschte sich, Tammy wäre seine Momma, weil er dann bei ihr in New York leben könnte. Ich antwortete scherzhaft, sie hätte gar keine Zeit für ihn. Jetzt wünsche ich mir, ich hätte das nie gesagt.

»Wo soll ich die Lasagne hinstellen, Tam?«, fragt Daddy sie.

»In den Kühlschrank, falls du da drin noch Platz findest«, antwortet sie und deutet mit dem Kopf Richtung Küche. »Momma meint, gestern hätten die Leute den ganzen Tag über Essen vorbei gebracht. Als ich am Abend ankam, brachten sie immer noch was. Anscheinend war schon die ganze Nachbarschaft da.«

»Typisch Garden Heights«, sagt Momma. »Wenn die Leute schon sonst nichts tun können, dann kochen sie eben.«

»Das kannst du laut sagen.« Tammy deutet aufs Sofa. »Nehmt doch Platz.«

Momma und ich setzen uns, und als Daddy aus der Küche kommt, setzt er sich ebenfalls. Tammy wählt den Sessel, in dem sonst immer Ms. Rosalie Platz nimmt. Mit einem traurigen Lächeln mustert sie mich. »Starr, du musst gewachsen sein, seit ich dich zuletzt gesehen habe. Du und Khalil, ihr werdet so schnell –«

Ihre Stimme bricht. Momma streckt die Hand aus und tätschelt ihr das Knie. Tammy braucht eine Sekunde, dann holt sie tief Luft und lächelt mir wieder zu. »Es tut gut, dich zu sehen, Baby.«

»Wir wissen, dass Ms. Rosalie uns sagen wird, ihr geht es gut, Tam«, meint Daddy. »Aber wie steht es wirklich um sie?«

»Wir schauen immer nur auf den Tag, der vor uns liegt. Die Chemo schlägt zum Glück an. Ich hoffe, dass ich sie überreden kann, zu mir zu ziehen. Dann kann ich darauf achten, dass sie ihre Medikamente bekommt.« Sie seufzt. »Ich hatte ja keine Ahnung, dass Momma so zu kämpfen hat, und wusste nicht mal, dass sie ihren Job verloren hat. Ihr wisst, wie sie ist. Nie würde sie um Hilfe bitten.«

»Was ist mit Ms. Brenda?«, frage ich, weil ich es einfach tun muss. Khalil hätte es auch getan.

»Ich weiß nicht, Starr. Bren... das ist kompliziert. Wir

haben sie nicht mehr gesehen, seit wir die Nachricht erhielten. Keine Ahnung, wo sie ist. Aber selbst wenn wir sie finden ... weiß ich nicht, was wir tun sollen.«

»Ich kann euch helfen, eine Entzugsklinik in deiner Nähe zu finden«, sagt Momma. »Allerdings muss sie clean werden *wollen*.«

Tammy nickt. »Genau da liegt das Problem. Aber ich glaube ... ich glaube, entweder bringt sie das jetzt dazu, sich endlich helfen zu lassen, oder es lässt sie endgültig abstürzen. Ich hoffe, das Erstere.«

Cameron hält die Hand seiner Großmutter und führt sie ins Wohnzimmer, als sei sie die Königin der Welt in einem Morgenmantel. Sie sieht dünner aus, aber auch stark für jemand, der gerade eine Chemo und alles andere durchmacht. Das um den Kopf geschlungene Tuch verstärkt ihr majestätisches Auftreten – eine afrikanische Königin, die uns mit ihrer Anwesenheit segnet.

Wir stehen auf.

Momma umarmt Cameron und drückt einen Kuss auf seine rundliche Wange. Khalil nannte ihn deswegen *Chipmunk*, Backenhörnchen, aber er hätte jeden fertiggemacht, der es gewagt hätte, seinen kleinen Bruder als fett zu bezeichnen.

Daddy klatscht ihn ab, umarmt ihn am Ende aber auch. »*What's up, man?* Bist du okay?«

»Yes, Sir.«

Auf Ms. Rosalies Gesicht breitet sich ein strahlendes Lächeln aus. Sie breitet ihre Arme aus und ich werfe mich in die herzlichste Umarmung, die ich von jemandem kriegen kann, mit dem ich nicht blutsverwandt bin. Sie strahlt kein Mitleid aus, nur Liebe und Kraft. Ich schätze, weil sie weiß, dass ich beides brauche.

»Mein Baby«, sagt sie, lehnt sich zurück und schaut mich an, während ihre Augen sich mit Tränen füllen. »Du bist so erwachsen geworden.«

Auch meine Eltern umarmt sie, dann überlässt Tammy ihr den Sessel. Ms. Rosalie klopft auf das Sofa in ihrer Nähe, also setze ich mich dorthin. Sie nimmt meine Hand und streicht mir mit dem Daumen über den Handrücken.

»Mmm«, sagt sie. »Mmm!« Es ist, als würde ihr meine Hand eine Geschichte erzählen und sie würde darauf antworten. Eine Weile hört sie zu, dann sagt sie: »Ich bin so froh, dass du gekommen bist. Ich wollte mit dir reden.«

»Yes, Ma'am.« Ich sage, was man von mir erwartet.

»Du warst die beste Freundin, die der Junge jemals hatte.«

Jetzt kann ich nicht das sagen, was von mir erwartet wird. »Ms. Rosalie, wir waren nicht mehr so eng wie –«

»Das ist mir egal, Baby«, sagt sie. »Khalil hatte jedenfalls nie mehr so eine Freundin wie dich. Das weiß ich definitiv.«

Ich schlucke. »Yes, Ma'am.«

»Die Polizei hat mir gesagt, dass du dabei warst, als es passiert ist.«

Sie weiß es also. »Yes, Ma'am.«

Ich stehe auf den Gleisen, sehe den Zug auf mich zurasen, spanne meinen Körper an und warte auf den Aufprall. Den Moment, wenn sie fragt, was passiert ist.

Doch der Zug nimmt ein anderes Gleis. »Maverick, er wollte mit dir reden. Er wollte dich um Hilfe bitten.«

Daddy richtet sich gerade auf. »Wirklich?«

»Mhm. Er hat ja dieses Zeug verkauft.«

Etwas in mir zerbricht. Irgendwie habe ich es vermutet, aber zu wissen, dass es stimmt ...

Das tut weh.

Gleichzeitig würde ich Khalil am liebsten zur Schnecke machen. Wie konnte ausgerechnet er dieses Zeug verticken, das ihm seine eigene Momma genommen hat? War ihm klar, dass er damit anderen ihre Momma nahm?

War ihm bewusst, dass, wenn er zum Hashtag würde, manche Leute nichts als einen Drogendealer in ihm sähen?

Dabei war er so viel mehr als das.

»Aber er wollte damit aufhören«, sagt Ms. Rosalie. »Er hat mir erklärt: ›Grandma, ich kann damit nicht weitermachen. Mr. Maverick hat gemeint, das endet nur in zwei Möglichkeiten, entweder im Grab oder im Knast, und auf beides bin ich nicht besonders scharf.‹ Er hat dich respektiert, Maverick. Sehr sogar. Du warst der Vater, den er nie hatte.«

Ich kann es nicht erklären, aber auch in Daddy scheint etwas zu zerbrechen. Sein Blick verdüstert sich und er nickt. Momma streicht ihm über den Rücken.

»Ich habe versucht, ihn zur Vernunft zu bringen«, sagt Ms. Rosalie, »aber diese Umgebung verhindert, dass die jungen Leuten auf die alten hören. Das viele Geld hat natürlich das Seine dazu beigetragen. Er lief hier rum, bezahlte Rechnungen, kaufte Turnschuhe und irgendwelches Zeug. Aber ich weiß, dass er sich die Dinge gemerkt hat, die du ihm im Laufe der Jahre gesagt hast, Maverick, und das gab mir eine Menge Hoffnung.

Die ganze Zeit denke ich, wenn er doch nur noch einen Tag mehr gehabt hätte oder –« Sie legt eine Hand auf ihre zitternden Lippen. Tammy will bereits zu ihr gehen, aber sie wehrt ab. »Es geht schon, Tam.« Dann sieht sie mich an. »Ich bin froh, dass er nicht allein war. Und erst recht froh, dass du bei ihm warst. Mehr muss ich nicht erfahren. Nichts sonst. Ich brauche keine Einzelheiten. Zu wissen, dass du bei ihm warst, reicht mir.«

Wie Daddy kann ich nur nicken.

Aber während ich die Hand von Khalils Grandma halte, sehe ich den Schmerz in ihrem Blick. Sein kleiner Bruder kann nicht mehr lächeln. Selbst wenn die Leute ihn am Ende nur für einen *Thug* halten und er ihnen egal ist – uns ist er nicht egal.

Khalil ist uns wichtig, nicht das, was er getan hat. Was die anderen denken, ist uns egal.

Momma beugt sich vor und legt ein Kuvert in Ms. Rosalies Schoß. »Das möchten wir dir geben.«

Ms. Rosalie öffnet den Umschlag, und ich sehe nur, dass eine Menge Geld drin ist. »Was um alles in der Welt? Ihr wisst doch genau, dass ich das nicht annehmen kann.«

»Doch, kannst du«, sagt Daddy. »Wir haben nicht vergessen, dass du Starr und Sekani betreut hast. Da werden wir dich nicht mit leeren Händen dastehen lassen.«

»Und wir wissen, dass ihr Geld für die Beerdigung

braucht«, sagt Momma. »Das hilft hoffentlich ein bisschen. Wir werden auch noch Geld dafür in der Nachbarschaft einsammeln. Also mach dir darüber bitte keine Sorgen.«

Ms. Rosalie wischt sich neue Tränen aus den Augen. »Ich werde es euch bis auf den letzten Penny zurückzahlen.«

»Haben wir etwa gesagt, du sollst es uns zurückzahlen?«, fragt Daddy. »Du kümmerst dich darum, gesund zu werden, ja? Und solltest du uns irgendwelches Geld geben, kriegst du es – Gott sei mein Zeuge – sofort wieder zurück.«

Es folgen noch mehr Tränen und Umarmungen. Zum Abschied gibt Ms. Rosalie mir einen *Freeze Cup* mit, auf dem oben roter Sirup glitzert; sie macht ihre Eisbecher immer extra süß.

Als wir aufbrechen, muss ich daran denken, wie Khalil immer ans Auto gelaufen kam, bevor ich wegfuhr. Die Sonne blitzte auf der Kopfhaut zwischen seinen Cornrows. Genauso blitzten seine Augen. Er klopfte dann ans Fenster, ich öffnete es und er sagte mit Wackelzahngrinsen: *»See you later, alligator.«*

Damals kicherte ich dann und grinste mein eigenes schiefes Grinsen. Jetzt kommen mir die Tränen. Abschiede schmerzen am meisten, wenn der andere nicht mehr da ist. Ich stelle mir vor, dass er vor meinem Fenster steht, und lächle ihm zuliebe. *»After a while, crocodile.«*

Kapitel 5

Am Montag, dem Tag also, an dem ich mit der Polizei reden soll, muss ich plötzlich losheulen. Ich krümme mich über mein Bett, während das Bügeleisen in meiner Hand Dampf ausspuckt. Momma nimmt es mir weg, damit ich nicht das Williamson-Wappen auf meinem Poloshirt verbrenne.

Sie streichelt mir über die Schulter. »Lass es ruhig raus, Mümmel.«

Wir frühstücken in ziemlich gedämpfter Stimmung am Küchentisch. Ohne Seven, der die Nacht im Haus seiner eigenen Momma verbracht hat. Lustlos zupfe ich an meiner Waffel herum. Allein bei dem Gedanken, die Polizeiwache mit all den Cops drin zu betreten, könnte ich kotzen. Wenn ich jetzt etwas äße, würde es nur schlimmer.

Nach dem Frühstück nehmen wir uns im Wohnzimmer unter dem gerahmten Poster mit den zehn Geboten wie immer an den Händen und Daddy betet vor.

»Black Jesus, wache heute über meine Babys«, sagt er. »Behüte sie, führe sie auf den rechten Weg und hilf ihnen, den Unterschied zwischen Freunden und Schlangen zu erkennen. Gib ihnen die Weisheit, die sie brauchen, um sie selbst zu sein.

Hilf Seven, im Haus seiner Momma klarzukommen, und lass ihn wissen, dass er hier immer ein Zuhause hat. Danke für Sekanis wundersame plötzliche Heilung, die erfolgte,

als er hörte, dass es heute bei ihm in der Schule Pizza gibt.«
Ich schiele zu Sekani rüber, der Mund und Augen aufreißt.
Ich muss schmunzeln und schließe die Augen. »Stehe Lisa
bei in der Klinik, während sie den Menschen hilft. Hilf
meinem Baby Girl, ihre Situation durchzustehen, Herr.
Schenk ihr Gelassenheit und hilf ihr, heute Nachmittag
wahrhaftig zu sprechen. Und gib schließlich Ms. Rosalie,
Cameron, Tammy und Brenda Kraft in dieser schweren
Zeit. Ich bete in deinem heiligen Namen: Amen.«

»Amen«, wiederholen wir anderen.

»Daddy, warum hast du mich vor Black Jesus so in Verlegenheit gebracht?«, beschwert sich Sekani.

»Er kennt die Wahrheit sowieso«, sagt Daddy. Dann
wischt er Sekani den Milchbart ab und ordnet den Kragen
seines Polohemds. »Ich versuche nur, dich rauszuhauen.
Damit du ein bisschen Gnade oder so findest, Mann.«

Dann zieht Daddy mich in seine Arme. »Wirst du klarkommen?«

Ich nicke gegen seine Brust. »Schon.«

Hier könnte ich es den ganzen Tag aushalten. Es ist einer
der wenigen Orte, wo Hundertfünfzehn nicht existiert
und ich die Befragung der Detectives vergessen kann.
Aber dann erklärt Momma, dass wir losmüssen, bevor die
Rushhour beginnt.

Damit da kein Missverständnis entsteht – ich kann
schon Auto fahren. Habe den Führerschein eine Woche
nach meinem sechzehnten Geburtstag gemacht. Aber ein
Auto kriege ich erst, wenn ich es selbst bezahlen kann.
Meinen Eltern habe ich zwar erklärt, dass ich neben Schule

und Basketball keine Zeit zum Jobben habe, aber da meinten sie nur, dann hätte ich auch keine Zeit für ein Auto. Schöner Mist.

An einem guten Tag dauert es fünfundvierzig Minuten bis zur Schule. Wenn man Pech hat, eine Stunde. Da Momma auf dem Freeway heute über niemanden schimpft, muss Sekani seine Kopfhörer nicht aufsetzen. Stattdessen summt sie die Gospelsongs aus dem Radio mit und murmelt: »Gib mir Kraft, Lord. Gib mir Kraft.«

Als wir vom Freeway nach Riverton Hills abbiegen, fahren wir an den bewachten Wohnanlagen vorbei. In einer davon wohnt Onkel Carlos. Mir kommt ein umzäuntes Wohnviertel total seltsam vor. Denn im Ernst, wollen die damit die Leute draußen oder drinnen behalten? Wenn jemand eine Mauer rund um Garden Heights errichten würde, wäre es wohl ein bisschen von beidem.

Unsere Schule ist auch eingezäunt. Der Campus besteht aus neuen, modernen Gebäuden mit vielen Fenstern. Entlang der Wege blühen Ringelblumen.

Momma reiht sich in die Fahrspur vor der Grundschule ein. »Sekani, hast du dein iPad dabei?«

»Yes, Ma'am.«

»Karte fürs Mittagessen?«

»Yes, Ma'am.«

»Sporthose? Und zwar hoffentlich eine saubere.«

»Ja, Momma. Ich bin schon fast neun. Kannst du mir da nicht ein bisschen was zutrauen?«

Sie lächelt. »Na schön, großer Junge. Hast du vielleicht irgendwas Süßes für mich?«

Sekani beugt sich vor und küsst sie auf die Wange. »Hab dich lieb.«

»Ich dich auch. Und vergiss nicht, dass Seven dich heute nach Hause bringt.«

Schon rennt er zu seinen Freunden und mischt sich unter all die anderen Kinder in Khakihosen und Poloshirts. Wir fädeln uns in die Fahrgemeinschaftsspur zu meiner Schule ein.

»Also gut, Mümmel«, sagt Momma. »Seven wird dich nach der Schule zur Klinik bringen, dann fahren wir beide von dort aus zusammen zur Polizeiwache. Bist du dir vollkommen sicher, dass du das schaffst?«

Nein. Aber Onkel Carlos hat versprochen, dass alles gut wird. »Ich ziehe das durch.«

»Okay. Ruf mich an, wenn du glaubst, du hältst keinen ganzen Schultag aus.«

Moment mal. Dann hätte ich also auch zu Hause bleiben können? »Warum hast du mich dann überhaupt hergebracht?«

»Weil du raus aus dem Haus musst. Aus dem Viertel. Bitte versuch es zumindest, Starr. Das klingt jetzt herzlos, aber nur weil Khalil nicht mehr lebt, darfst du nicht aufhören zu leben. Verstehst du das, Baby?«

»Yeah.« Ich weiß, dass sie recht hat, aber es fühlt sich trotzdem verkehrt an.

Schon sind wir vorne in der Schlange. »Ich muss dich ja nicht mehr fragen, ob du eine flippige Sporthose eingepackt hast, oder?«

Ich lache auf. »Nein. Bye, Momma.«

»Bye, Baby.«

Ich steige aus. Mindestens sieben Stunden lang brauche ich nicht über Hundertfünfzehn sprechen. Brauche ich nicht an Khalil denken. Ich muss einfach nur die normale Starr sein, die an der normalen Williamson einen normalen Tag verbringt. Das bedeutet, ich lege den Schalter in meinem Kopf um und bin die Williamson-Starr. Die benutzt keinen Slang – alles was ein Rapper sagen würde, ist für sie tabu, selbst wenn ihre weißen Freunde so reden. Bei denen wirkt Slang cool, bei ihr klänge er nach mieser Hood. Die Williamson-Starr hält den Mund, wenn Leute ihr blöd kommen, damit keiner sie für ein »Angry Black Girl« hält. Die Williamson-Starr ist zugänglich. Kein bedrohliches Anstarren, kein fieser Seitenblick, überhaupt kein vielsagender Blick. Sie weicht Konfrontationen aus. Letztlich gibt die Williamson-Starr niemandem einen Grund, sie ein Ghetto-Girl zu nennen.

Ich hasse mich selbst dafür, aber trotzdem benehme ich mich so.

Jetzt werfe ich mir meinen Rucksack über die Schulter. Wie immer passt er zu meinen J's, blau-schwarze Elevens, solche wie Michael Jordan sie in *Space Jam* trug. Ich musste einen Monat lang im Laden aushelfen, um sie mir leisten zu können. Eigentlich hasse ich es, mich anzuziehen wie alle anderen, aber *Der Prinz von Bel-Air* hat mich eines gelehrt. Will Smith zieht darin die Jacke seiner Schuluniform immer auf Links an, um anders zu sein. Ich kann meine Uniform zwar nicht auf Links tragen, aber ich kann drauf achten, dass meine Sneaker immer cool sind und genau zu meinem Rucksack passen.

Drinnen lasse ich meinen Blick durch den Lichthof schweifen und halte nach Maya, Hailey oder Chris Ausschau. Ich entdecke sie nirgends, dafür bemerke ich, dass die Hälfte der Kids nach dem Spring Break Farbe bekommen hat. Zum Glück ist mein brauner Teint angeboren. Jemand hält mir die Augen zu.

»Maya, ich weiß, dass du das bist.«

Kichernd nimmt sie die Hände weg. Ich bin ja echt nicht groß, aber Maya muss sich auf Zehenspitzen stellen, damit sie mir die Augen zuhalten kann. Und ausgerechnet dieses Mädchen will im Basketball-Schulteam die Center-Position spielen. Sie trägt die Haare in einem hohen Bun, weil sie glaubt, damit größer zu wirken. Aber Fehlanzeige.

»Was ist los, Miss-Ich-antworte-auf-keine-Nachricht?«, sagt sie, während unseres üblichen Handschlags. Es ist keine so komplizierte Sache wie zwischen Daddy und King, aber für uns genau richtig. »Ich hab mich schon gefragt, ob du von Aliens entführt wurdest.«

»Hä?«

Sie hält ihr Handy hoch. Auf dem Display zieht sich ein brandneuer Sprung von einer Ecke zur anderen. Maya lässt es einfach dauernd fallen. »Du hast mir zwei Tage lang nicht geantwortet, Starr«, sagt sie. »Nicht cool.«

»Oh.« Aber ich habe kaum noch auf mein Telefon geschaut, seit Khalil ... seit dem Vorfall. »Sorry. Ich hab im Laden gejobbt. Du weißt doch, wie stressig das sein kann. Wie waren deine Ferien?«

»Ganz okay.« Sie kaut auf ein paar *Sour Patch Kids*. »Wir haben meine Urgroßeltern in Taipeh besucht. Ich hatte ein paar Caps und Basketball-Shorts dabei, also musste ich mir die ganze Woche lang anhören: ›Warum ziehst du dich wie ein Junge an?‹ Oder: ›Warum machst du eine Sportart für Jungs?‹ Blablabla. Ganz schrecklich wurde es, als sie ein Foto von Ryan enteckt haben. Sie haben mich gefragt, ob er ein Rapper ist!«

Ich lache und klaue mir ein paar von den sauren Gummi-männchen aus ihrer Tüte. Mayas Freund Ryan ist der einzige andere Schwarze in der elften Klasse, und alle erwarten irgendwie, dass wir zusammen sind. Denn wenn es genau zwei von uns gibt, dann gilt anscheinend das Prinzip der Arche Noah, damit wir das Schwarze in unserem Jahrgang bewahren oder irgend so ein Mist. In letzter Zeit reagiere ich auf solchen Schwachsinn besonders empfindlich.

Jetzt gehen wir gemeinsam in die Cafeteria. Zwar habe ich schon gefrühstückt, aber in der Cafeteria ist man auch hauptsächlich zum Abhängen. Unser Tisch neben den Verkaufsautomaten ist schon fast voll. Hailey sitzt oben drauf und führt eine lebhafte Diskussion mit Luke, der Locken und Grübchen hat. Ich glaube, für die beiden ist das so eine Art Vorspiel. Sie mögen sich schon seit der Sechsten, und wenn deine Gefühle sogar die Peinlichkeit der Mittelstufe überdauern, dann sollte man die Spielchen lassen und einander daten.

Auch ein paar andere Mädchen aus dem Team sind da: Jess, die zweite Kapitänin, und Britt, die Center spielt und neben der Maya wie eine Ameise aussieht. Eigentlich ist es klischeemäßig, dass wir alle zusammensitzen, aber so hat es sich eben ergeben. Ich meine, wer will uns schon zuhören, während wir über geschwollene Knie jammern oder Insider-Scherze machen, die sich nach einem Spiel im Bus ergeben haben?

Chris' Jungs aus der Basketballmannschaft sitzen am Nebentisch und feuern Hailey und Luke an. Chris ist noch nicht da. Leider und zum Glück.

Luke erblickt mich und Maya und deutet mit dem Arm in unsere Richtung. »Danke! Zwei vernünftige Menschen, die diese Diskussion beenden können.«

Ich rutsche neben Jess auf die Bank. Sofort legt sie ihren Kopf auf meine Schulter. »Das geht jetzt schon eine Viertelstunde so.«

Die Arme. Ich streiche ihr über den Kopf. Insgeheim bin ich in Jess' Pixie-Cut verknallt. Mein Hals wäre dafür nicht lang genug, aber ihr steht die Frisur. Jede Strähne fällt so, wie sie soll. Würde ich auf Mädchen stehen, hätte ich mich allein wegen ihrer Haare schon mit ihr verabredet. Und sie sich mit mir wegen meiner Schulter.

»Worum geht's diesmal?«, frage ich.

»Pop Tarts«, sagt Britt.

Da dreht Hailey sich zu uns und zeigt mit dem Finger auf Luke. »Dieser Kerl behauptet doch tatsächlich, sie würden besser schmecken, wenn man sie in der Mikrowelle aufwärmt.«

»Iiih«, sage ich, statt wie sonst mein übliches »krank«.

Maya kommentiert: »Echt jetzt?«

»Ich weiß. Krass, oder?«, sagt Hailey.

»Meine Güte!«, stöhnt Luke. »Ich wollte nur einen Dollar haben, damit ich mir eine Packung aus dem Automaten holen kann!«

»Mein Geld wirst du jedenfalls nicht bekommen, um eine wunderbar schmeckende Pop Tart in der Mikrowelle zu zerstören.«

»Die gehören aufgewärmt!«, beharrt er.

»Da muss ich Luke recht geben«, sagt Jess. »Pop Tarts schmecken warm zehnmal besser.«

Ich ziehe meine Schulter weg, sodass ihr Kopf in der Luft hängen bleibt. »Dann können wir nicht mehr befreundet sein.«

Erst fällt ihr die Kinnlade runter, dann macht sie einen Schmollmund.

»Na gut, na gut«, sage ich, und mit einem breiten Grinsen legt sie ihren Kopf wieder bei mir ab. Totale Spinnerin. Ich weiß nicht, wie sie ohne meine Schulter überleben wird, wenn sie in ein paar Monaten ihren Abschluss macht.

»Jeder, der eine Pop Tart aufwärmt, sollte verklagt werden«, verkündet Hailey.

»Und in den Knast kommen«, sage ich.

»Und gezwungen werden, kalte Pop Tarts zu essen, bis er einsieht, wie gut sie sind«, fügt Maya hinzu.

»So lautet das Gesetz«, stellt Hailey fest und haut dazu auf den Tisch, als sei es damit entschieden.

»Leute, ihr habt vielleicht Sorgen«, sagt Luke und hüpft vom Tisch. Dabei zupft er an Haileys Haaren. »Ich glaube, all die Farbe ist dir ins Gehirn gesickert.«

Sie gibt ihm noch einen Klaps, bevor er geht. In ihre honigblonden Haare hat sie blaue Strähnchen gefärbt und trägt sie schulterlang. In der Fünften hat sie sie einmal während eines Mathetests mit einer Papierschere abgeschnitten, einfach weil ihr danach war. Von da an wusste ich, dass ihr die Meinung anderer egal ist.

»Mir gefällt das Blau, Hails«, sage ich. »Und der Schnitt auch.«

»Jaa.« Maya grinst. »Damit wirkst du sehr Joe-Jonas-mäßig.«

Hailey fährt mit dem Kopf zu ihr herum und ihre Augen blitzen. Maya und ich kichern.

Es gibt nämlich in den Tiefen von YouTube ein Video, das uns drei zeigt, wie wir zu den Jonas Brothers die Lippen bewegen und tun, als würden wir Gitarre und Schlagzeug spielen, und das alles in Haileys Kinderzimmer. Sie hatte damals entschieden, Joe zu sein. Ich war Nick und Maya Kevin. Eigentlich wäre ich gern Joe gewesen – insgeheim liebte ich ihn am meisten, aber Hailey hatte ihn für sich beansprucht, also gab ich nach.

Ich ließ ihr oft ihren Willen. Und tue es bis heute. Das gehört zu meiner Rolle als Williamson-Starr, denke ich.

»Dieses Video muss ich unbedingt finden«, sagt Jess.

»Neeeiiin«, jammert Hailey und rutscht vom Tisch. »Es darf niemals gefunden werden.« Sie setzt sich uns gegenüber. »Nie. Nie-mals. Wenn mir das Passwort für den Account wieder einfällt, lösche ich es.«

»Ooh, wie hieß denn der Account?«, fragt Jess. »JoBro

Lover oder so? Nein, wartet, JoBro *Lova*. Das war doch in der Mittelstufe total angesagt.«

Ich grinse und murmle: »Nah dran.«

Hailey wirft mir einen warnenden Blick zu. »Starr!«

Daraufhin brechen Maya und Britt in Gelächter aus.

In Momenten wie diesen komme ich mir an der Williams normal vor. Trotz der Verhaltensregeln, die ich mir auferlege, habe ich Freunde und einen Tisch gefunden.

»Na schön«, sagt Hailey. »Ich seh schon, was hier läuft. Also, Maya Jonas und Nick's Starry Girl 2000 –«

»Sag mal, Hails«, unterbreche ich sie, bevor sie meinen alten Künstlernamen ganz verrät. Sie grinst. »Wie war Spring Break bei dir?«

Haileys Grinsen verschwindet und sie verdreht die Augen. »Oh, ganz wundervoll. Dad und die liebe Stiefmama haben Remy und mich ins Haus auf den Bahamas geschleppt, um unsere ›Familienzusammengehörigkeit‹ zu stärken.«

Und zack! Das Gefühl von Normalsein? Weg. Plötzlich fällt mir wieder ein, wie anders ich als die meisten hier bin. Keiner würde mich oder meinen Bruder auf die Bahamas schleppen müssen – wir würden sogar dorthin schwimmen, wenn wir könnten. Für uns bedeuten Ferien mit der Familie ein Wochenende in einem nahe gelegenem Hotel mit Swimmingpool.

»Klingt wie meine Eltern«, sagt Britt. »Die haben uns das dritte Jahr hintereinander in die verdammte Harry Potter World gezerrt. Ich hab echt genug von Butterbier und dämlichen Familienfotos mit Zauberstäben.«

Holy Shit. Wer zum Teufel beschwert sich darüber, in die Harry Potter World fahren zu müssen? Oder über Butterbier? Über Zauberstäbe?

Ich hoffe, dass mich keiner nach meinen Ferien fragt. Die anderen waren in Taipeh, auf den Bahamas, in der Harry Potter World. Ich bin in meinem Viertel geblieben und habe mitangesehen, wie ein Cop meinen Freund erschoss.

»Eigentlich waren die Bahamas doch gar nicht so schlecht«, meint Hailey. »Sie wollten zwar, dass wir Familiensachen zusammen unternehmen, aber am Ende haben wir die ganze Zeit unser Ding gemacht.«

»Du meinst, dass du mir andauernd Nachrichten geschickt hast«, sagt Maya.

»Das war eben mein Ding.«

»Den ganzen Tag über, und jeden Tag«, fügt Maya hinzu. »Ohne Rücksicht auf die Zeitverschiebung.«

»Wie auch immer, *Shorty*. Tu nicht so, als ob du nicht gern mit mir geschrieben hättest.«

»Oh«, sage ich nur. »Cool.«

Dabei ist es das überhaupt nicht. Mir hat Hailey während der Spring Break keine einzige Nachricht geschickt. Sie schreibt mir in letzter Zeit sowieso kaum noch. Vielleicht einmal pro Woche, dabei hat sie es früher täglich getan. Zwischen uns hat sich was verändert, aber keiner von uns gesteht es ein. An der Williamson benehmen wir uns normal, so wie jetzt. Darüber hinaus sind wir aber keine besten Freundinnen mehr, nur noch ... ach, keine Ahnung.

Außerdem folgt sie mir nicht mehr auf Tumblr.

Sie ahnt wohl nicht, dass ich das weiß. Einmal habe ich ein Foto von Emmett Till gepostet, einem vierzehnjährigen schwarzen Jungen, der 1955 ermordet wurde, weil er einer weißen Frau nachgepfiffen hatte. Sein verstümmelter Körper sah nicht einmal mehr menschlich aus. Sofort danach schrieb Hailey mir und regte sich total auf. Ich dachte, weil sie nicht glauben konnte, dass jemand einem Kind so was antun konnte. Aber nein. Sie fand es nur unglaublich, dass ich so ein schreckliches Bild postete.

Kurze Zeit später hörte sie auf, meine anderen Postings zu liken und zu rebloggen. Dann schaute ich die Liste meiner Follower durch. Siehe da, Hailey folgte mir nicht mehr. Da ich fünfundvierzig Autominuten entfernt wohne, war Tumblr so eine Art heiliges Territorium, auf dem unsere Freundschaft verankert war. Mir nicht mehr zu folgen, bedeutet das Gleiche, wie zu sagen: »Ich mag dich nicht mehr.«

Vielleicht bin ich ja auch überempfindlich. Oder vielleicht haben sich die Dinge geändert. Vielleicht habe *ich* mich geändert. Vorläufig tun wir anscheinend so, als sei alles in Ordnung.

Es läutet zum ersten Mal. Am Montag haben Hailey, Maya und ich in der ersten Stunde Englisch. Auf dem Weg dorthin verstricken sie sich in eine Riesendiskussion über NCAA Tabellen und die Final Four Footballmannschaften. Hailey ist schon als Fan der Footballer von Notre Dame auf die Welt gekommen, während Maya das Team auf beinah krankhafte Weise hasst. Ich halte mich da raus. Mein Ding ist sowieso eher die NBA.

Als wir in den Flur einbiegen, steht Chris in der Tür zu unserem Klassenzimmer. Er hat die Hände in den Hosentaschen und um seinen Hals sind Kopfhörer drapiert. Erst schaut er mir direkt in die Augen, dann versperrt er mit einem Arm den Durchgang.

Hailey sieht von ihm zu mir und wieder zurück. Mehrmals. »Ist zwischen euch irgendwas vorgefallen?«

Mein verzogener Mund verrät mich anscheinend. »Jaa. In gewisser Weise.«

»Der Dreckskerl«, sagt Hailey, was mich wieder daran erinnert, warum wir befreundet sind – sie braucht keine Details. Wenn jemand mir auf irgendeine Weise wehtut, steht derjenige automatisch auf ihrer Abschussliste. Das fing schon in der Fünften an, zwei Jahre bevor Maya aufkreuzte. Damals waren wir die »Heulsusen«, die beim geringsten Anlass in Tränen ausbrachen. Ich wegen Natasha, und Hailey, weil ihre Mutter an Krebs gestorben war. Gemeinsam lernten wir, mit unserer Trauer fertigzuwerden.

Und darum ergibt diese seltsame Sache zwischen uns auch eigentlich keinen Sinn. »Was hast du vor, Starr?«, fragt sie mich jetzt.

Keine Ahnung. Vor Khalil hatte ich geplant, Chris die kalte Schulter zu zeigen, und zwar heftiger als ein R&B-Song aus den Neunzigern zum Thema Trennung. Aber nach der Sache mit Khalil ist mir eher nach Taylor Swift zumute. (Ist nicht bös gemeint, ich steh auf Tay-Tay, aber auf der Skala »Wütende Freundin« kann sie mit R&B aus den Neunzigern einfach nicht mithalten.) Ich bin zwar nicht gerade glücklich mit Chris, aber ich vermisse ihn.

Ich vermisse *uns*. Ich brauche ihn so sehr, dass ich bereit bin zu vergessen, was er getan hat. Das macht mir allerdings auch eine Riesenangst. Jemand, mit dem ich erst seit einem Jahr zusammen bin, bedeutet mir so viel? Aber Chris ... ist eben anders.

Jetzt hab ich's. Ich mach einen auf Beyoncé. Das ist nicht so extrem wie ein R&B Breakup-Song aus den Neunzigern, aber doch mehr als Taylor Swift. Genau. Das wird gehen. Zu Hailey und Maya sage ich: »Ich werd schon mit ihm fertig.«

Sie nehmen mich in die Mitte, als wären sie meine Bodyguards. So gehen wir auf die Tür zu.

Chris nickt uns zu. »Ladys.«

»Platz da!«, befiehlt Maya. Was ziemlich witzig ist, weil Chris sie so weit überragt.

Mit seinen babyblauen Augen schaut er mich an. Über die Ferien hat er Farbe bekommen. Früher habe ich ihm gesagt, er sei so blass wie ein Marshmallow, aber er hasste es, mit Essen verglichen zu werden. Daraufhin meinte ich, das geschehe ihm nur recht, solange er mich Karamell nennt. Das brachte ihn zum Schweigen.

Aber verdammt, er trägt auch seine Space Jam Elevens. Ich habe vergessen, dass wir beschlossen hatten, sie am ersten Tag nach den Ferien anzuziehen. Sie stehen ihm. Ich habe einfach eine Schwäche für Jordans. Kann nichts dagegen tun.

»Ich will nur mit meinem Mädchen reden«, verlangt er.

»Wüsste nicht, wer das sein sollte«, sage ich, ganz Beyoncé.

Er schnaubt seufzend. »Bitte, Starr! Können wir wenigstens drüber reden?«

Jetzt bin ich schon wieder Taylor Swift, weil er bitte gesagt hat. Ich nicke Hailey und Maya zu.

»Wenn du ihr wehtust, leg ich dich um«, warnt Hailey ihn, dann betritt sie zusammen mit Maya das Klassenzimmer.

Chris und ich entfernen uns von der Tür. Ich lehne mich gegen einen Spind und verschränke die Arme. »Ich höre.«

Aus seinen Kopfhörern tönt ein basslastiges Instrumentalstück. Wahrscheinlich einer von seinen Beats. »Was passiert ist, tut mir leid. Ich hätte vorher mit dir darüber reden sollen.«

Ich lege den Kopf schräg. »Wir hatten ja darüber geredet. Eine Woche vorher. Schon vergessen?«

»Ich weiß, ich weiß. Und ich hatte dir auch zugehört. Ich wollte doch nur vorbereitet sein, für den Fall –«

»Dass du die richtigen Knöpfe drücken und mich überreden könntest, meine Meinung zu ändern?«

»Nein!« Abwehrend hebt er die Hände. »Starr, du weißt doch, ich würde nie – das ist nicht – es tut mir leid, okay? Ich bin zu weit gegangen.«

Eine Untertreibung. Am Tag vor Big Ds Party waren Chris und ich in seinem geradezu lächerlich riesigen Zimmer. Die dritte Etage der Villa seiner Eltern ist seine Suite – ein Vorteil, wenn man das Nesthäkchen ist. Ich versuche immer zu verdrängen, dass er ein gesamtes Stockwerk für sich hat, das so groß ist wie unser ganzes Haus, und Angestellte, die so aussehen wie ich.

Miteinander rumzumachen ist für uns nichts Neues, und so dachte ich mir auch nichts dabei, als Chris seine Hand in meine Shorts schob. Dann brachte er mich in Fahrt und ich dachte erst recht nichts mehr. Null. Im Ernst, mein Denkvermögen war aus dem Zimmer. Und gerade als ich soweit war, hörte er auf, griff in seine Tasche und holte ein Kondom raus. Dann zog er eine Augenbraue hoch und bat stumm um meine Erlaubnis, loslegen zu dürfen.

Plötzlich sah ich nur noch die Mädchen vor mir, die in Garden Heights mit ihren Babys auf dem Arm spazieren gehen. Kondom hin oder her, es kann immer was passieren.

Deshalb ging ich auf Chris los. Er wusste, dass ich dazu nicht bereit war. Wir hatten schon darüber gesprochen. Und trotzdem zückte er ein Kondom? Er meinte, er habe nur verantwortungsvoll handeln wollen, aber wenn ich sage, ich bin noch nicht bereit, dann bin ich eben noch nicht bereit.

Ich verließ daraufhin sein Haus, stinksauer *und* angetörnt. Also in der denkbar schlechtesten Verfassung.

Meine Mom könnte übrigens recht haben. Sie sagte mal zu mir, nachdem du mit einem Typen so weit gegangen bist, aktiviert das all diese Gefühle in dir, sodass du es andauernd tun willst. Chris und ich sind schon weit genug gegangen, dass ich inzwischen jede Kleinigkeit an ihm registriere: Seine süßen Nasenflügel, die beben, wenn er seufzt. Sein weiches braunes Haar, in dem ich so gern mit meinen Fingern spiele. Seine zärtlichen Lippen und seine

Zunge, die oft über sie fährt. Die fünf Sommersprossen an seinem Hals, die sich an den perfekten Stellen zum Küssen befinden.

Viel wichtiger ist aber, dass er derjenige ist, der fast jeden Abend mit mir telefoniert und über Gott und die Welt redet. Derjenige, der es liebt, mich zum Lächeln zu bringen. Klar, manchmal regt er mich total auf und ich ihn mit Sicherheit auch, aber wir bedeuten einander was. Wir bedeuten uns sogar eine Menge.

Mist, Mist, verdammter Mist. Ich werde weich. »Chris ...«

Er setzt zu einem Tiefschlag an, indem er Beatbox-Geräusche in einem mir nur zu vertrauten Rhythmus macht.

Mit ausgestrecktem Zeigefinger stoppe ich ihn. »Wag es bloß nicht!«

»Now, this is a story all about how, my life got flipped – turned upside down. And I'd like to take a minute, just sit right there, I'll tell you how I became the prince of a town called Bel-Air.«

Im Beatbox-Stil brummt und summt er den Instrumentalteil und bewegt Oberkörper und Hintern im Takt. Leute, die an uns vorübergehen, lachen. Ein Junge pfeift anerkennend. Und jemand ruft: »Shake that ass, Bryant!«

Unwillkürlich muss ich grinsen.

Der Prinz von Bel-Air ist nicht nur meine Serie, sondern unsere. In der Zehnten folgte er mir auf Tumblr und ich folgte ihm zurück. Wir kannten uns zwar vom Sehen an der Schule, aber mehr auch nicht. An einem Samstag postete ich einen Haufen GIFs und Clips aus dem Prinz. Er likte und rebloggte jeden einzelnen davon. Am Montag danach in der Cafeteria bezahlte er meine Pop Tarts und meinen Traubensaft und meinte: »Die erste Aunt Viv war die beste.«

So fing das mit uns an.

Chris kapiert den *Prinz von Bel-Air* einfach, deswegen kapiert er auch mich. Wir haben mal darüber geredet, wie cool es war, dass Will sich auch in einer neuen Umgebung treu blieb. Da verplapperte ich mich und meinte, das würde ich in der Schule auch gerne. Chris meinte darauf: »Warum kannst du das nicht, Prinzessin?«

Spätestens seit damals muss ich mich nicht mehr entscheiden, welche Starr ich sein will, wenn ich mit ihm zusammen bin. Er mag beide. Also, zumindest das, was ich ihm von mir gezeigt habe. Manches muss ich für mich behalten, etwa Natasha. Denn hat man einmal die kaputten Seiten von jemandem gesehen, dann ist das so, als hätte man denjenigen nackt gesehen – man wird ihn danach nie mehr so wie früher betrachten.

Mir gefällt, wie er mich jetzt ansieht. Als wäre ich einer der besten Aspekte in seinem Leben. Er ist das in meinem auch.

Dabei will ich gar nicht bestreiten, dass wir oft mit dem Ausdruck »warum datet er ausgerechnet *die*?« angestarrt werden, meist von reichen weißen Mädchen. Manchmal frage ich mich das ja selbst. Chris tut so, als gäbe es diese Blicke nicht. Wenn er Sachen macht wie jetzt, also mitten auf einem belebten Flur rappen und beatboxen, dann vergesse ich diese Blicke auch.

Er legt mit der zweiten Strophe los, bewegt die Schul-

tern und sieht mich an. Das Schlimmste daran? Der Blödmann weiß genau, dass es funktioniert. »*In west Philadel-
phia, born and raised* – komm schon, Babe. Mach mit.«

Er greift nach meinen Händen.

Hundertfünfzehn folgt Khalils Händen mit dem Licht-
strahl seiner Taschenlampe.

Er befiehlt Khalil, mit erhobenen Händen auszusteigen.

Er fährt mich an, meine Hände aufs Armaturenbrett zu
legen.

Ich knie mitten auf der Straße mit erhobenen Händen
neben meinem toten Freund. Ein Cop, so weiß wie Chris,
richtet eine Waffe auf mich.

So weiß wie Chris.

Ich zucke zusammen und reiße mich los.

Chris runzelt die Stirn. »Starr, bist du okay?«

Khalil öffnet die Tür. »Bist du okay, Starr –«

Peng!

Da ist Blut. Viel zu viel Blut.

Es klingelt zum zweiten Mal, was mich ruckartig in die
Normalität der Williamson zurückholt, wo ich nicht die
normale Starr bin.

Chris beugt sich vor, sodass sein Gesicht dicht vor meinem ist. Durch meine Tränen sehe ich ihn nur verschwom-
men. »Starr?«

Es sind nur ein paar Tränen, aber ich fühle mich bloß-
gestellt. Ich drehe mich weg, um ins Klassenzimmer zu
gehen, doch Chris hält mich am Arm fest. Ich reiße mich
los und wirble zu ihm herum.

Er hebt beschwichtigend die Hände. »Sorry. Ich …«

Ich wische mir mit der Hand über die Augen und betrete das Klassenzimmer. Chris ist direkt hinter mir. Hailey und Maya werfen ihm mörderische Blicke zu. Ich rutsche auf den Platz vor Hailey.

Rasch drückt sie meine Schulter. »Der Dreckskerl.«

In der Schule heute hat keiner Khalil erwähnt. Ich hasse es, mir das einzugestehen – weil ich mich dabei fühle, als würde ich ihm den Mittelfinger zeigen –, aber ich bin froh darüber.

Seit die Basketballsaison vorbei ist, gehe ich auch nach Hause, wenn alle anderen aus haben. Wahrscheinlich zum ersten Mal in meinem Leben wünsche ich mir, der Schultag wäre noch nicht zu Ende. Denn das lässt das Gespräch mit den Cops bedrohlich näher rücken.

Hailey und ich schlendern Arm in Arm über den Parkplatz. Maya wird von einem Fahrer abgeholt. Hailey hat einen eigenen Wagen und ich habe einen Bruder mit Auto. Am Ende des Tages gehen wir immer zusammen raus.

»Bist du dir absolut sicher, dass ich Chris nicht den Arsch versohlen soll?«, fragt Hailey.

Ich habe ihr und Maya von der Kondom-Katastrophe erzählt, und ihrer Meinung nach hat er sich damit auf ewig ins Land der Arschlöcher verbannt.

»Yeah«, versichere ich ihr zum hundertsten Mal. »Du bist ganz schön gewalttätig, Hails.«

»Wenn es um meine Freunde geht, möglicherweise. Aber mal im Ernst, warum hat er das bloß getan? Mein Gott, Jungs und ihr verdammter Sexualtrieb.«

Ich schnaube. »Bist du deswegen noch nicht mit Luke zusammen?«

Sie stupst mich mit dem Ellbogen. »Halt die Klappe.«

Ich lache. »Warum gibst du denn nicht zu, dass du ihn magst?«

»Wie kommst du darauf, dass ich ihn mögen könnte?«

»Echt jetzt, Hailey?«

»Lass stecken, Starr. Hier geht's nicht um mich, sondern um dich und deinen schwanzgesteuerten Freund.«

»Er ist nicht schwanzgesteuert«, sage ich.

»Wie würdest du es dann nennen?«

»Er war in dem Moment einfach scharf.«

»Ist doch das Gleiche!«

Ich bemühe mich um eine ernste Miene und sie auch, aber dann prusten wir beide los. Mein Gott, wie gut es sich anfühlt, die ganz normalen Starr und Hailey zu sein. Ich frage mich sogar, ob ich mir die Veränderung nur eingebildet habe.

Auf halber Strecke zwischen Haileys und Sevens Auto trennen wir uns. »Das Angebot mit dem Arsch versohlen besteht weiterhin«, ruft sie mir nach.

»Bye, Hailey!«

Ich marschiere weiter und rubble mir die Arme warm. Der Frühling durchläuft anscheinend gerade eine Identitätskrise und lässt mich frieren. Ein paar Schritte entfernt steht Seven, eine Hand auf seinem Auto, während er mit seiner Freundin Layla spricht. Er und dieser verdammte Mustang. Den fasst er öfter an als Layla, ihr macht das aber offenbar nichts aus. Sie spielt mit einer der Dreadlocks, die aus seinem Pferdeschwanz gerutscht ist. Man möchte die Augen verdrehen. Manche Mädchen übertreiben es wirklich. Hat sie auf ihrem eigenen Kopf nicht genug Locken zum Spielen?

Aber ehrlich gesagt habe ich mit Layla kein Problem. Sie ist ein Geek wie Seven, klug genug für Harvard, aber entschlossen, auf die Howard zu gehen, und richtig süß. Sie ist eines von vier schwarzen Mädchen in der Zwölften, und falls Seven sich vorgenommen hat, nur schwarze Mädchen zu daten, dann hat er sich mit ihr ein tolles ausgesucht.

Ich gehe auf die beiden zu und räuspere mich übertrieben.

Seven wendet den Blick nicht von Layla. »Geh Sekani holen.«

»Kann ich nicht«, lüge ich. »Momma hat mich nicht auf die Liste der Abholer gesetzt.«

»Doch, hat sie. Los.«

Ich verschränke die Arme. »Ich werde bestimmt nicht über den halben Campus latschen, um ihn zu holen, und dann noch mal den halben Campus zurück. Wir können ihn beim Rausfahren einsammeln.«

Er wirft mir einen bösen Blick zu, aber ich bin zu müde für so was, außerdem ist mir kalt. Seven küsst Layla und geht um den Wagen herum zur Fahrertür. »Als ob das ein weiter Weg wäre«, murmelt er.

»Als ob wir ihn nicht beim Rausfahren einsammeln könnten«, sage ich und bin auch schon eingestiegen.

Er lässt den Motor an. Aus Sevens iPod-Dock ertönt dieser nette Mix, den Chris aus Kanye und meinem anderen künftigen Ehemann, J. Cole, gemischt hat. Durch das Gedränge am Parkplatz fährt er uns zu Sekanis Schule. Nachdem Seven ihn vom Betreuungsprogramm nach der Schule abgemeldet hat, können wir los.

»Ich hab Hunger«, jammert Sekani schon nach fünf Minuten.

»Haben die dir bei der Betreuung denn keinen Snack gegeben?«, fragt Seven.

»Doch. Aber ich bin immer noch hungrig.«

»Gieriger Fresssack«, sagt Seven, woraufhin Sekani von hinten gegen seinen Sitz tritt. Seven lacht. »Okay, okay! Ma hat mich sowieso gebeten, was zu essen in die Klinik mitzubringen. Dann hole ich auch was für dich.« Er schaut Sekani im Rückspiegel an. »Ist das cool –«

Seven erstarrt. Er schaltet den Musikmix von Chris aus und verringert sein Tempo.

»Warum machst du denn die Musik aus?«, fragt Sekani.

»Klappe«, zischt Seven.

Wir bleiben an einer roten Ampel stehen. Neben uns hält ein Streifenwagen aus Riverton Hills.

Seven richtet sich auf und starrt geradeaus. Er blinzelt kaum und umklammert fest das Lenkrad. Dann bewegt er nur die Augen zur Seite, um zum Wagen der Cops rüberzusehen. Er schluckt hörbar.

»Komm schon, Grün«, flüstert er. »Komm schon.«

Ich schaue ebenfalls geradeaus und bete, dass die Ampel endlich umspringt.

Schließlich wird es grün und Seven lässt den Streifenwagen an sich vorbeiziehen. Seine Schultern entspannen sich erst, als wir auf den Freeway abbiegen. Mir geht es genauso.

Bei diesem chinesischen Lokal, das Momma so gern mag, halten wir an und besorgen Essen für uns alle. Sie möchte anscheinend, dass ich was esse, bevor ich mit den Detectives rede.

In Garden Heights spielen Kinder auf der Straße. Sekani presst das Gesicht gegen die Scheibe und sieht ihnen zu, wird aber nicht mehr mitspielen. Als er sich das letzte Mal unter ein paar Kids aus dem Viertel mischte, haben sie ihn »white Boy« gerufen, weil er auf die Williamson geht.

Black Jesus grüßt uns von dem Wandgemälde an einer Seite des Klinikgebäudes. Seine Haare sehen aus wie die von Seven. Die Arme hat er über die ganze Breite der Mauer ausgebreitet, hinter sich dicke weiße Wolken. Die großen Lettern über ihm erinnern uns daran: *Jesus Loves You*.

Seven fährt an Black Jesus vorbei zum hinteren Parkplatz, tippt ein paar Zahlen ein, damit sich das Tor öffnet und stellt den Wagen neben Mommas Camry ab. Ich schnappe mir das Tablett mit den Softdrinks, Seven das Essen und Sekani gar nichts, weil er nie irgendwas mitnimmt.

Ich drücke den Summer am Hintereingang und winke in die Kamera. Die Tür öffnet sich und wir betreten einen steril riechenden Flur mit strahlend weißen Wänden und weiß gekacheltem Boden, der sogar unser Spiegelbild zurückwirft. Von dort geht es in den Wartebereich. Hier sitzt eine Handvoll Leute, die auf einem alten, klobigen Fernseher, der von der Decke hängt, Nachrichten schauen oder in Zeitschriften blättern, die hier schon rumlagen, als ich noch klein war. Als ein Mann mit struppigen Haaren sieht, dass wir etwas zu essen dabei haben, richtet er sich gerade auf und schnuppert, als wäre es für ihn.

»Was bringt ihr denn da Schönes?«, fragt Ms. Felicia an der Rezeption und reckt den Hals.

Momma kommt in ihrer schlichten gelben Uniform aus dem anderen Flur, hinter einem verheulten Jungen und seiner Mutter. Der Kleine lutscht an einem Lolli, vermutlich die Belohnung für eine überstandene Impfung.

»Da sind ja meine Babys«, sagt Momma, als sie uns erblickt. »Und sie bringen mir auch noch was zu essen. Kommt. Gehen wir nach hinten.«

»Hebt mir was auf!«, ruft Felicia uns nach. Momma sagt ihr, sie solle leise sein.

Auf dem Tisch im Pausenraum packen wir aus. Momma holt ein paar Pappteller und Plastikbesteck, das sie für solche Gelegenheiten in einem Schrank aufhebt. Wir sprechen noch ein Tischgebet und fangen alle an zu essen.

Momma setzt sich zum Essen auf eine Arbeitsplatte. »Mhmmm! Das ist jetzt genau das Richtige. Danke, Seven-Baby. Ich hatte heute bis jetzt nur eine Tüte Cheetos.«

»Hast du kein Mittagessen gekriegt?«, fragt Sekani, den Mund voll mit gebratenem Reis.

Momma deutet mit der Gabel auf ihn. »Was hab ich dir über das Reden mit vollem Mund gesagt? Und zu deiner Information: Nein, ich hatte keins. Weil ich in meiner Mittagspause zu einer Besprechung musste. Und jetzt erzählt ihr mir von euch. Wie war die Schule?«

Sekani braucht dafür immer am längsten, weil er jede Einzelheit berichtet. Seven sagt nur, sein Tag sei gut gewesen. Ich halte es genauso kurz: »War in Ordnung.«

Momma nippt an ihrer Limo. »Ist irgendwas passiert?«

Ich bin ausgeflippt, als mein Freund mich angefasst hat, aber: »Nein, nichts.«

Plötzlich steht Ms. Felicia in der Tür. »Lisa, entschuldige, wenn ich dich störe, aber vorne gibt es ein Problem.«

»Ich hab gerade Pause, Felicia.«

»Meinst du, das weiß ich nicht? Aber sie fragt ausdrücklich nach dir. Es ist Brenda.«

Khalils Momma.

Meine Mutter stellt ihren Teller hin. Dann sieht sie mir direkt in die Augen und sagt: »Bleibt ihr hier.«

Aber ich bin dickköpfig und folge ihr in den Wartebereich. Dort sitzt Brenda und hat das Gesicht in den Händen vergraben. Ihre Haare sind ungekämmt und ihr wohl einmal weißes Shirt ist schmutzig, fast braun. An Armen und Beinen hat sie Geschwüre und Krusten, die wegen ihrer relativ hellen Haut besonders auffallen.

Momma geht vor ihr in die Hocke. »Bren, hey.«

Brenda nimmt die Hände runter. Ihre geröteten Augen erinnern mich an etwas, das Khalil sagte, als wir noch klein waren, nämlich, dass seine Momma sich in einen Drachen verwandelt hätte. Er behauptete damals, eines Tages würde er ein Ritter sein und sie zurückverwandeln.

Es ergibt einfach keinen Sinn, dass er Drogen verkauft hat. Ich hätte gedacht, dass sein gebrochenes Herz ihn daran hindern würde.

»Mein Baby«, heult seine Momma. »Lisa, mein Baby.«

Momma nimmt ihre Hände zwischen ihre eigenen und reibt sie. Anscheinend kümmert es sie nicht, wie schlimm sie aussehen. »Ich weiß, Bren.«

»Die haben mein Baby umgebracht.«

»Ich weiß.«

»Die haben ihn umgebracht.«

»Ich weiß.«

»Lord Jesus«, sagt Felicia, die noch in der Tür steht. Neben ihr legt Seven einen Arm um Sekani. Einige Patienten im Wartezimmer schütteln die Köpfe.

»Aber Bren, du musst clean werden«, sagt Momma. »Das hat er gewollt.«

»Ich kann nicht. Mein Baby ist nicht mehr da.«

»Doch, du kannst. Du hast Cameron und er braucht dich. Deine Momma braucht dich.«

Khalil hätte dich auch gebraucht, würde ich am liebsten sagen. Er hat auf dich gewartet und um dich geweint. Aber wo warst du? Jetzt brauchst du nicht mehr zu heulen. Nein. Jetzt ist es zu spät.

Aber sie weint weiter. Schwankt vor und zurück und weint.

»Tammy und ich können Hilfe für dich organisieren, Bren«, sagt Momma. »Aber diesmal musst du es wirklich wollen.«

»Ich will nicht mehr so leben.«

»Ich weiß.« Momma winkt Felicia zu sich und reicht ihr ihr Telefon. »Schau in meinen Kontakten nach Tammy Harris' Nummer. Ruf sie an und sag ihr, dass ihre Schwester hier ist. Bren, wann hast du zuletzt was gegessen?«

»Ich weiß nicht. Ich – mein Baby.«

Momma richtet sich wieder auf und streicht Brenda über die Schulter. »Ich besorge dir was zu essen.«

Ich folge Momma. Sie läuft ziemlich schnell voran, geht aber an unserem Essen vorbei zur Arbeitsplatte. Dort stützt sie sich ab, mit dem Rücken zu mir, den Kopf gesenkt und sagt kein Wort.

Auf einmal bricht alles, was ich im Wartezimmer sagen wollte, aus mir heraus. »Wie kann sie jetzt verzweifelt sein? Nie war sie für Khalil da. Weißt du, wie oft er um sie geweint hat? An Geburtstagen, Weihnachten, andauernd. Wie kommt sie jetzt dazu zu weinen?«

»Starr, bitte.«

»Sie hat sich nie wie eine Mutter verhalten! Und jetzt ist er auf einmal ihr *Baby*? Das ist doch Bullshit!«

Da haut Momma mit der flachen Hand auf die Platte und ich fahre zusammen. »Halt den Mund!«, schreit sie. Als sie sich umdreht, laufen ihr Tränen übers Gesicht. »Das war nicht nur irgendein Freund von ihr. Das war ihr Sohn, hörst du? Ihr Sohn!« Ihre Stimme bricht. »Sie hat den Jungen ausgetragen, zur Welt gebracht. Und du hast kein Recht, über sie zu urteilen.«

Mein Mund fühlt sich an, als wäre er voller Watte. »Ich –«

Momma schließt die Augen und reibt sich die Stirn. »Tut

mir leid. Mach ihr einen Teller fertig, Baby, ja? Mach ihr einen Teller.«

Das tue ich und fülle von allem etwas darauf. Dann bringe ich ihn Brenda. Sie murmelt etwas, das wie »Danke« klingt.

Als mich ihr Blick aus geröteten Augen trifft, sehen mich Khalils Augen an. Mir wird klar, dass Momma recht hat. Brenda ist Khalils Momma. Trotz allem.

Kapitel 6

Meine Mom und ich treffen auf die Sekunde pünktlich in der Polizeistation ein.

Ein paar Cops telefonieren, tippen in Computer oder stehen einfach herum. Alles normal, wie bei *Law & Order*, trotzdem verschlägt es mir den Atem. Ich zähle. Eins. Zwei. Drei. Vier. Bei zwölf komme ich raus, weil ich nur noch die Waffen sehen kann, die sie in ihren Holstern tragen.

Die alle gegen uns beide.

Momma drückt meine Hand. »Atme.«

Ich habe gar nicht gemerkt, dass ich nach ihrer Hand gegriffen hatte.

Ich hole einmal tief Luft, dann noch mal; sie nickt dazu und sagt: »Genau so. Du schaffst das. Wir schaffen das.«

Onkel Carlos kommt auf uns zu, und er und Momma bringen mich zu seinem Schreibtisch, wo ich mich setze. Ich spüre von allen Seiten die Blicke auf mir. Mein Brustkorb wird wieder eng. Da gibt Onkel Carlos mir eine beschlagene Wasserflasche. Momma hält sie mir an die Lippen.

Ich trinke langsam einige Schlucke und konzentriere mich auf Onkel Carlos' Schreibtisch, damit ich den neugierigen Blicken der andere Polizisten ausweichen kann. Er hat fast so viele Fotos von mir und Sekani aufgestellt wie von seinen eigenen Kindern.

»Ich bringe sie wieder nach Hause«, erklärt Momma ihm. »Ich kann ihr das heute nicht antun. Sie ist noch nicht so weit.«

»Das verstehe ich, aber irgendwann muss sie mit ihnen reden, Lisa. Sie spielt eine entscheidende Rolle bei dieser Ermittlung.«

Momma seufzt. »Carlos –«

»Ich kann das nachvollziehen«, sagt er merklich leiser. »Glaub mir, das kann ich. Nur leider muss sie mit ihnen reden, wenn wir diese Untersuchung korrekt durchführen wollen. Wenn nicht heute, dann an einem anderen Tag.«

Ein weiterer Tag, an dem ich warte und mich frage, was passieren wird.

Das halte ich nicht aus.

»Ich will das heute machen«, murmle ich. »Ich will es hinter mir haben.«

Sie sehen mich an, als sei ihnen gerade erst wieder eingefallen, dass ich überhaupt da bin.

Onkel Carlos geht vor mir in die Hocke. »Bist du dir sicher, Baby Girl?«

Ich nicke, bevor ich doch noch den Mut verliere.

»Na schön«, sagt Momma. »Aber ich bleibe dabei.«

»Das ist absolut okay«, sagt Onkel Carlos.

»Mir ist egal, ob das okay ist oder nicht.« Sie sieht mich an. »Sie macht das jedenfalls nicht allein.«

Ihre Worte fühlen sich an wie die beste Umarmung aller Zeiten.

Onkel Carlos legt einen Arm um meine Schulter und führt uns in einen kleinen Raum, in dem sich nur ein

Tisch und ein paar Stühle befinden. Eine unsichtbare Klimaanlage brummt laut und bläst eiskalte Luft herein.

»Also gut«, sagt Onkel Carlos. »Ich bin gleich hier draußen, okay?«

»Okay«, sage ich.

Er küsst mich wie üblich zweimal auf die Stirn. Momma nimmt meine Hand, und ihr fester Druck versichert mir, was sie nicht laut ausspricht – *ich stehe hinter dir*.

Wir bleiben neben dem Tisch stehen. Sie hält immer noch meine Hand, als zwei Detectives reinkommen: ein junger weißer Typ mit zurückgegelten schwarzen Haaren und eine Latina mit Falten um den Mund und stacheligem Haarschnitt. Beide tragen an der Hüfte eine Waffe.

Lass deine Hände immer sichtbar.

Keine plötzlichen Bewegungen.

Red nur, wenn du was gefragt wirst.

»Hallo Starr und Mrs. Carter«, sagt die Frau und streckt ihre Hand aus. »Ich bin Detective Gomez und das ist mein Partner, Detective Wilkes.«

Ich lasse Moms Hand los, um sie nacheinander den beiden Detectives zu geben. »Hallo.« Meine Stimme hat sich bereits verändert. Das passiert mir bei »anderen« Leuten immer. Egal, ob an der Williamson oder woanders. Dann rede und klinge ich nicht wie ich selbst. Jedes Wort wähle ich mit Bedacht und passe auch auf, dass ich es richtig ausspreche. Auf gar keinen Fall soll irgendjemand denken, ich käme aus dem Ghetto.

»Es ist sehr nett, Sie beide kennenzulernen«, sagt Wilkes.

»In Anbetracht der Umstände würde ich es nicht ›nett‹ nennen«, sagt Momma.

Wilkes Gesicht und Hals laufen knallrot an.

»Er meint nur, dass wir schon so viel von Ihnen beiden gehört haben«, sagt Gomez. »Carlos schwärmt immer von seiner wunderbaren Familie. Deshalb haben wir das Gefühl, Sie längst zu kennen.«

Sie trägt extra dick auf.

»Bitte setzen Sie sich.« Gomez deutet auf zwei Stühle und nimmt mit Wilkes uns gegenüber Platz. »Nur damit Sie Bescheid wissen, wir zeichnen das auf. Einfach nur, damit wir Starrs Aussage dokumentiert haben.«

»Okay«, sage ich. Schon wieder klinge ich ganz munter und bescheuert. Dabei bin ich nie so munter.

Detective Gomez nennt Datum und Uhrzeit und die Namen aller im Raum Anwesenden, außerdem erwähnt sie die Aufzeichnung erneut. Wilkes kritzelt etwas in sein Notizbuch. Momma streicht über meinen Rücken. Kurz hört man nur das Kratzen des Bleistifts auf dem Papier.

»Also gut.« Gomez rückt sich auf ihrem Stuhl zurecht und lächelt; dabei werden die Falten um ihren Mund tiefer. »Du brauchst nicht nervös sein, Starr. Du hast nichts falsch gemacht. Wir möchten nur erfahren, was passiert ist.«

Ich weiß, dass ich nichts falsch gemacht habe, denke ich, aber sagen tue ich: »Ja, Ma'am«.

»Du bist sechzehn, nicht wahr?«

»Ja, Ma'am.«

»Wie lange kanntest du Khalil?«

»Seit ich drei bin. Seine Großmutter hat immer auf mich aufgepasst.«

»Wow«, sagt sie und zieht das Wort dabei wie eine Lehrerin in die Länge. »Das ist richtig lange. Kannst du uns sagen, was am Abend des Vorfalls passiert ist?«

»Sie meinen den Abend, an dem er umgebracht wurde?«

Shit.

Gomez' Lächeln verblasst etwas, sodass die Falten um ihren Mund nicht mehr so tief sind. Sie sagt: »Am Abend des Vorfalls, ja. Fang an, wo du möchtest.«

Ich sehe Momma an. Sie nickt.

»Meine Freundin Kenya und ich waren auf einer Party im Haus eines Jungen namens Darius«, sage ich.

Klopf-klopf-klopf. Ich trommle auf den Tisch.

Halt. Keine plötzlichen Bewegungen.

Also lege ich meine Hände flach auf den Tisch, damit sie sichtbar bleiben.

»Er macht in der Spring Break immer eine«, sage ich. »Khalil hat mich dort gesehen, kam zu mir rüber und hat mich begrüßt.«

»Weißt du, warum er auf der Party war?«, fragt Gomez.

Warum geht jemand wohl auf eine Party? Um zu feiern.

»Ich vermute, als Freizeitbeschäftigung«, sage ich. »Er und ich haben uns über unser gegenwärtiges Leben ausgetauscht.«

»Über welche Dinge?«, fragt sie.

»Seine Großmutter hat Krebs. Das wusste ich nicht, bis er es mir an diesem Abend erzählte.«

»Verstehe«, sagt Gomez. »Was passierte danach?«

»Auf der Party gab es einen Streit, also brachen wir auf und fuhren in seinem Wagen weg.«

»Khalil hatte mit der Auseinandersetzung nichts zu tun?«

Ich ziehe eine Augenbraue hoch. »Nee.«

Verdammt. Red ordentlich.

Ich richtete mich auf. »Ich meine, nein, Ma'am. Wir waren mitten im Gespräch, als die Streiterei anfing.«

»Okay, ihr beide seid los. Wo wolltet ihr hin?«

»Er bot an, mich nach Hause oder zum Lebensmittelladen meines Vaters zu fahren. Bevor wir das entschieden hatten, zwang uns Hundertfünfzehn zum Anhalten.«

»Wer?«, fragt sie.

»Der Polizist. Das ist seine Dienstnummer«, sage ich. »Die habe ich mir gemerkt.«

Wilkes notiert sich irgendwas.

»Verstehe«, meint Gomez. »Kannst du schildern, was als Nächstes passiert ist?«

Ich glaube nicht, dass ich es jemals vergessen werde, aber es laut auszusprechen, macht einen Unterschied. Das ist hart.

Meine Augen brennen. Ich blinzle und starre auf die Tischplatte.

Momma streicht mir über den Rücken. »Schau hoch, Starr.«

Meine Eltern legen großen Wert darauf. Meine Brüder oder ich sollen immer unserem Gegenüber in die Augen schauen, wenn wir mit ihm reden. Sie behaupten, die Augen würden mehr verraten als der Mund – und dass es in beide Richtungen funktioniert. Wenn wir jemandem in die Augen schauen und dabei meinen, was wir sagen, dann hat unser Gegenüber kaum Anlass, daran zu zweifeln.

Ich sehe Gomez direkt an.

»Khalil fuhr rechts ran und machte den Motor aus«, sage ich. »Hundertfünfzehn schaltete sein Fernlicht ein. Er kam ans Fenster und fragte Khalil nach Führerschein und Zulassung.«

»Willigte Khalil darin ein?«, fragt Gomez.

»Zuerst fragte er den Polizisten, warum er uns angehalten hatte. Dann zeigte er ihm seinen Führerschein und die Zulassung.«

»Wirkte Khalil bei diesem Wortwechsel wütend?«

»Verärgert, aber nicht wütend«, sage ich. »Er fand, dass der Cop ihn schikanierte.«

»Hat er dir das gesagt?«

»Nein, aber das merkte ich ihm an. Ich habe das Gleiche vermutet.«

Shit.

Gomez rutscht ein Stückchen näher. Auf einem Zahn hat sie ein bisschen rotbraunen Lippenstift. Und ihr Atem riecht nach Kaffee. »Und warum?«

Atme.

Im Raum ist es gar nicht heiß, du bist nur nervös.

»Weil wir nichts Falsches getan hatten«, sage ich. »Khalil ist nicht gerast oder rücksichtslos gefahren. Er hatte eigentlich keinen ersichtlichen Grund, uns anzuhalten.«

»Verstehe. Was passierte dann?«

»Der Polizist zwang Khalil zum Aussteigen.«

»*Zwang?*«, wiederholt sie.

»Ja, Ma'am. Er zog ihn raus.«

»Weil Khalil zögerte, oder?«

Momma gibt ein Räuspern von sich, als wolle sie etwas sagen, verkneift es sich dann aber doch. Stattdessen verzieht sie nur den Mund und streicht mir mit kreisender Bewegung über den Rücken.

Mir fällt ein, was Daddy mir gesagt hat – »Lass dir nichts in den Mund legen.«

»Nein, Ma'am«, sage ich zu Gomez. »Er wollte gerade von allein aussteigen, als der Officer ihn das letzte Stück rauszerrte.«

Sie sagt wieder: »Verstehe«, aber weil sie es nicht mit eigenen Augen gesehen hat, glaubt sie mir wahrscheinlich nicht. »Was geschah als Nächstes?«, fragt sie weiter.

»Der Polizist tastete Khalil drei Mal ab.«

»Drei Mal?«

Ja-ha. Ich hab mitgezählt. »Ja, Ma'am. Er fand nichts. Dann sagte er zu Khalil, er solle da stehen bleiben, während er den Führerschein und die Zulassung überprüfen ging.«

»Aber Khalil blieb nicht stehen, oder?«, sagt sie.

»Er hat sich nicht selbst erschossen.«

Shit. Deine verdammte große Klappe.

Die Detectives wechseln einen Blick. Ein stummer Austausch.

Die Wände rücken näher. Der Druck um meinen Brustkorb ist wieder da. Ich ziehe mir das Shirt ein Stück vom Hals weg.

»Ich glaube, wir sind für heute fertig«, sagt Momma und greift im Aufstehen nach meiner Hand.

»Aber Mrs. Carter, wir sind noch nicht am Ende.«

»Das ist mir egal –«

»Mom«, sage ich und sie blickt auf mich herunter. »Ist schon gut. Ich schaffe das.«

Da wirft sie den beiden ihren speziellen Blick zu, wie sie es sonst bei mir und meinen Brüdern macht, wenn wir sie an den Rand ihrer Geduld gebracht haben. Sie setzt sich wieder, hält aber weiter meine Hand.

»Okay«, sagt Gomez. »Er tastete Khalil also ab und sagte ihm, er würde seinen Führerschein und die Zulassung überprüfen. Was dann?«

»Khalil hat die Fahrertür geöffnet und –«

Peng!

Peng!

Peng!

Blut.

Tränen rollen mir über die Wangen. Ich wische sie mit dem Ärmel ab. »Der Polizist hat ihn erschossen.«

»Weißt du, warum –«, setzt Gomez an, aber Momma unterbricht sie mit ihrem erhobenen Zeigefinger.

»Könnten Sie ihr *bitte* eine Sekunde Zeit lassen«, sagt sie. Das klingt eher nach einem Befehl als nach einer Frage.

Gomez erwidert nichts darauf.

Wilkes kritzelt wieder etwas in sein Notizbuch.

Mom wischt mir ein paar Tränen ab. »Wann immer du soweit bist«, sagt sie.

Ich schlucke den Kloß in meinem Hals und nicke.

»Okay«, sagt Gomez und holt tief Luft. »Weißt du, warum Khalil an die Tür kam, Starr?«

»Ich glaube, er kam, um zu fragen, ob ich okay wäre.«

»Du glaubst?«

Ich kann nicht Gedanken lesen. »Ja, Ma'am. Er fing mit der Frage an, konnte aber nicht zu Ende sprechen, weil der Officer ihm in den Rücken schoss.«

Auf meine Lippen fallen noch mehr salzige Tränen.

Gomez beugt sich weiter über den Tisch. »Wir alle wollen dieser Sache auf den Grund gehen, Starr. Wir wissen deine Kooperationsbereitschaft zu schätzen. Ich verstehe, dass das jetzt hart ist.«

Wieder wische ich mir mit dem Ärmel übers Gesicht. »Yeah.«

»Yeah.« Sie lächelt und fragt dann in demselben zuckersüßen, mitfühlenden Ton: »Weißt du übrigens, ob Khalil mit Drogen gehandelt hat?«

Pause.

Was zum Teufel?

Meine Tränen versiegen. Im Ernst, meine Augen werden auf einen Schlag trocken. Bevor ich irgendwas sagen kann, mischt meine Mom sich ein. »Was hat das denn damit zu tun?«

»Das ist nur eine Frage«, sagt Gomez. »Weißt du was darüber, Starr?«

Das ganze Mitgefühl, das Lächeln und das Verständnis. Diese Bitch hat mich gelinkt.

Untersuchung oder Rechtfertigung?

Ich kenne die Antwort auf ihre Frage. Ich kannte sie

schon, als ich Khalil auf der Party sah. Er trug sonst doch nie neue Schuhe. Und Schmuck? Diese kleinen Kettchen, die man für neunundneunzig Cent im Drogeriemarkt kauft, zählen nicht. Ms. Rosalie hat es auch bestätigt.

Aber was zum Teufel hat das damit zu tun, dass man ihn ermordet hat? Soll damit all das entschuldigt sein?

Gomez legt den Kopf schräg. »Starr? Kannst du bitte die Frage beantworten?«

Ganz bestimmt werde ich nicht dafür sorgen, dass sie sich wegen der Tötung meines Freundes besser fühlen.

Ich richte mich wieder gerade auf, schaue Gomez direkt in die Augen und sage: »Ich habe ihn nie Drogen verkaufen oder nehmen gesehen.«

»Aber weißt du, ob er welche verkauft hat?«, fragt sie.

»Er hat mir nie erzählt, dass er es tut«, sage ich, was auch stimmt. Khalil hat es mir gegenüber nie explizit zugegeben.

»Wusstest du, dass er sie verkauft?«

»Ich habe Gerüchte gehört.« Auch wahr.

Sie seufzt. »Ich verstehe. Weißt du, ob er mit den King Lords zu tun hatte?«

»Nein.«

»Mit den Garden Disciples?«

»Nein.«

»Hast du auf der Party irgendwelchen Alkohol getrunken?«, fragt sie.

Ich kenne diese Taktik aus *Law & Order*. Sie versucht, mich unglaubwürdig dastehen zu lassen. »Nein. Ich trinke nichts.«

»Und Khalil?«

»He, Moment mal«, sagt Momma. »Klagt ihr jetzt etwa Khalil und Starr an oder vielleicht den Cop, der ihn umgebracht hat?«

Wilkes schaut von seinen Notizen hoch.

»Ich – ich verstehe nicht ganz, Mrs. Carter«, stottert Gomez.

»Sie haben mein Kind noch nicht einmal nach diesem Cop gefragt«, sagt Momma. »Sie fragen sie nur nach Khalil, als sei er selbst der Grund für seinen Tod. Aber wie sie schon meinte, hat er sich ja nicht selbst erschossen.«

»Wir wollen es einfach nur von allen Seiten betrachten, Mrs. Carter. Das ist alles.«

»Hundertfünfzehn hat ihn getötet«, sage ich. »Und dabei hatte Khalil überhaupt nichts Falsches getan. Von wie viel Seiten müssen Sie das denn noch betrachten?«

Fünfzehn Minuten später verlasse ich mit meiner Mom die Polizeiwache. Wir wissen beide: Das wird ein einziger Bullshit.

Kapitel 7

Khalils Beerdigung ist am Freitag. Morgen. Genau eine Woche nach seinem Tod.

Ich bin in der Schule und versuche, nicht daran zu denken, wie er in dem Sarg aussehen wird, wie viele Leute da sein werden, wie er in dem Sarg aussehen wird, ob andere wissen werden, dass ich bei ihm war, als er starb ... wie er in dem Sarg aussehen wird.

Keine Chance, nicht daran zu denken.

In den Nachrichten am Montagabend haben sie endlich Khalils Namen in dem Bericht über die Erschießung genannt. Aber sie haben ihm noch etwas hinzugefügt – Khalil Harris, mutmaßlicher Drogendealer. Nicht erwähnt wurde, dass er unbewaffnet war. Aber es hieß, eine »ungenannte Zeugin« sei befragt worden und dass die Polizei noch ermittle.

Nach allem, was ich den Cops gesagt habe, frage ich mich, was es da noch zu »ermitteln« gibt.

In der Turnhalle haben schon alle ihre blauen Shorts und goldfarbenen Williamson-T-Shirts an, aber der Unterricht hat noch nicht begonnen. Um sich die Zeit zu vertreiben, haben ein paar Mädchen einige der Jungs zu einer Runde Basketball herausgefordert. Sie spielen an einem Ende der Halle und der Boden quietscht unter ihren Sohlen. Alle Mädchen kreischen »Stooopp!«, wenn die Jungs abwehren. So läuft Flirten auf Williamson-Art.

Hailey, Maya und ich sitzen auf den Tribünen am anderen Ende. Unten veranstalten einige Jungs etwas, das vermutlich Tanzen sein soll. Offenbar versuchen sie, sich die Schritte für den Abschlussball einzuprägen. Ich sage *vermutlich*, weil man den Mist keinesfalls Tanzen nennen kann. Mayas Freund Ryan ist der Einzige, bei dem es einigermaßen aussieht, dabei macht er nur den Dab. Das ist quasi sein Markenzeichen. Er ist ein großer, breitschultriger Linebacker, und das Ganze sieht ein bisschen komisch aus, aber das ist eben der Vorteil, wenn man der einzige schwarze Typ in der Klasse ist. Man kann albern aussehen und trotzdem cool sein.

Chris hockt am Fuß der Tribüne und spielt von seinem Handy einen seiner Mixes, damit die anderen dazu tanzen können. Gelegentlich schaut er über die Schulter zu mir.

Aber ich habe zwei Bodyguards neben mir, die ihn nicht in meine Nähe lassen werden – Maya, die Ryan anfeuert, an der einen, und Hailey, die sich über Luke schlapp lacht und ihn gleichzeitig filmt, an der anderen. Sie sind immer noch total sauer auf Chris.

Ich ehrlich gesagt nicht mehr. Er hat einen Fehler gemacht und ich habe ihm verziehen. Der Titelsong von *Der Prinz von Bel-Air* und seine Bereitschaft, sich zum Idioten zu machen, haben dazu beigetragen.

Aber in dem Moment, als er nach meiner Hand griff und ich mich plötzlich an diesen Abend zurückversetzt fühlte, da wurde es mir plötzlich erst richtig und wirklich bewusst, dass Chris weiß ist. Genau wie Hundertfünfzehn.

Klar sitze ich hier neben meiner weißen besten Freundin, aber dass Chris weiß ist, fühlt sich fast so an, als würde ich Khalil, Daddy, Seven und jedem anderen Schwarzen in meinem Leben ein lautes »Fuck You« ins Gesicht schreien. Weil ich einen weißen Boyfriend habe.

Chris hat uns nicht am Straßenrand angehalten, hat Khalil nicht erschossen, aber verrate ich das, was mich ausmacht, indem ich mit ihm zusammen bin?

Das muss ich rausfinden.

»O mein Gott, da wird einem ja schlecht«, sagt Hailey. Sie hat aufgehört zu filmen und beobachtet jetzt das Basketballspiel. »Die versuchen es ja nicht mal.«

Das tun sie wirklich nicht. Der Ball segelt nach einem halbherzigen Wurf von Bridgette Holloway am Korb vorbei. Entweder hat dieses Homegirl ein echtes Problem mit ihrer Hand-Augen-Koordination oder sie hat absichtlich vorbeigeworfen, weil ihr jetzt Jackson Reynolds mal zeigt, wie man wirft. Im Grunde genommen klebt er schon an ihr. Und das mit nacktem Oberkörper.

»Ich weiß gar nicht, was schlimmer ist«, sagt Hailey. »Die Tatsache, dass sie sanft mit ihnen umgehen, weil sie Mädchen sind, oder dass die Mädchen so sanft mit sich umgehen lassen.«

»Gleichberechtigung im Basketball, was, Hails?«, meint Maya augenzwinkernd.

»Genau! Moment mal.« Misstrauisch mustert sie Maya. »Willst du dich über mich lustig machen oder meinst du das ernst, Shorty?«

»Beides«, sage ich und lehne mich zurück, um mich auf

den Ellbogen abzustützen. Mein Bauch zeichnet sich dabei kugelrund unterm T-Shirt ab – wie schwanger, aber vom Essen. Wir hatten gerade erst Mittagessen, und in der Cafeteria gab es Fried Chicken, also eines der Gerichte, die sie an der Williamson gut können. »Das ist doch nicht mal ein richtiges Spiel, Hails«, erkläre ich ihr.

»Nö.« Maya tätschelt mein Bäuchlein. »Wann ist es denn so weit?«

»Am gleichen Termin wie bei dir.«

»Ach! Dann können wir unsere Fressbabys ja wie Geschwister großziehen.«

»Genau. Toll, was? Ich werde meins Fernando nennen«, sage ich.

»Warum Fernando?«, fragt Maya.

»Keine Ahnung. Es klingt nach Fressbaby. Vor allem wenn man das R rollt.«

»Ich kann kein R rollen.« Sie versucht es, aber es klingt seltsam, Spucke fliegt aus ihrem Mund und ich muss loslachen.

Hailey zeigt aufs Spielfeld. »Schaut euch das an! Das ist doch genau diese ›Spiel wie ein Mädchen‹-Einstellung, die das männliche Geschlecht benutzt, um Frauen klein zu halten, obwohl wir genauso athletisch sind wie die.«

O mein Gott. Sie regt sich ernsthaft darüber auf.

»Bring den Ball ins Loch!«, schreit sie den Mädchen zu.

Maya sucht meinen Blick und hat so ein verräterisches Blitzen in den Augen. Auf einmal ist da ein Déjà vu aus der Mittelstufe.

»Und keine Angst vorm Sprungwurf!«, schreit Maya.

»Voll aufs Spiel konzentrier'n«, sage ich. »Voll aufs Spiel konzentrier'n.«

»And don't be afraid to shoot outside J!«, singt Maya. »Just keep ya head in the game«, singe ich.

Dann grölen wir den ganzen Song von *Get'cha Head in the Game,* aus *High School Musical.* Das werde ich jetzt tagelang nicht mehr aus dem Kopf kriegen. Ungefähr zur gleichen Zeit, als wir verrückt nach den Jonas Brothers waren, waren wir auch verrückt nach diesen Filmen. Unser ganzes Taschengeld ging an Disney.

Jetzt grölen wir schon richtig. Hailey versucht, uns mit einem strengen Blick zum Schweigen zu bringen, und schnaubt.

»Los.« Sie steht auf und zerrt an mir und Maya. »Konzentriert euch mal voll auf *dieses* Spiel.«

Ich denke mir, *Ach, wegen einem deiner feministischen Anfälle zerrst du mich zum Basketballspielen, aber wegen Emmett Till kannst du mir nicht mehr auf Tumblr folgen?* Warum nur kann ich mich nicht überwinden, das anzusprechen? Das ist immerhin Tumblr.

Andererseits, es ist bloß Tumblr.

»Hey!«, sagt Hailey. »Wir wollen spielen.«

»Nein, wollen wir nicht«, murmelt Maya. Da stupst Hailey sie an.

Ich will auch nicht spielen, aber aus irgendeinem Grund trifft Hailey immer die Entscheidungen und Maya und ich fügen uns. Dabei haben wir das so nicht geplant. Manchmal passiert dieser Mist einfach. Eines Tages wird dir klar, dass es unter dir und deinen Freunden einen Anführer gibt und dass das nicht du bist.

»Nur zu, die Damen«, winkt Jackson uns aufs Feld. »Für hübsche Mädchen ist hier immer Platz. Wir werden uns auch Mühe geben, euch nicht wehzutun.«

Hailey sieht mich an und ich sie, und wir haben beide diese reglose Miene aufgesetzt, die wir seit der fünften Klasse perfekt beherrschen: den Mund leicht geöffnet und die Augen jeden Moment zum Verdrehen bereit.

»Also gut«, sage ich. »Dann spielen wir eben.«

»Drei zu drei«, erklärt Hailey, während wir bereits unsere Positionen einnehmen. »Mädchen gegen Jungs. Half Court. Bis zwanzig. Sorry, Ladys, aber meine Mädchen und ich werden das dann jetzt regeln, ookaayyy?«

Bridgette starrt Hailey richtig böse an, aber sie und ihre Freundinnen verziehen sich an die Seitenlinie.

Die Tanztruppe hört auch auf und die Jungs kommen herüber. Auch Chris. Er flüstert Tyler, der gerade schon mitgespielt hat, irgendwas zu. Dann nimmt Chris Tylers Platz ein.

Jackson wirft den Ball zu Hailey. Ich laufe um meinen Bewacher Garrett herum und Hailey passt zu mir. Egal, was sonst so los ist, wenn Hailey, Maya und ich zusammen spielen, ergeben Rhythmus, Chemie und Können eine erstaunliche Mischung.

Garrett deckt mich, doch da kommt Chris angerannt und stößt ihn mit dem Ellbogen weg. »Was zum Teufel soll das, Bryant?«

»Ich übernehme sie«, sagt Chris.

Er geht in Abwehrhaltung. Unsere Augen begegnen sich, während ich dribble.

»Hey«, sagt er.

»Hey.«

Ich werfe den Ball mit einem Brustpass zu Maya, die völlig frei für einen Sprungwurf steht.

Den versenkt sie.

Zwei zu null.

»Gut gemacht, Yang!«, meint Coach Meyers, die gerade aus ihrem Büro auftaucht. Sie braucht nur den Hauch eines ernsthaften Spiels und schon ist sie im Trainermodus. Irgendwie erinnert sie mich an eine verrückte Fitnesstrainerin aus dem Fernsehen. Sie ist zwar winzig klein, aber muskulös und bei Gott, die Frau kann brüllen.

Jetzt ist Garrett mit dem Ball an der Grundlinie.

Chris rennt los. Wegen meines vollen Bauchs muss ich mich mehr anstrengen, um an ihm dranzubleiben. Unsere Hüften berühren sich, während wir abwarten, wem Garrett zupassen wird. Als unsere Arme aneinander streichen, löst das irgendetwas in mir aus. Plötzlich sind all meine Sinne mit Chris beschäftigt. Seine Beine sehen in den Sportshorts so gut aus. Er riecht nach Old Spice, und die winzige Berührung genügt, mich daran zu erinnern, wie weich seine Haut ist.

»Du fehlst mir«, sagt er.

Es wäre sinnlos zu lügen. »Du mir auch.«

Der Ball segelt in seine Richtung. Chris fängt ihn. Jetzt bin ich in der Defensive, und wir blicken uns wieder in die Augen, während er dribbelt. Mein Blick geht tiefer zu seinen Lippen. Die sind leicht feucht und flehen mich an, sie zu küssen. Genau deshalb darf ich nie mit ihm Basketball spielen. Er lenkt mich zu sehr ab.

»Könntest du nicht wenigstens wieder mit mir reden?«, fragt Chris.

»Abwehr, Carter!«, brüllt die Trainerin.

Ich konzentriere mich auf den Ball und versuche, ihn ihm abzujagen. Aber nicht schnell genug. Er umrundet mich und steuert direkt auf den Korb zu, passt aber zu Jackson, der frei an der Drei-Punkte-Linie steht.

»Grant!«, schreit die Trainerin nach Hailey.

Die rennt hin und ihre Fingerspitzen berühren den Ball noch, nachdem er Jacksons Hand verlassen hat. Seine Flugbahn ändert sich.

Der Ball fliegt. Ich renne. Ich fange ihn.

Chris ist hinter mir und der Einzige, der mich vom Korb trennt. Das bedeutet, mein Hintern drückt gegen seinen Schritt, mein Rücken an seine Brust. Ich stoße gegen ihn und versuche, einen Weg zu finden, damit ich den Ball in den Korb kriege. Das klingt anzüglicher, als es tatsächlich ist, vor allem in dieser Stellung. Trotzdem verstehe ich, warum Bridgette vorhin ihren Ball verschossen hat.

»Starr!«, schreit Hailey.

Sie steht frei an der Dreier. Ich werfe ihr den Ball mit einem Bodenpass zu.

Sie wirft.

Drin.

Fünf zu null.

»Na los, Jungs«, neckt Maya. »Ist das alles, was ihr draufhabt?«

Coach Meyers klatscht. »Gut gemacht. Gut gemacht.«

Jackson steht an der Grundlinie. Er passt zu Chris. Chris wirft den Ball mit einem Brustpass zurück.

»Ich kapier's nicht«, sagt Chris. »Du bist letztens auf dem Flur praktisch ausgeflippt. Was ist denn los?«

Garrett passt zu Chris. Ich gehe in Abwehrhaltung, die Augen auf den Ball gerichtet. Nicht auf Chris. Kann Chris nicht ansehen. Mein Blick würde mich verraten.

»Red mit mir«, sagt er.

Ich versuche erneut, ihm den Ball abzujagen. Vergeblich.

»Konzentrier dich aufs Spiel«, sage ich.

Chris weicht nach links aus, ändert rasch die Richtung und läuft nach rechts. Ich versuche, an ihm dranzubleiben, doch mein voller Magen bremst mich. Er schafft es zum Korb und legt den Ball rein. Drin.

Fünf zu zwei.

»Verdammt, Starr!«, brüllt Hailey und schnappt sich den Ball. Sie passt zu mir. »Streng dich mal an! Stell dir vor, der Ball wäre Fried Chicken. Ich wette, dann bleibst du dran.«

Was.

Zum.

Teufel.

War.

Das?

Die Welt dreht sich ohne mich weiter. Ich halte den Ball fest und starre Hailey nach, die wegjoggt, sodass ihr Haar mit den blauen Strähnchen hüpft.

Ich kann einfach nicht glauben, dass sie das gesagt hat. ... Das kann sie nicht getan haben. Unmöglich.

Der Ball fällt mir aus den Händen. Ich gehe vom Platz. Dabei atme ich heftig und spüre, wie meine Augen brennen.

Leichter Schweißgeruch hängt in der Mädchenumkleide. Hier finde ich Trost, wenn wir ein Spiel verlieren. Hier kann ich heulen oder fluchen.

Jetzt marschiere ich zwischen den Spinden hin und her.

Hailey und Maya kommen atemlos reingerannt. »Was ist denn mit dir?«, fragt Hailey.

»Mit mir?«, frage ich laut und meine Stimme hallt von den Spinden wider. »Was zum Teufel sollte diese Bemerkung?«

»Mach dich locker! Das war doch nur im Eifer des Gefechts.«

»Ein Scherz über Fried Chicken nur im Eifer des Gefechts? Ach ja?«, sage ich.

»Heute ist Fried-Chicken-Tag!«, sagt sie. »Du und Maya habt gerade darüber geblödelt. Was willst du damit sagen?«

Ich marschiere weiter hin und her.

Da werden ihre Augen groß. »O mein Gott. Du glaubst, das war *rassistisch* gemeint? Wirklich?«

Ich schaue sie an. »Du hast eine Bemerkung über Fried Chicken an das einzige schwarze Mädchen in der Halle gerichtet. Was denkst du denn?«

»So ein Schwachsinn, Starr! Echt jetzt? Nach allem, was wir durchgemacht haben, hältst du mich für eine Rassistin? Wirklich?«

»Man kann auch eine rassistische Bemerkung machen, ohne Rassistin zu sein!«

»Ist irgendwas anderes mit dir?«, fragt Maya.

»Warum fragen mich das andauernd alle?«, gifte ich los.

»Weil du dich in letzter Zeit dermaßen seltsam benimmst!«, haut Hailey zurück. Sie mustert mich und sagt: »Hat es was damit zu tun, dass die Polizei in deinem Viertel diesen Drogendealer erschossen hat?«

»W-was?«

»Ich hab davon in den Nachrichten gehört«, sagt sie. »Und ich weiß ja, dass du inzwischen auf solche Sachen abfährst –«

Solche Sachen? Was zur Hölle sollen »solche Sachen« sein?

»Und dann hieß es, der Name des Dealers sei Khalil«, fährt sie fort und wechselt einen Blick mit Maya.

»Wir wollten dich längst fragen, ob das der Khalil war, der früher zu deinen Geburtstagspartys kam«, fügt Maya hinzu. »Aber wir wussten nicht, wie.«

Der Drogendealer. So sehen sie ihn. Es spielt keine Rolle, dass man das nur mutmaßt. »Drogendealer« dröhnt viel lauter, als »mutmaßlicher« es je könnte.

Wenn rauskommt, dass ich in seinem Auto saß, wie stehe ich dann da? Das *Thug*-Mädchen aus dem Ghetto mit dem Drogendealer? Was werden meine Lehrer von mir denken? Meine Freunde? Die ganze verdammte Welt?

»Ich –«

Ich schließe die Augen. Khalil starrt zum Himmel.

»Kümmer dich um deine Angelegenheiten, Starr«, sagt er.

Ich schlucke und flüstere: »Diesen Khalil kannte ich nicht.«

Dieser Verrat ist schlimmer als die Beziehung mit einem weißen Jungen. Ich verleugne ihn und lösche damit verdammt noch mal jedes gemeinsame Lachen aus, jede Umarmung, jede Träne, jede Sekunde, die wir miteinander verbracht haben. Eine Million »Es tut mir leid« ertönen in meinem Kopf, und ich hoffe, sie erreichen Khalil, wo auch immer er sein mag. Trotzdem werden sie niemals ausreichen.

Aber ich musste es tun. Ich musste einfach.

»Was ist es dann?«, fragt Hailey. »Ist etwa Natashas Jahrestag oder so?«

Ich starre an die Decke und blinzle hektisch, um nicht laut loszuheulen. Außer meinen Brüdern und den Lehrern sind Hailey und Maya die Einzigen an der Williamson, die von Natasha wissen, weil ich dieses ganze Mitleid nicht will.

»Moms Jahrestag war vor ein paar Wochen«, sagt Hailey. »Da war ich tagelang mies drauf. Ich verstehe, wenn du traurig bist, aber dass du mich für eine Rassistin hältst, Starr? Wie kannst du nur?«

Ich blinzle noch heftiger. Mein Gott, ich verprelle Hailey, genau wie Chris. Verdammt, hab ich sie überhaupt verdient? Und dann rede ich nie über Natasha, und Khalil habe ich gerade komplett verleugnet. Dabei hätte ich an ihrer Stelle getötet werden können. Ich besitze nicht mal den Anstand, ihr Andenken lebendig zu erhalten, dabei soll ich ihre beste Freundin gewesen sein.

Ich lege eine Hand auf den Mund. Der Schluchzer lässt

sich damit nicht unterdrücken. Er ist laut und hallt von den Wänden wider. Ein nächster folgt, dann noch einer und noch einer. Maya und Hailey streichen mir über Rücken und Schultern.

Da kommt Coach Meyers reingestürmt. »Carter –«

Hailey sieht sie an und sagt nur: »Natasha.«

Daraufhin nickt die Trainerin ernst. »Carter, geh bitte zu Ms. Lawrence.«

Was? Nein. Sie schickt mich zur Schulpsychologin? Alle Lehrer wissen von der armen Starr, die ihre Freundin hat sterben sehen, als sie zehn war. Früher habe ich andauernd losgeheult und das war dann die Standardreaktion darauf – zu Ms. Lawrence gehen. Ich wische mir über die Augen. »Coach, mir geht's schon wieder gut –«

»Nein, geht es nicht.« Sie holt einen Turnhallen-Pass aus ihrer Tasche und hält ihn mir hin. »Geh und red mit ihr. Das wird dir helfen, damit du dich besser fühlst.«

Nein, wird es nicht, aber ich weiß, was helfen wird.

Ich nehme den Pass, schnappe mir meinen Rucksack aus dem Spind und kehre in die Halle zurück. Meine Klassenkameraden folgen mir mit Blicken, während ich zur Tür eile. Chris ruft mir nach. Ich laufe schneller.

Wahrscheinlich haben sie mich weinen gehört. Toll. Was ist schlimmer als das Etikett »Angry Black Girl«? Das »schwache schwarze Mädchen«.

Bis ich beim Schulsekretariat angekommen bin, sind meine Augen und mein Gesicht wieder komplett getrocknet.

»Schönen Nachmittag, Ms. Carter«, sagt der Direktor,

Dr. Davis. Er geht gerade, als ich hereinkomme, und wartet meine Antwort gar nicht ab. Kennt er wohl alle Schüler mit Namen oder nur diejenigen, die wie er schwarz sind? Ich hasse es, dass ich inzwischen über solches Zeug nachdenke.

Seine Sekretärin Mrs. Lindsey begrüßt mich mit einem Lächeln und der Frage, was sie für mich tun könne.

»Ich muss jemand anrufen, der mich abholen kommt«, sage ich. »Mir geht's nicht gut.«

Ich rufe Onkel Carlos an. Meine Eltern würden zu viele Fragen stellen. Es müsste schon ein Arm oder ein Bein ab sein, damit sie mich vorzeitig abholen. Onkel Carlos muss ich dagegen nur sagen, dass ich Bauchkrämpfe habe, schon kommt er.

Frauenprobleme. Der Schlüssel, um Onkel Carlos Befragung sofort zu beenden.

Zum Glück hat er gerade Mittagspause. Er unterschreibt meine Befreiung und sicherheitshalber halte ich mir noch ein bisschen den Bauch. Im Weggehen fragt er, ob ich Lust auf *Frozen Yogurt* habe. Ich sage, klar, und kurz darauf betreten wir auch schon einen Laden, den man von der Williamson zu Fuß erreicht. In einer nagelneuen Mini-Mall, die man Hipster-Himmel nennen sollte. Solche Läden würde man in Garden Heights nie finden. Neben dem *Fro-Yo*-Geschäft befindet sich links ein *Indie Urban Style* und rechts *Dapper Dog*, wo man Klamotten für seinen Hund kaufen kann. Klamotten. Für Hunde. Welcher Idiot würde Brickz ein Leinenhemd und Jeans anziehen?

Aber ganz im Ernst – die Weißen sind total verrückt nach ihren Hunden.

Wir füllen unsere Becher mit Joghurt. An der Topping Bar legt Onkel Carlos mit seinem Fro-Yo-Rap los. *»I'm getting fro-yo, yo. Fro-yo, yo, yo.«*

Er liebt Fro-Yo. Das ist irgendwie süß. Wir setzen uns in eine Nische mit limettengrünem Tisch und pinkfarbenen Stühlen. Typisches Fro-Yo-Design eben.

Onkel Carlos schaut in meinen Becher. »Hast du tatsächlich einen perfekten Fro-Yo mit Cap'n Crunch ruiniert?«

»Du musst gerade reden«, sage ich. »Oreos, Onkel Carlos? Echt jetzt? Und dann sind es noch nicht mal die Golden Oreos, die mit Abstand besten Oreos. Du hast die ganz normalen genommen. Total krank.«

Er probiert einen Löffel davon und meint: »Du bist seltsam.«

»Du bist seltsam.«

»Bauchkrämpfe, ja?«, sagt er.

Mist. Die habe ich fast vergessen. Schnell lege ich eine Hand auf meinen Bauch und stöhne los. »Genau. Heute sind sie richtig schlimm.«

Ich weiß schon, wer sicher so bald keinen Oscar gewinnen wird. Onkel Carlos mustert mich mit seinem strengen Detective-Blick. Ich stöhne noch mal und es klingt ein bisschen glaubwürdiger. Er zieht die Augenbrauen hoch.

Da klingelt das Handy in seiner Jackentasche. Er schiebt sich noch einen Löffel Fro-Yo in den Mund, bevor er draufschaut. »Das ist deine Mom, die mich zurückruft«, sagt er am Löffel vorbei. Dann klemmt er sich das Telefon zwischen

Wange und Schulter. »Hey, Lisa. Hast du meine Nachricht bekommen?«

Shit.

»Sie fühlt sich nicht gut«, sagt Onkel Carlos. »Sie hat, du weißt schon, Frauenprobleme.«

Ihre Antwort ist laut, aber für mich nur gedämpft zu hören. Shit, Shit.

Onkel Carlos greift sich an den Nacken und atmet sehr lange und tief aus. Wenn Momma ihn mit erhobener Stimme anspricht, wird er wieder zu einem kleinen Jungen. Dabei ist er der Ältere.

»Okay, okay. Ich hab dich verstanden«, sagt er. »Hier, red selbst mit ihr.«

Shit, Shit, Shit.

Er drückt mir das Stück Dynamit in die Hand, das bis eben noch sein Telefon war. Sobald ich »Hallo?« gesagt habe, gibt es eine Explosion aus Fragen.

»Krämpfe, Starr? Tatsächlich?«, sagt sie.

»Sie sind schlimm, Mommy«, jammere ich und lüge, was das Zeug hält.

»Mädchen, ich bitte dich. Ich bin noch zum Unterricht gegangen, als ich mit dir Wehen hatte«, sagt sie. »Ich zahle doch nicht das ganze Geld für die Williams, damit du wegen Bauchweh abhaust.«

Ich möchte fast schon darauf hinweisen, dass ich auch ein Stipendium bekomme, aber nee. Dann würde sie zum ersten Mensch der Welt, der jemand durchs Telefon eine Ohrfeige verpasst.

»Ist irgendwas passiert?«, fragt sie.

»Nein.«

»Ist es wegen Khalil?«, fragt sie.

Ich seufze. Morgen um diese Zeit werde ich ihn im Sarg liegen sehen.

»Starr?«

»Nichts ist passiert.«

Im Hintergrund ruft Felicia nach ihr. »Hör zu, ich muss weiter«, sagt sie. »Carlos bringt dich nach Hause. Schließ die Tür ab, bleib drinnen und lass keinen rein, verstanden?«

Das sind keine Überlebenstipps zum Schutz gegen Zombies, sondern ganz normale Anweisungen für Schlüsselkinder in Garden Heights. »Ich soll Seven und Sekani also nicht reinlassen? Toll.«

»Oh, da versucht wohl jemand, witzig zu sein. Jetzt weiß ich aber genau, dass es dir nicht schlecht geht. Wir reden später. Hab dich lieb.« Dann schmatzt sie noch einen Kuss ins Handy.

Man braucht schon Nerven, um auf jemanden loszugehen, ihn zur Rede zu stellen, um demjenigen danach zu versichern, wie lieb man ihn hat. Und das alles innerhalb von zwei Minuten. Ich sage ihr, dass ich sie auch lieb habe und gebe Onkel Carlos sein Handy zurück.

»Na schön, Baby Girl«, sagt er. »Spuck's aus.«

Ich schiebe mir ein bisschen Frozen Yogurt in den Mund. Es schmilzt bereits. »Wie ich schon gesagt habe. Bauchkrämpfe.«

»Das nehm ich dir nicht ab, und lass uns eins ganz deutlich machen: Du hast nur eine einzige Karte pro Jahr, auf der steht: ›Onkel Carlos, hol mich aus der Schule ab.‹ Und du benutzt sie gerade.«

»Du hast mich im Dezember schon mal abgeholt, erinnerst du dich?« Auch wegen Bauchkrämpfen. Die waren damals aber nicht gelogen, sondern richtig fies.

»Na gut, dann eine pro Kalenderjahr«, verbessert er sich. Ich lächle. »Aber du musst mir schon ein bisschen mehr liefern. Also red schon.«

Ich schiebe die Cap'n Crunch-Stückchen in meinem Joghurt herum. »Morgen ist Khalils Beerdigung.«

»Ich weiß.«

»Ich weiß nicht, ob ich hingehen soll.«

»Was? Warum denn?«

»Darum!«, sage ich. »Vor der Party hatte ich ihn monatelang nicht gesehen.«

»Du solltest trotzdem hingehen«, sagt er. »Du wirst es bereuen, wenn du es nicht machst. Ich habe auch überlegt, ob ich hingehe. Bin mir aber nicht sicher, ob das eine gute Idee ist, unter den gegebenen Umständen.«

Schweigen.

»Bist du wirklich mit diesem Cop befreundet?«, frage ich.

»Befreundet würde ich es nicht nennen, nein. Wir sind Kollegen.«

»Aber ihr nennt euch beim Vornamen, stimmt's?«

»Ja«, sagt er.

Ich starre in meinen Becher. Onkel Carlos war in gewisser Weise mein erster Vater. Daddy kam ungefähr um die Zeit ins Gefängnis, als ich begriff, dass »Mommy« und »Daddy« keine Namen sind, sondern etwas bedeuten. Jede

Woche telefonierte ich einmal mit Daddy, aber er wollte nicht, dass Seven und ich jemals einen Fuß in den Knast setzten, deshalb sah ich ihn nie.

Dafür war Onkel Carlos da. Er übernahm Daddys Rolle und noch mehr. Irgendwann fragte ich ihn, ob ich nicht Daddy zu ihm sagen könne. Er meinte, nein, weil ich ja schon einen hätte, aber dass mein Onkel zu sein das Beste wäre, was er je sein könne. Seit damals bedeutet Onkel für mich fast so viel wie Daddy.

Mein Onkel. Er nennt diesen Cop beim Vornamen.

»Baby Girl, ich weiß nicht, was ich sagen soll.« Seine Stimme klingt heiser. »Ich wünschte, ich könnte – es tut mir so leid, dass das passiert ist. Ehrlich.«

»Warum haben sie ihn nicht eingesperrt?«

»Solche Fälle sind schwierig.«

»Es ist gar nicht so schwierig«, sage ich. »Er hat Khalil erschossen.«

»Ich weiß, ich weiß«, sagt er und fährt sich mit der Hand übers Gesicht. »Ich weiß.«

»Hättest du ihn erschossen?«

Er sieht mich an. »Starr – das kann ich dir nicht beantworten.«

»Doch, kannst du.«

»Nein, kann ich nicht. Ich würde gern glauben, ich hätte es nicht getan, aber das ist schwer zu sagen, wenn man nicht in der gleichen Situation steckt, gefühlt hat, was in diesem Officer vorging –«

»Er hat seine Waffe auf mich gerichtet«, bricht es aus mir hervor.

»Was?«

Meine Augen brennen wie verrückt. »Während wir auf Hilfe gewartet haben«, sage ich mit wackliger Stimme. »Er hielt sie auf mich gerichtet, bis jemand anderes dazu kam. Als wäre ich eine Bedrohung. Aber ich war nicht diejenige mit der Waffe.«

Onkel Carlos sieht mich lange an.

»Baby Girl.« Er greift nach meiner Hand, drückt sie und rutscht auf meine Seite des Tischs. Er legt die Arme um mich und ich vergrabe mein Gesicht an seiner Brust, wo Tränen und Rotz sein Hemd durchnässen.

»Es tut mir leid. Es tut mir leid. Es tut mir leid.« Bei jeder Entschuldigung küsst er mein Haar. »Aber ich weiß, das genügt nicht.«

Kapitel 8

Beerdigungen werden nicht für die Toten, sondern für die Lebenden abgehalten.

Ich bezweifle, dass es Khalil kümmert, welche Lieder gesungen werden oder was der Prediger über ihn sagt. Er liegt in einem Sarg. Nichts ändert etwas daran.

Meine Familie und ich, wir brechen eine halbe Stunde vor Beginn des Begräbnisses auf, aber der Parkplatz der Christ Temple Church ist trotzdem schon voll. Ein paar Kids aus Khalils Schule stehen in T-Shirts mit dem Schriftzug »RIP Khalil« und seinem Foto drauf herum. Gestern hat ein Typ versucht, uns welche davon zu verkaufen, aber Momma meinte, die würden wir heute nicht tragen – T-Shirts sind was für die Straße, nicht für die Kirche.

Hier sind wir also und steigen in unseren Kleidern und Anzügen aus dem Auto. Meine Eltern halten sich an den Händen und gehen vor mir und meinen Brüdern. Als ich noch kleiner war, besuchten wir die Christ Temple, aber Momma hatte irgendwann genug davon, dass sich die Leute dort für was Besseres hielten, deshalb gehen wir jetzt immer in diese »gemischte« Kirche in Riverton Hills. Für meinen Geschmack sind da viel zu viele Leute und ein weißer Typ mit Gitarre ist für Gesang und Gebete zuständig. Ach ja, die Messe dauert auch nicht mal eine Stunde.

Die Christ Temple Church wieder zu besuchen, das fühlt sich an, als kehrte man, nachdem man schon auf die Highschool geht, noch mal in seine alte Grundschule zurück. Früher kam sie einem so groß vor, aber jetzt stellt man fest, wie klein sie ist. Der winzige Vorraum ist voll mit Leuten. Es gibt dort einen himbeerfarbenen Teppichboden und zwei burgunderrote Sessel mit hohen Lehnen. Momma brachte mich einmal hierher, weil ich bockig war. Sie zwang mich, auf einem der Sessel zu sitzen, und befahl mir, mich ja nicht zu rühren, bis die Messe vorbei war. Das tat ich auch nicht. Über den Sesseln hängt ein gemaltes Porträt des Pastors, und ich hätte schwören können, dass er mich die ganze Zeit beobachtete. So viele Jahre ist das schon her, aber das unheimliche Bild hängt immer noch da.

Es gibt zwei Schlangen. Eine, um sich in ein Buch für Khalils Familie einzutragen, und eine zweite, die in den Altarraum führt. Um ihn zu sehen.

Ich erhasche einen Blick auf den weißen Sarg vor dem Altar, aber ich versuche gar nicht wirklich, mehr zu erkennen. Ich werde ihn schon noch sehen, aber – ich weiß auch nicht. Bis mir keine andere Wahl bleibt, will ich es rausschieben.

Pastor Eldridge begrüßt die Leute am Eingang zum Altarraum. Er trägt eine lange weiße Robe mit goldenen Kreuzen drauf. Jeden lächelt er an. Ich weiß gar nicht, warum er auf dem Gemälde so unheimlich dargestellt ist. Denn er ist eigentlich überhaupt nicht unheimlich.

Momma schaut noch mal zu mir, Seven und Sekani nach hinten, als wolle sie sich davon überzeugen, dass wir ordentlich aussehen. Dann gehen sie und Daddy auf Pastor Eldrigde zu. »Guten Morgen, Herr Pastor«, sagt sie.

»Lisa! Wie schön, Sie zu sehen.« Er küsst sie auf die Wange und schüttelt Daddy die Hand. »Maverick, wie gut, auch Sie zu sehen. Wir haben euch alle vermisst.«

»Das kann ich mir gut vorstellen«, murmelt Daddy. Ein weiterer Grund, warum wir die Christ Temple nicht mehr besuchen: Daddy mag es nicht, dass sie so eifrig Spenden sammeln. Aber in unsere gemischte Kirche geht er auch nicht.

»Und das hier müssen die Kinder sein«, sagt Pastor Eldridge. Er schüttelt Seven und Sekani die Hände und küsst mich auf die Wange. Ich spüre seinen kratzigen Schnurbart. »Ihr seid alle so gewachsen, seit ich euch das letzte Mal gesehen habe. Ich weiß noch, dass der Jüngste damals ein winziges, in eine Decke gewickeltes Kerlchen war. Und wie geht es Ihrer Momma, Lisa?«

»Gut. Sie vermisst es, herzukommen, aber die Fahrt wäre ein bisschen zu lang für sie.«

Ich schaue sie verdammt schräg an, verdrehe in ihre Richtung die Augen – entschuldige mal, aber sind wir hier nicht in der Kirche? Nana hat aufgehört, in die Christ Temple zu kommen, weil es da einen Streit zwischen ihr und Mutter Wilson über Diakon Rankin gab. Die Sache endete damit, dass Nana mit einer Schüssel Bananenpudding in der Hand vom Kirchenpicknick davonstürmte. Mehr weiß ich darüber nicht.

»Das verstehen wir«, sagt Pastor Eldridge. »Sagen Sie ihr doch bitte, dass wir für sie beten.« Dann sieht er mich mit einem Gesichtsausdruck an, der mir nur zu vertraut ist – Mitleid. »Ms. Rosalie hat mir gesagt, dass du bei Khalil warst, als es passiert ist. Es tut mir so leid, dass du es mitansehen musstest.«

»Danke.« Es kommt mir seltsam vor, das zu sagen. Als würde ich Khalils Familie etwas vom ihr zustehenden Mitgefühl wegnehmen.

Momma greift nach meiner Hand. »Wir suchen uns Plätze. War schön, mit Ihnen zu reden, Herr Pastor.«

Daddy legt einen Arm um mich und zu dritt betreten wir den Altarraum.

Meine Beine zittern und Übelkeit erfasst mich wie eine Welle, dabei stehen wir noch nicht mal vorne in der Reihe. Die Leute treten immer zu zweit vor den Sarg, was bedeutet, dass ich Khalil noch gar nicht sehen kann.

Bald stehen nur noch sechs Leute vor uns. Vier. Zwei. Ich halte bei den letzten beiden meine Augen schon fest geschlossen. Dann sind wir an der Reihe.

Meine Eltern führen mich. »Mach die Augen auf, Baby«, bittet Momma mich.

Ich tue es. Eine Schaufensterpuppe, die Khalil ähnelt, liegt im Sarg. Seine Haut ist dunkler und seine Lippen sind rosafarbener, als sie sein sollten. Wegen des Make-ups. Der echte Khalil wäre ausgerastet, wenn jemand ihm das Zeug draufgeschmiert hätte. Die Puppe trägt einen weißen Anzug und eine Kette mit einem goldenen Kreuz.

Der echte Khalil hatte Grübchen. Die Puppe hat keine.

Momma wischt sich die Tränen ab. Daddy schüttelt den Kopf. Seven und Sekani starren nur.

Das ist nicht Khalil, sage ich zu mir. So, wie es damals nicht Natasha war.

Natashas Puppe trug ein weißes Kleid mit rosa und gelben Blumen und war ebenfalls geschminkt. Momma hatte zu mir gesagt: »Schau, sie sieht aus, als würde sie schlafen.« Doch als ich ihre Hand drückte, machte sie die Augen einfach nicht auf. Daddy trug mich aus dem Altarraum, während ich schrie, sie solle doch aufwachen.

Wir rücken weiter, damit die Nächsten Khalils Puppe sehen können. Ein Platzanweiser will uns gerade zu irgendwelchen Sitzen führen, als eine Dame mit Twistfrisur auf ein paar Plätze in der ersten Reihe auf der Seite der Freunde weist. Keine Ahnung, wer sie ist, aber sie muss wichtig sein, wenn sie diese Funktion innehat. Und sie muss etwas über mich wissen, wenn sie meint, meiner Familie gebühre die erste Reihe.

Wir setzen uns und ich konzentriere mich auf die Blumen. Es gibt ein großes Herz aus roten und weißen Rosen, ein K aus Callas und ein Blumenarrangement in seinen Lieblingsfarben Orange und Grün.

Als ich mit den Blumen fertig bin, nehme ich mir das Blatt mit dem Ablaufprogramm der Beerdigung vor. Es ist voll mit Fotos von Khalil. Angefangen mit ihm als lockiges Baby bis zu Bildern von vor ein paar Wochen, auf denen er mit Freunden zu sehen ist, die ich nicht kenne. Es gibt auch welche von ihm und mir von vor vielen Jahren und eins mit uns beiden und Natasha. Wir lächeln alle drei und bemühen uns, mit unseren Peace-Zeichen wie Gangster auszusehen. Das Hood-Trio, das enger zusammenhält als es in Voldemorts Nase je sein könnte. Jetzt bin nur noch ich davon übrig.

Ich falte das Programm zusammen.

»Erheben wir uns«, schallt die Stimme von Pastor Eldridge durch den Raum. Der Organist beginnt auf der Orgel zu spielen und alle stehen auf.

»Und Jesus sagte: ›Lasst eure Herzen nicht betrübt sein‹«, ruft er und geht den Mittelgang entlang. »Ihr glaubt an Gott, glaubt auch an mich.«

Hinter ihm schreitet Ms. Rosalie. Cameron läuft neben ihr und hält ihre Hand fest umklammert. Auf seinen rundlichen Wangen sieht man Tränenspuren. Er ist neun, nur ein Jahr älter als Sekani. Wenn eine der drei Kugeln mich getroffen hätte, könnte das dort mein kleiner Bruder sein, der so weint.

Khalils Tante Tammy hält Ms. Rosalies andere Hand. Hinter ihnen wehklagt Brenda, die ein schwarzes Kleid trägt, das einmal Momma gehört hat. Zwei junge Männer, ich glaube, Khalils Cousins, stützen sie. Da ist es noch einfacher, auf den Sarg zu blicken.

»›In meines Vaters Haus sind viele Wohnungen; hätte ich euch, wenn dem nicht so wäre, gesagt, dass ich hingehe, euch eine Stätte zu bereiten?‹«, zitiert Pastor Eldridge. »›Und wenn ich gehe und einen Platz für euch vorbereite, dann werde ich wiederkommen und euch holen, damit auch ihr dort sein könnt, wo ich bin.‹«

Bei Natashas Beerdigung wurde ihre Momma ohnmächtig, als sie sie in ihrem Sarg sah. Irgendwie schaffen es Khalils Momma und Grandma, das nicht zu tun.

»Ich möchte heute eines klarstellen«, sagt Pastor Eldrigde, nachdem sich alle wieder gesetzt haben. »Wie die

Umstände auch sein mögen, das hier ist eine Heimkehrfeier. Das Weinen mag eine Nacht lang dauern, aber wie viele von euch kennen diese FREUDE –!« Er kann den Satz nicht einmal mehr beenden, weil die Leute schon dazwischenrufen.

Der Chor singt fröhliche Lieder und fast alle klatschen und preisen Jesus. Momma singt mit und wedelt mit den Händen. Khalils Grandma und Tante klatschen und singen ebenfalls. Es beginnt sogar eine Praise Break, bei der die Leute durch den Altarraum laufen und den »Holy Ghost Two-Step« tanzen, wie Seven und ich das nennen, wenn sie ihre Füße wie James Brown bewegen und dazu mit den angewinkelten Armen flattern wie Hühner mit ihren Flügeln.

Aber wenn Khalil nicht mitfeiert, wie können sie das dann verdammt noch mal? Und warum soll man Jesus preisen, wenn er doch erst zugelassen hat, dass Khalil erschossen wurde?

Ich vergrabe das Gesicht in meinen Händen und versuche, die Trommeln, Trompeten und das Geschrei auszublenden. Dieser ganze Mist ergibt doch gar keinen Sinn.

Nach dem ganzen Lobgesinge treten ein paar von Khalils Klassenkameraden nach vorn – es sind die in den T-Shirts vom Parkplatz vorhin. Sie überreichen seiner Familie den Hut und die Robe, die Khalil in wenigen Monaten zu seinem Schulabschluss getragen hätte. Und sie weinen, während sie uns unterhaltsame Geschichten über Khalil erzählen, die ich noch nie gehört habe. Trotzdem sitze ausgerechnet ich in der ersten Reihe auf der Seite der Freunde. Was für eine verdammte Blenderin ich doch bin.

Als Nächste steigt die Dame mit der Twistfrisur aufs Podium. In ihrem schwarzen Bleistiftrock mit passender Jacke sieht sie eher nach Business als nach Kirche aus. Auch sie trägt ein »RIP Khalil«-Shirt.

»Guten Morgen«, sagt sie, und alle erwidern ihren Gruß. »Mein Name ist April Ofrah und ich gehöre zu *Just Us for Justice*. Wir sind eine kleine Organisation hier in Garden Heights, die für die Rechenschaftspflicht der Polizei eintritt. Während wir uns hier von Khalil verabschieden, sind unsere Herzen schwer von der schrecklichen Wahrheit darüber, wie er sein Leben verlor. Unmittelbar vor dieser Trauerfeier habe ich erfahren, dass die Polizeibehörde trotz einer glaubwürdigen Augenzeugin nicht beabsichtigt, den Polizeibeamten zu verhaften, der diesen jungen Mann ermordet hat.«

»Was?«, sage ich laut, während sich im ganzen Raum Gemurmel erhebt. Nach allem, was ich ihnen gesagt habe, wird der Mann nicht eingesperrt?

»Was man Ihnen verschweigen möchte, ist, dass Khalil zum Zeitpunkt seiner Ermordung unbewaffnet war«, fährt Ms. Ofrah fort.

Jetzt fangen die Leute an, richtig miteinander zu reden. Ein paar Leute rufen laut, darunter sogar jemand, der »Was für ein Bullshit« schreit.

»Wir werden nicht ruhen, bis Khalil Gerechtigkeit widerfährt«, sagt Ms. Ofrah über das Stimmengewirr hinweg. »Ich bitte Sie, sich uns und Khalils Familie nach der Messe anzuschließen, wenn wir friedlich zum Friedhof marschieren. Zufällig führt unser Weg an der Polizeistation vorbei. Khalil wurde zum Schweigen gebracht, aber schließen wir uns zusammen und erheben wir für ihn hörbar unsere Stimmen. Ich danke Ihnen.«

Die Kirchengemeinde applaudiert stehend. Als sie an ihren Platz zurückkehrt, wirft sie mir einen Blick zu. Falls Ms. Rosalie dem Pastor gesagt hat, dass ich bei Khalil war, dann hat sie es wahrscheinlich auch dieser Frau erzählt. Ich wette, sie wird nachher mit mir reden wollen.

Pastor Eldridge predigt Khalil so quasi in den Himmel. Ich will gar nicht behaupten, dass Khalil es nicht in den Himmel geschafft hat – ich weiß es nicht –, aber Pastor Eldridge versucht sicherzustellen, dass er es schafft. Dabei schwitzt und keucht er dermaßen, dass ich schon vom Zuschauen erschöpft bin.

Am Ende der Totenrede sagt er: »Wenn jemand den Leichnam noch einmal sehen möchte, dann wäre jetzt –«

Er starrt ans Ende der Kirche. Ein Murmeln erhebt sich im Raum.

Momma dreht sich um. »Was um Himmels willen ...?«

King und ein Haufen seiner Jungs stehen da in ihren grauen Klamotten und Bandanas. King hat den Arm um eine Frau in einem engen schwarzen Kleid gelegt, das kaum ihre Oberschenkel bedeckt. Sie hat viel zu viel Kunsthaar am Kopf – es reicht ihr echt bis zum Hintern – und viel zu viel Schminke im Gesicht.

Seven dreht sich wieder nach vorn. Ich würde meine Momma auch nicht so sehen wollen.

Aber warum sind sie hier? Eigentlich tauchen King Lords nur auf Beerdigungen von King Lords auf.

Pastor Eldridge räuspert sich. »Wie ich schon sagte, wenn jemand den Leichnam noch mal sehen möchte, dann wäre jetzt die Gelegenheit dazu.«

Da swaggen King und seine Jungs den Mittelgang entlang. Alle starren sie an. Iesha stakst total stolz neben ihm her und merkt gar nicht, wie verkorkst sie aussieht. Sie wirft meinen Eltern einen Blick zu und grinst höhnisch, was ich unerträglich finde. Ich meine nicht nur, weil sie Seven mies behandelt, sondern weil jedes Mal, wenn sie auftaucht, so eine unausgesprochene Spannung zwischen meinen Eltern herrscht. Wie jetzt. Momma zieht ihre Schulter ein Stückchen von Daddy weg. Er beißt die Zähne zusammen. Iesha ist sozusagen die Achillesferse ihrer Ehe. Das merkt man aber nur, wenn man sie seit sechzehn Jahren kennt, so wie ich.

King, Iesha und die anderen gehen vor bis zum Sarg. Dann gibt einer von seinen Jungs King eine gefaltete Bandana, die er über Khalils Brust legt.

Mir bleibt fast das Herz stehen.

Khalil war auch ein King Lord?

Da springt Ms. Rosalie auf. »Einen Teufel wirst du tun!«

Sie marschiert an den Sarg und reißt die Bandana von Khalil weg. Als sie damit auf King zustürmen will, fängt Daddy sie auf halbem Weg ab und hält sie zurück. »Verschwinde, du Satansbraten!«, kreischt sie. »Und nimm dieses Pack hier mit!«

Sie wirft King die Bandana an den Hinterkopf.

Er erstarrt. Dann dreht er sich langsam um.

»Jetzt hör mal zu, du Schlam–«

»Hey!«, fällt Daddy ihm ins Wort. »King, Mann, geh einfach! Verzieh dich, ja?«

»Du alte Hexe«, keift Iesha. »Meinen Mann so zu behandeln, nachdem er dir angeboten hat, diese Beerdigung zu bezahlen.«

»Er kann sein dreckiges Geld behalten!«, sagt Ms. Rosalie. »Und du kannst dein Hinterteil auch gleich durch die Tür rausschieben. Ins Haus des Herrn zu kommen und dabei auszusehen wie die Prostituierte, die du bist!«

Seven schüttelt stumm den Kopf. Es ist kein Geheimnis, dass mein großer Bruder das Resultat einer »Auftragsbegegnung« zwischen Daddy und Iesha ist, nachdem er Streit mit Momma hatte. Iesha war damals schon Kings Mädchen, aber er hatte sie sogar angestiftet, Maverick abzuschleppen. Allerdings konnte er ja nicht wissen, dass Seven Daddy wie aus dem Gesicht geschnitten sein würde. Ziemlich verkorkst, ich weiß.

Momma streckt ihren Arm an mir vorbei und streicht Seven über den Rücken. Wenn Seven nicht da ist und Momma glaubt, Sekani und ich würden sie nicht hören, kommt es sehr selten mal vor, dass sie zu Daddy sagt: »Ich kann immer noch nicht glauben, dass du tatsächlich mit dieser miesen Schlampe geschlafen hast.« Aber wenn Seven da ist, niemals. Dann spielt nichts davon eine Rolle. Sie liebt ihn mehr als sie Iesha hasst.

Die King Lords verschwinden und die Leute fangen an, sich zu unterhalten.

Daddy führt Ms. Rosalie an ihren Platz zurück. Sie zittert vor Wut.

Ich schaue auf die Schaufensterpuppe im Sarg. All die Horrorstorys, die Daddy uns über Gangs erzählt hat. Und Khalil war bei so was dabei? Wie konnte er auch nur daran *denken*, da mitzumachen?

Aber es ergibt keinen Sinn. Sein Auto war innen grün. Das machen nur Garden Disciples, nicht King Lords. Und er kam ihnen bei dem Streit auf Big D's Party auch nicht zu Hilfe.

Doch da ist andererseits die Bandana. Daddy hat mal erzählt, das sei eine King-Lord-Tradition: Sie krönen ihre gefallenen Kameraden, indem sie eine gefaltete Bandana auf den Leichnam legen. Als wollten sie damit sagen, sie kämen in den Himmel, um dort ihre Gang zu vertreten. Khalil muss sich ihnen angeschlossen haben, damit ihm diese Ehre zuteil wurde.

Ich weiß, ich hätte es ihm ausreden können, aber ich habe ihn im Stich gelassen. Scheiß auf die Seite mit den Freunden. Ich dürfte nicht mal bei seiner Beerdigung sein.

Daddy bleibt für den Rest der Trauerfeier bei Ms. Rosalie und hilft ihr auch danach, als die Familie dem Sarg Richtung Ausgang folgt. Tammy winkt uns zu sich.

»Danke, dass du hier bist«, sagt sie zu mir. »Du hast Khalil viel bedeutet. Ich hoffe, du weißt das.«

Meine Kehle ist so zugeschnürt, dass ich es nicht schaffe, ihr zu sagen, dass er mir auch viel bedeutet.

Wir folgen gemeinsam mit den Angehörigen dem Sarg. Fast jeder, an dem wir vorbeikommen, hat Tränen in den Augen. Wegen Khalil. Er ist das wirklich in dem Sarg, und er wird nicht zurückkehren.

Das habe ich nie jemandem erzählt, aber Khalil war der erste Junge, in den ich verknallt war. Ohne es zu wissen, hat er mich mit Schmetterlingen im Bauch und später mit Liebeskummer bekannt gemacht, als er selbst für Imani Anderson schwärmte. Ein Mädchen aus der Highschool, das an ihn als Viertklässler keinen Gedanke verschwendete. Zum ersten Mal machte ich mir in seiner Anwesenheit Gedanken über mein Aussehen.

Aber zum Teufel mit dem Verknalltsein, er war einer der besten Freunde, die ich je hatte, egal ob wir uns täglich sahen oder nur einmal im Jahr. Zeit spielte bei all dem Mist, den wir gemeinsam durchgestanden haben, keine Rolle. Und jetzt liegt er in einem Sarg. Wie Natasha.

Dicke, fette Tränen laufen aus meinen Augen und ich schluchze. Ein lautes, hässliches Schluchzen, das jeder hören und sehen kann, während ich über den Mittelgang gehe.

»Sie haben mich verlassen«, weine ich.

Momma legt einen Arm um mich und drückt meinen Kopf an ihre Schulter. »Ich weiß, Baby, aber wir sind hier. Wir gehen nirgendwohin.«

Wärme streicht über mein Gesicht. Da weiß ich, wir sind draußen. Wegen der vielen Stimmen und dem Lärm schaue ich auf. Hier sind mehr Leute als in der Kirche. Sie halten Plakate mit Khalils Foto hoch und Schilder, auf denen steht »Gerechtigkeit für Khalil«. Seine Klassenkameraden tragen Poster mit der Aufschrift »Bin ich der Nächste?« und »Es reicht!«. Jenseits der Straße parken Übertragungswägen mit riesigen Antennen.

Ich presse das Gesicht wieder gegen die Schulter meiner Mutter. Leute – keine Ahnung, wer – klopfen mir auf den Rücken und behaupten, alles würde gut.

Ich merke, als es Daddy ist, auch wenn er mir wortlos den Rücken streichelt. »Wir bleiben und marschieren mit, Baby«, sagt er zu Momma. »Ich möchte, dass Seven und Sekani hier dabei sind.«

»Ja, aber ich bringe Starr nach Hause. Wie kommt ihr dann zurück?«

»Wir können bis zum Laden laufen. Ich muss ja sowieso aufmachen.« Er küsst mich aufs Haar. »Ich hab dich lieb, Baby Girl. Ruh dich ein bisschen aus, okay?«

Absätze klackern auf uns zu, dann sagt jemand: »Hallo, Mr. und Mrs. Carter. Ich bin April Ofrah von *Just Us for Justice*.«

Momma richtet sich kerzengerade auf und zieht mich enger an sich. »Was können wir für Sie tun?«

Sie senkt die Stimme, als sie sagt: »Khalils Großmutter hat mir berichtet, dass Starr dabei war, als es passierte. Ich weiß, dass sie bei der Polizei eine Aussage gemacht hat, und möchte ihren Mut loben. Das ist eine schwierige Situation und muss sie viel Kraft gekostet haben.«

»Genau das hat es«, sagt Daddy.

Ich hebe den Kopf von Mommas Schulter. Ms. Ofrah tritt von einem Fuß auf den anderen und spielt nervös mit ihren Fingern. Meine Eltern machen es ihr mit ihren bohrenden Blicken auch nicht leichter.

»Wir wollen alle dasselbe«, sagt sie. »Gerechtigkeit für Khalil.«

»Entschuldigen Sie, Ms. Ofrah«, sagt Momma. »Aber genauso sehr möchte ich, dass meine Tochter etwas Ruhe hat. Und dass ihre Privatsphäre geachtet wird.«

Momma blickt auf die Lieferwägen der Sender jenseits der Straße. Ms. Ofrah schaut ebenfalls flüchtig hinüber.

»Oh!«, sagt sie. »O nein. Nein, nein, nein. Wir wollten – ich wollte Starr nicht in irgendeiner Form exponieren. Ganz im Gegenteil. Ich möchte ihre Privatsphäre schützen.«

Momma lockert ihren Griff. »Verstehe.«

»Starr hat eine einzigartige Perspektive in dieser Sache, wie es sich bei solchen Fällen nicht oft ergibt. Deshalb möchte ich sicherstellen, dass ihre Rechte geschützt werden und ihre Stimme Gehör findet, aber ohne dass sie –«

»Ausgebeutet wird?«, fragt Daddy. »Benutzt?«

»Exakt. Der Fall steht kurz davor, landesweites Medieninteresse zu erregen, aber ich will nicht, dass das auf ihre Kosten geschieht.« Sie reicht jedem von uns eine Visitenkarte. »Ich biete Rechtsbeistand an und arbeite als Anwältin. *Just Us for Justice* hat nicht die juristische Vertretung der Familie Harris übernommen – das tun andere. Wir stehen nur geschlossen hinter ihnen. Aber ich bin in der Lage und willens, Starr auf eigene Faust zu vertreten. Wann immer du dazu bereit bist, ruf mich einfach an. Und mein herzliches Beileid zu deinem Verlust.«

Schon ist sie in der Menge verschwunden.

Sie anrufen, wenn ich dazu bereit bin? Ich bin mir nicht sicher, ob ich je für den Mist bereit sein werde, der mir da noch bevorsteht.

Kapitel 9

Meine Brüder kommen mit einer Nachricht nach Hause –
Daddy wird die Nacht im Laden verbringen.

Er lässt uns auch eine Anweisung ausrichten – bleibt zu
Hause.

Unser Haus ist von einem Maschendrahtzaun umgeben.
Seven hängt das große Schloss ans Tor, das wir sonst nur
benutzen, wenn wir verreisen. Ich hole Brickz rein. Er
weiß nicht, wie er sich verhalten soll, läuft immer im Kreis
und springt auf die Möbel. Momma sagt nichts, bis er
irgendwann auf dem guten Sofa im Wohnzimmer sitzt.

»Ey!« Sie schnippt mit den Fingern. »Nimm dein dickes
Hinterteil von meinen Möbeln. Spinnst du?!«

Jaulend kommt er zu mir gerannt.

Die Sonne geht unter, und wir sprechen gerade das
Tischgebet, bevor es Schmorbraten mit Kartoffeln geben
soll, als die ersten Schüsse fallen.

Wir reißen die Augen auf. Sekani zuckt zusammen. Ich
bin an das Geräusch gewöhnt, aber diesmal klingt es lauter und schneller. Ein Schuss ist noch nicht verklungen,
als schon der nächste folgt.

»Maschinenpistolen«, sagt Seven. Weitere Schüsse fallen.

»Nehmt euer Essen mit ins Fernsehzimmer«, sagt
Momma und steht vom Tisch auf. »Und setzt euch auf
den Boden. Kugeln wissen nicht, wo sie eigentlich hin
sollen.«

Seven steht auch auf. »Ma, ich kann –«

»Seven, ins Fernsehzimmer«, sagt sie.

»Aber –«

»Se-ven.« Sie betont beide Silben. »Ich mache jetzt die Lichter aus, Baby, okay? Bitte, geh ins Fernsehzimmer.«

Er gibt nach. »Na schön.« Sobald Daddy nicht zu Hause ist, benimmt Seven sich, als sei er automatisch der Mann im Haus. Momma muss seinen Namen dann immer so betont aussprechen und ihn auf seinen Platz in der Familienhierarchie verweisen.

Ich nehme meinen und Mommas Teller und gehe ins Fernsehzimmer. Es ist der einzige Raum ohne Außenmauer. Brickz ist mir auf den Fersen, aber er läuft eben immer dem Futter nach. Der Flur wird dunkel, als Momma überall im Haus die Lichter ausmacht.

Im Fernsehzimmer steht einer dieser alten Großbildschirm-Fernseher. Er ist Daddys ganzer Stolz. Wir versammeln uns davor und Seven schaltet die Nachrichten an, wodurch es im Zimmer hell wird.

An der Magnolia Avenue haben sich mindestens hundert Leute versammelt. Sie rufen im Chor nach Gerechtigkeit und halten Schilder hoch. Fäuste werden als Zeichen von Black Power in die Luft gereckt.

Momma kommt herein und telefoniert noch. »Na schön, Mrs. Pearl, wenn Sie meinen. Sie sollen nur wissen, dass wir hier bei uns wirklich genug Platz für Sie haben, falls Sie sich allein doch nicht sicher fühlen. Ich melde mich später noch mal.«

Mrs. Pearl ist eine alleinstehende ältere Dame, die

auf der anderen Straßenseite wohnt. Momma erkundigt sich andauernd bei ihr, ob alles in Ordnung ist. Sie sagt, Mrs. Pearl muss wissen, dass sich jemand um sie kümmert.

Momma setzt sich neben mich. Sekani legt den Kopf in ihren Schoß. Brickz ahmt ihn nach und legt seinen Kopf in meinen Schoß, allerdings leckt er dann auch noch meine Finger ab.

»Sind die Leute wütend, weil Khalil gestorben ist?«, fragt Sekani.

Momma streicht mit den Fingern durch seinen High-Top Fade. »Ja, Baby, das sind wir alle.«

Wirklich wütend sind sie aber, weil Khalil unbewaffnet war. Es kann kein Zufall sein, dass das heute passiert, nachdem Ms. Ofrah das auf seiner Beerdigung bekannt gegeben hat.

Die Cops reagieren auf die Sprechchöre mit Tränengas, das die Menge in weiße Schwaden hüllt. Jetzt sieht man Nahaufnahmen von rennenden, schreienden Leuten.

»Verdammt«, sagt Seven.

Sekani drückt sein Gesicht in Mommas Oberschenkel. Ich verfüttere ein Stückchen von meinem Braten an Brickz. Mein Magen ist so verkrampft, dass ich sowieso nichts essen könnte.

Draußen heulen Sirenen. In den Nachrichten zeigen sie drei Streifenwagen, die vor der Polizeiwache, etwa fünf Autominuten von uns entfernt, in Brand gesteckt wurden. Eine Tankstelle nahe am Freeway wurde ausgeraubt. Der Besitzer, ein Inder, steht blutüberströmt vor der Kamera und erklärt, er habe mit Khalils Tod doch nichts zu tun. Den Walmart an der Ostseite des Viertels bewacht eine Kette von Polizisten.

Mein Viertel hat sich in ein Kriegsgebiet verwandelt.

Chris schreibt mir eine Nachricht, um zu hören, ob ich okay bin. Sofort fühle ich mich mies, weil ich ihm aus dem Weg gegangen bin, einen auf Beyoncé gemacht habe und alles. Ich würde mich ja bei ihm entschuldigen, aber ein »Tut mir leid« und dazu jedes Emoji der Welt ist einfach nicht das Gleiche, als würde man es dem anderen direkt ins Gesicht sagen. Ich teile ihm aber natürlich mit, dass es mir gut geht.

Maya und Hailey rufen an, erkundigen sich nach dem Laden, dem Haus, meiner Familie, mir. Keiner erwähnt das Fried-Chicken-Drama. Es ist aber seltsam, mit ihnen über Garden Heights zu reden. Das tun wir eigentlich nie. Ich habe einfach immer Angst, dass einer von ihnen es »das Ghetto« nennt.

Ich versteh das schon. Garden Heights ist das Ghetto, deshalb wäre es noch nicht mal gelogen, aber das ist so wie damals, als ich neun war und Seven und ich in einen Streit gerieten. Er holte zu einem gemeinen Tiefschlag aus und nannte mich Zwerg von Zwergenberg. Wenn ich jetzt daran denke, eine ziemlich harmlose Beleidigung, aber damals traf er mich damit ins Mark. Ich wusste, dass ich möglicherweise klein war, weil alle anderen größer waren als ich. Ich konnte mich auch selbst klein nennen. Aber dadurch, dass Seven es sagte, wurde es zu einer unangenehmen Wahrheit.

Ich kann Garden Heights so oft als Ghetto bezeichnen, wie ich will. Sonst darf das niemand.

Momma ist auch ununterbrochen an ihrem Handy, erkundigt sich bei einigen Nachbarn oder bekommt Anrufe von welchen, die sich nach uns erkundigen. Ms. Jones, die weiter unten in unserer Straße wohnt, sagt, sie und ihre vier Kids hätten sich auch in einem Zimmer ganz im Inneren des Hauses verkrochen, genau wie wir. Mr. Charles von nebenan teilt uns mit, wir könnten seinen Generator mitbenutzen, falls der Strom ausfällt.

Onkel Carlos meldet sich auch bei uns. Nana nimmt ihm das Telefon aus der Hand und befiehlt Momma, sie solle uns zu ihnen bringen. Als würden wir jetzt da in diesen Scheiß rausgehen, um genau dem zu entkommen. Sie spinnt einfach. Daddy ruft an, um uns zu versichern, der Laden sei unversehrt. Trotzdem erschrecke ich jedes Mal, wenn in den Nachrichten von einem Geschäft die Rede ist, das geplündert wurde.

In den Meldungen wird inzwischen nicht nur Khalils Name genannt – sie zeigen auch sein Foto. Ich heiße nur »ein Zeuge«, manchmal auch »die sechzehnjährige schwarze Zeugin«.

Der Polizeichef taucht auf dem Bildschirm auf und sagt, was ich befürchtet habe: »In Anbetracht der Beweislage und der Aussage der Zeugin sehen wir gegenwärtig keinen Grund, den Polizeibeamten zu verhaften.«

Momma und Seven werfen mir Blicke zu. Weil Sekani dabei ist, sagen sie nichts. Aber das müssen sie auch nicht. Das ist alles meine Schuld. Die Unruhen, die Schüsse, das

Tränengas, all das ist letztlich meine Schuld. Ich habe vergessen, den Cops zu sagen, dass Khalil mit erhobenen Händen ausgestiegen ist. Ich habe auch nicht erwähnt, dass der Polizist seine Waffe auf mich gerichtet hat. Ich habe nicht richtig ausgesagt, und jetzt wird der Cop nicht eingesperrt.

Aber auch wenn die Unruhen auf mein Konto gehen, klingt es in den Nachrichten im Grunde genommen so, als sei Khalil an seinem Tod selbst schuld.

»Mehreren Berichten zufolge wurde im Auto eine Waffe gefunden«, behauptet der Moderator. »Es besteht außerdem der Verdacht, dass das Opfer Drogendealer und Mitglied einer Gang war. Offizielle Stellen haben allerdings beides noch nicht bestätigt.«

Das mit der Waffe kann nicht stimmen. Als ich Khalil gefragt hab, ob er irgendwas im Auto hätte, meinte er, nein.

Er wollte mir auch nicht sagen, ob er mit Drogen dealt. Und das mit der Gang hat er nicht mal erwähnt.

Aber spielt es eigentlich eine Rolle? Er hat es nicht verdient zu sterben.

Sekani und Brickz fangen fast gleichzeitig an, tiefer zu atmen, weil sie eingeschlafen sind. Für mich kommt das nicht infrage, bei den Hubschraubergeräuschen, Schüssen und Sirenen. Momma und Seven bleiben auch auf. Gegen vier Uhr morgens, als es ruhiger geworden ist, kommt Daddy mit geröteten Augen und gähnend nach Hause.

»Sie haben die Marigold Street verschont«, sagt er, während er am Küchentisch ein paar Bissen vom Braten isst.

»Sieht so aus, als würden sie sich hauptsächlich auf die Ostseite beschränken, dort, wo er getötet wurde. Vorläufig zumindest.«

»Vorläufig«, wiederholt Momma.

Daddy fährt sich mit der Hand übers Gesicht. »Genau. Ich weiß nicht, was sie davon abhalten sollte, hierherzukommen. Und mir graust davor, wenn sie es tun.«

»Wir können nicht hierbleiben, Maverick«, sagt sie und ihre Stimme zittert. Es wirkt so, als habe sie das die ganze Zeit zurückgehalten und lasse es jetzt raus. »Das wird nicht besser werden. Nur schlimmer.«

Daddy greift nach ihrer Hand. Sie überlässt sie ihm. Dann zieht er sie auf seinen Schoß, legt die Arme um sie und küsst sie aufs Haar.

»Uns wird nichts passieren.«

Schließlich schickt er mich und Seven ins Bett. Irgendwie schlafe ich tatsächlich ein.

Natasha kommt wieder in den Laden gelaufen. »Starr, komm schnell!«

In ihrem geflochtenen Haar ist Erde und ihre früher rundlichen Wangen sind eingesunken. Ihre Kleider sind blutgetränkt.

Ich weiche zurück. Da läuft sie zu mir und ergreift meine Hand. Sie fühlt sich so eisig an wie damals, als sie im Sarg lag.

»Komm schon.« Sie zieht an mir. »Komm doch!«

Sie zerrt mich zur Tür und ich folge ihr gegen meinen Willen.

»Halt«, sage ich. »Natasha, halt!«

Da bewegt sich eine Hand durch den Türspalt. Sie hält eine Glock.

Peng!

Schlagartig bin ich wach.

Seven schlägt mit der Faust an meine Zimmertür. Weder schreibt er normale Nachrichten noch weckt er Leute auf normale Weise. »Aufbruch in zehn Minuten.«

Mein Herz hämmert so heftig, als wollte es aus meinem Brustkorb springen. *Du bist unversehrt*, erinnere ich mich. Das ist nur der blöde Seven. »Aufbruch wohin?«, frage ich.

»Zum Basketballspielen im Park. Heute ist doch der letzte Samstag im Monat! Machen wir das da nicht immer?«

»Aber – die Unruhen und so?«

»Wie Pops gesagt hat, ist das alles auf der Ostseite passiert. Hier drüben herrscht Ruhe. Das haben sie auch heute Morgen schon in den Nachrichten gesagt.«

Und wenn jemand weiß, dass ich die Zeugin bin? Wenn die Leute erfahren, dass der Cop wegen mir nicht verhaftet wurde? Oder wenn wir Cops begegnen, die wissen, wer ich bin?

»Alles gut«, sagt Seven, als könne er meine Gedanken lesen. »Das verspreche ich dir. Jetzt beweg dein faules Hinterteil aus dem Bett, damit ich dich auf dem Court fertigmachen kann.«

Falls es möglich ist, ein lieber Mistkerl zu sein, dann ist Seven genau das. Ich steige aus dem Bett, ziehe meine Basketball-Shorts an, das LeBron-Trikot und meine Thirteens (wie Jordan, bevor er die Bulls verließ). Meine Haare frisiere ich zu einem Pferdeschwanz. Seven wartet schon an der Haustür auf mich und dreht den Basketball in seinen Händen.

Ich schnappe ihn mir. »Als ob du wüsstest, was man damit macht.«

»Das werden wir noch sehen.«

Ich rufe für Momma und Daddy noch in den Flur, dass wir später wiederkommen, dann gehen wir los.

Zuerst wirkt Garden Heights wie immer, aber dann rasen nur ein paar Blocks entfernt mindestens fünf Streifenwagen vorbei. Rauch hängt in der Luft und lässt alles neblig erscheinen. Außerdem stinkt er.

Wir laufen zum Rose Park. Auf der anderen Straßenseite sitzen ein paar King Lords in einem grauen Escalade; ein jüngerer hockt auf dem Karussell im Park. Solange wir sie in Ruhe lassen, werden sie uns in Ruhe lassen.

Der Rose Park ist so groß wie ein ganzer Häuserblock und von einem hohen Maschendrahtzaun umgeben. Ich bin mir nicht sicher, was der schützen soll – die Graffiti auf dem Basketballplatz, die rostigen Geräte auf dem Spielplatz, die Bänke, auf denen schon zu viele Babys gezeugt wurden, oder die Schnapsflaschen, Zigarettenkippen und den Müll auf dem Gras.

Wir befinden uns an der Seite mit dem Basketballcourt, aber der Eingang zum Park liegt auf der anderen Seite des Blocks. Also werfe ich Seven den Ball zu und klettere über den Zaun. Früher bin ich von oben runtergesprungen, doch seit einem Sturz mit verstauchtem Knöchel lasse ich das.

Als ich auf der anderen Seite bin, wirft Seven mir den Ball zu und klettert selbst rüber. Khalil, Natasha und ich haben früher nach der Schule immer die Abkürzung durch den Park genommen. Dann rannten wir die Rutschen hoch, wirbelten mit dem Karussell herum, bis uns schwindelig wurde, und schaukelten höher als alle anderen.

Jetzt versuche ich, all das zu verdrängen, während ich den Ball zu Seven passe. »Das erste Spiel bis dreißig?«

»Vierzig«, sagt er, weil er ganz genau weiß, dass er froh sein kann, wenn er zwanzig Punkte macht. Er kann, ebenso wie Daddy, einfach nicht spielen.

Wie um das zu beweisen, benutzt Seven beim Dribbeln seine Handfläche. Dabei soll man das mit den Fingerspitzen machen. Dann versucht sich der Verrückte an einem Drei-Punkte-Wurf.

Der Ball prallt vom Rand des Korbs ab. Natürlich. Ich schnappe ihn mir und sehe Seven an. »Schwach! Du wusstest doch schon, dass das nichts wird.«

»Egal. Jetzt spiel einfach.«

Nach fünf Minuten habe ich zehn Punkte und er zwei, die ich ihm praktisch geschenkt habe. Ich täusche links an, drehe mich dann geschmeidig nach rechts und mache einen Drei-Punkte-Wurf. Das Baby landet schön drin. Dieses Mädchen hat es einfach drauf.

Seven macht mit den Händen ein T. Er keucht heftiger als ich, dabei bin ich diejenige, die früher Asthma hatte. »*Time out*. Trinkpause.«

Ich wische mir mit dem Arm über die Stirn. Die Sonne

brennt schon auf den Platz. »Sollen wir es nicht einfach dabei belassen?«

»Verdammt, nein. Ich hab's eigentlich drauf. Muss nur die richtigen Winkel finden.«

»Was denn für Winkel? Das hier ist Basketball, Seven. Kein Selfie.«

»Hey, ihr da!«, ruft irgendein Junge.

Wir drehen uns um und mir stockt der Atem. »Shit.«

Sie sind zu zweit, sehen aus wie dreizehn oder vierzehn und tragen grüne Celtics-Trikots. Zweifellos Garden Disciples. Jetzt überqueren sie den Platz und steuern direkt auf uns zu.

Der Größere baut sich vor Seven auf. »*Nigga*, bist du 'n King?«

Ich kann den Spinner nicht ernst nehmen. Seine Stimme quietscht. Daddy sagt, es gibt da einen Trick, um *OGs*, also *Original* oder *Old School Gangsters*, von *Young Gs* zu unterscheiden. Abgesehen von ihrem Alter. OGs fangen nichts an, sondern führen Sachen zu Ende. Young Gs fangen immer was an.

»Nee, bin neutral«, sagt Seven.

»Ist King nicht dein Daddy?«, fragt der Kleinere.

»Nein, zum Teufel. Der hat nur was mit meiner Momma.«

»Is auch egal.« Der Größere zückt ein Taschenmesser. »Rückt mal euren Scheiß raus. Sneakers, Handys, alles.«

Das Gesetz in Garden lautet – wenn es dich nicht selbst betrifft, geht es dich einen Dreck an. Punkt. So sehen die King Lords in dem Escalade alles mit an. Da wir nicht behaupten, zu ihnen zu gehören, existieren wir für sie gar nicht.

Der Junge auf dem Karussell kommt trotzdem rüber gerannt und stößt die beiden GDs weg. Dann zieht er sein Shirt hoch, sodass seine Waffe kurz sichtbar wird. »Haben wir ein Problem?«

Die zwei Jungs weichen zurück. »Genau, wir haben ein Problem«, sagt der Kleinere.

»Bist du dir da sicher? Als ich mich das letzte Mal erkundigt habe, war Rose Park King-Territorium.« Er wirft einen Blick Richtung Escalade. Die King Lords darin nicken uns zu. Eine einfache Geste, um zu fragen, ob alles cool ist. Wir nicken zurück.

»Na gut«, sagt der größere GD. »Wir haben schon verstanden.«

Dann verschwinden die beiden so, wie sie gekommen sind.

Der junge King Lord klatscht Seven ab. »Alles in Ordnung, Bro?«, fragt er.

»Yeah. Gut aufgepasst, Vante.«

Ich kann es nicht bestreiten, er ist irgendwie süß. Hey, nur weil ich einen Boyfriend habe, heißt das ja nicht, dass ich nicht schauen darf. Und so wie Chris bei Nicki Minaj, Beyoncé und Amber Rose das Wasser im Mund zusammenläuft, soll er es mal wagen, sich über mich aufzuregen, wenn ich auch schaue.

Nebenbei bemerkt: Mein Freund steht eindeutig auf einen bestimmten Typ Frau.

Dieser Vante ist ungefähr in meinem Alter, ein bisschen

größer, mit einem Afro-Puff und einem leichten Ober-
lippenbart. Seine Lippen sind auch hübsch. Richtig füllig
und weich.

Anscheinend habe ich zu lange drauf geschaut. Er leckt
sich die Lippen und grinst. »Musste doch dafür sorgen,
dass dir und der li'l Momma nichts passiert.«

Damit hat er's verbockt. Von jemand, der mich nicht
kennt, lasse ich mir keinen Spitznamen verpassen. »Yeah,
uns geht's gut«, sage ich.

»Die GDs haben dir aber trotzdem aus der Klemme geholfen«, erklärt er Seven. »Sie hat dich ja total fertiggemacht.«

»Mann, halt die Klappe«, sagt Seven. »Das ist meine
Schwester Starr.«

»Na klar«, sagt der Typ. »Du bist doch die, die in Big Mavs
Laden jobbt, oder?«

Wie schon gesagt. Das. Höre. Ich. Andauernd. »Exakt.
Die bin ich.«

»Starr, das hier ist DeVante«, sagt Seven. »Er ist einer
von Kings Jungs.«

»DeVante?« Dann ist er das, um den Kenya sich gestritten hat.

»Genau, der bin ich.« Er mustert mich von Kopf bis Fuß
und leckt sich wieder die Lippen. »Hast du etwa schon von
mir gehört oder was?«

Dieses dauernde Lippenlecken. Nicht süß. »Ja, hab
schon von dir gehört. Und vielleicht besorgst du dir mal
Lippenbalsam, wenn deine Lippen so trocken sind, dass
du sie so oft ablecken musst.«

»Verdammt, verstehe?«

»Was sie damit sagen will, ist, danke, dass du uns rausgehauen hast«, mischt Seven sich ein, obwohl es überhaupt nicht das ist, was ich gemeint habe. »Wir wissen das zu schätzen.«

»Ist schon gut. Diese Idioten laufen hier rum, weil die Unruhen auf ihrer Seite stattfinden. Für die ist es jetzt da drüben zu heiß.«

»Was treibst du denn überhaupt so früh hier im Park?«, fragt Seven.

Er schiebt die Hände in die Hosentaschen und zuckt mit den Achseln. »Die Stellung halten. Du weißt ja, wie's so läuft.«

Er ist ein D-Boy, ein Dealer. Verdammt, Kenya versteht es echt, sich die Richtigen auszusuchen. Wenn man auf dealende Gangbanger steht, dann hat man echt ein Problem. Tja, King ist eben ihr Daddy.

»Hab das von deinem Bruder gehört«, sagt Seven. »Tut mir leid, Mann. Dalvin war ein cooler Bursche.«

DeVante kickt einen Stein über den Platz. »Danke. Mom hat es richtig hart getroffen. Deshalb bin ich jetzt auch hier. Musste einfach aus dem Haus.«

Dalvin? DeVante? Ich lege den Kopf schräg. »Hat deine Momma euch alle nach den Typen aus dieser alten Band *Jodeci* benannt?« Ich kenne die nur, weil meine Eltern ein paar von deren Songs lieben.

»Ja, was dagegen?«

»Das war bloß eine Frage. Kein Grund, sich aufzuregen.«

Jenseits des Zauns kommt ein weißer Tahoe mit quietschenden Reifen zum Stehen. Daddys Tahoe.

Sein Fenster fährt runter. Er trägt ein Unterhemd und hat noch den Kopfkissenabdruck im Gesicht. Ich bete, dass er nicht aussteigt, denn wie ich Daddy kenne, sind seine Beine schuppig und er trägt Nike-Flipflops mit Socken. »Was zum Teufel denkt ihr euch eigentlich dabei, einfach so das Haus zu verlassen, ohne jemandem Bescheid zu sagen?«, brüllt er.

Die King Lords auf der anderen Straßenseite prusten vor Lachen. DeVante hüstelt in seine Faust, um nicht auch zu lachen. Seven und ich sehen bewusst nicht in Daddys Richtung.

»Ach, ihr wollt wohl so tun, als würdet ihr mich nicht hören? Antwortet gefälligst, wenn ich mit euch rede!«

Jetzt grölen die King Lords schon richtig.

»Pops, wir sind nur hergekommen, um ein bisschen Basketball zu spielen«, sagt Seven.

»Das interessiert mich nicht. Bei all dem Shit, der da gerade passiert, haut ihr einfach ab? Steigt sofort in diesen Truck!«

»Verdammt«, murmele ich. »Immer dieses verrückte Getue.«

»Was hast du gesagt?«, bellt er.

Die King Lords bekommen sich gar nicht mehr ein. Ich möchte im Boden versinken.

»Nichts«, sage ich.

»Nee, da war was. Und ich sag euch noch was. Ihr klettert nicht über den Zaun, sondern lauft rüber zum Eingang. Und ich will gefälligst nicht vor euch dort ankommen.«

Damit fährt er los.

Shit.

Ich schnappe mir den Ball und rase zusammen mit Seven durch den Park. Das letzte Mal, als ich so gerannt bin, hatte die Trainerin uns zu Kurzsprints verdonnert. Wir kommen in dem Moment beim Eingang an, als Daddy davor hält. Ich steige hinten ein, während Seven sich auf den Beifahrersitz fallen lässt.

Daddy braust los. »Ihr müsst echt den Verstand verloren haben«, sagt er. »Es gibt Unruhen und die stehen ganz knapp davor, die Nationalgarde zu rufen, und da wollt ihr ein bisschen Basketball spielen.«

»Warum musstest du uns dermaßen blamieren?«, giftet Seven.

Ich bin so froh, dass ich hinten sitze. Daddy dreht sich zu ihm und schaut nicht mal mehr auf die Straße, als er knurrt: »Weil du dafür noch nicht zu alt bist.«

Jetzt starrt Seven geradeaus. Man sieht, wie es in ihm kocht.

Daddy richtet seinen Blick wieder auf die Straße. »Du hast vielleicht Nerven, so mit mir zu reden, nur weil ein paar King Lords über euch gelacht haben. Bist du jetzt etwa auch einer von denen?«

Seven antwortet nicht.

»Ich rede mit dir, Junge!«

»No, Sir«, stößt er hervor.

»Warum kümmert dich dann, was die denken? Du

willst so verdammt dringend ein Mann sein, aber Männer scheren sich nicht darum, was irgendwer denkt.«

Er biegt in unsere Einfahrt. Wir sind noch nicht mal bis zum Eingang gelaufen, da sehe ich Momma schon an der Fliegengittertür stehen. Sie ist noch im Nachthemd, hat die Arme verschränkt und klopft mit dem nackten Fuß auf den Boden.

»Macht, dass ihr ins Haus kommt!«, schreit sie.

Kaum sind wir drinnen, beginnt sie im Wohnzimmer auf und ab zu laufen. Die Frage ist nicht, ob sie ausrasten wird, sondern wann.

Seven und ich lassen uns auf das gute Sofa sinken.

»Wo wart ihr?«, fragt sie. »Und lügt mich bloß nicht an.«

»Auf dem Basketballplatz«, murmle ich und starre auf meine Sneakers.

Momma beugt sich zu mir und hält eine Hand an ihr Ohr. »Was war das? Ich hab dich nicht gehört.«

»Red lauter, Mädchen«, sagt Daddy.

»Auf dem Basketballplatz«, wiederhole ich lauter.

»Auf dem Basketballplatz.« Momma richtet sich auf und lacht. »Sie hat gesagt, auf dem Basketballplatz.« Abrupt endet ihr Lachen und ihre Stimme wird mit jedem Wort lauter. »Ich laufe hier rum und werde fast verrückt vor Angst, und ihr beide seid auf dem verdammten Basketballplatz!«

Auf dem Flur wird leise gekichert.

»Sekani, geh in dein Zimmer!«, sagt Momma, ohne auch nur in seine Richtung zu schauen. Eilig hört man seine nackten Füße über den Boden trappeln.

»Ich habe doch gerufen, dass wir jetzt gehen«, sage ich.

»Ach, sie hat gerufen«, macht Daddy sich lustig. »Hast du irgendwen rufen gehört, Baby? Ich nämlich nicht.«

Momma zieht die Luft durch die Zähne. »Ich auch nicht. Sie weckt uns zwar, wenn sie ein bisschen Geld braucht, aber nicht, um uns Bescheid zu geben, dass sie jetzt in eine Kampfzone loszieht.«

»Ich bin schuld«, sagt Seven. »Ich wollte einfach mit ihr raus und irgendwas Normales machen.«

»Baby, im Moment gibt es nichts Normales!«, sagt Momma. »Du siehst doch, was passiert ist. Und da wart ihr beiden verrückt genug, einfach so rauszuspazieren?«

»Dumm genug trifft es eher«, verbessert Daddy sie.

Ich halte den Blick auf meine Schuhe gerichtet.

»Rückt eure Handys raus«, sagt Momma.

»Was?«, kreische ich. »Das ist unfair! Ich habe euch gerufen und euch beiden Bescheid –«

»Starr Amara«, zischt sie mit zusammengebissenen Zähnen. Da mein erster Vorname nur aus einer Silbe besteht, braucht sie noch meinen zweiten, damit sie die Anrede so betonen kann. »Wenn du mir jetzt nicht gleich dein Telefon gibst, gnade dir Gott.«

Ich mache den Mund auf, aber sie kommt mir zuvor: »Sag noch ein Wort! Wage es, noch ein Wort zu sagen! Dann kassiere ich auch gleich noch sämtliche Jordans!«

Was für ein Bullshit. Echt jetzt. Daddy sieht einfach zu. Er ist ihr Kampfhund, der nur darauf wartet, dass wir eine falsche Bewegung machen. So funktioniert das bei ihnen. Momma übernimmt die erste Runde, und wenn das noch nicht reicht, kümmert Daddy sich ums K.O. Und Daddys K.O. sollte man um jeden Preis vermeiden.

Also geben Seven und ich unsere Handys her.

»Das dachte ich mir«, sagt sie und reicht sie an Daddy weiter. »Da ihr es ja so gern normal möchtet, geht und packt eure Sachen. Wir fahren heute zu Carlos.«

»Nee, er nicht.« Daddy bedeutet Seven, aufzustehen. »Er kommt mit mir in den Laden.«

Momma sieht mich an und deutet mit dem Kopf in Richtung Flur. »Los. Eigentlich sollte ich dich auch noch dazu bringen zu duschen. So wie du nach da draußen riechst.« Als ich schon rausgehe, schreit sie mir noch nach: »Und bring ja nicht irgendwelche Fetzen mit, die du dann bei Carlos anziehen willst!«

Puuh, sie geht mir so was von auf die Nerven. Chris wohnt nämlich in derselben Straße wie Onkel Carlos. Aber ich bin schon froh, dass sie vor Daddy nicht noch mehr gesagt hat.

Brickz passt mich an der Tür zu meinem Zimmer ab. Er springt an meinen Beinen hoch und versucht, mir das Gesicht abzulecken. Ich hatte mal ungefähr vierzig Schuhkartons in einer Ecke gestapelt, die hat er alle umgeworfen.

Ich kraule ihn hinter den Ohren. »Du tollpatschiger Hund.«

Wenn es nach mir ginge, könnte er ja mit, aber in Onkel Carlos' Viertel sind Pitbulls nicht erlaubt. Jetzt springt er auf mein Bett und beobachtet von dort, wie ich packe. Eigentlich brauche ich nur mein Badezeug und Sandalen, aber Momma könnte beschließen, wegen der Unruhen das ganze Wochenende dort zu bleiben. Also packe ich noch ein paar Outfits ein und nehme auch meinen Schulrucksack mit. Schließlich werfe ich mir über jede Schulter einen Rucksack. »Komm, Brickz.«

Er folgt mir zu seinem Platz hinten im Garten, wo ich ihn an seiner Kette festmache. Während ich seine Fressnäpfe mit Wasser und Futter auffülle, kauert Daddy neben seinen Rosen und untersucht deren Blütenblätter. Er gießt sie zwar immer vorbildlich, aber aus irgendeinem Grund sehen sie trotzdem zu trocken aus.

»Jetzt kommt schon«, sagt er zu ihnen. »Ihr müsst euch alle ein bisschen anstrengen.«

Momma und Sekani warten in ihrem Camry auf mich. Ich setze mich widerwillig auf den Beifahrersitz. Es ist zwar kindisch, aber ich will jetzt nicht so dicht neben ihr sitzen. Leider habe ich nur die Wahl, entweder neben ihr oder neben Herrn-furzt-viel-Sekani Platz zu nehmen. Ich starre geradeaus und sehe nur aus dem Augenwinkel, dass sie mich anschaut. Dabei gibt sie ein Geräusch von sich, als wolle sie etwas sagen, aber statt Worten kommt dann doch nur ein Seufzer heraus.

Gut so. Ich will auch nicht mit ihr reden. Klar bin ich total kleinlich, aber das kümmert mich nicht.

Wir fahren Richtung Freeway, vorbei an den Sozialwohnungen von Cedar Grove, wo wir früher gewohnt haben. Dann erreichen wir die Magnolia Avenue, die belebteste Straße von Garden Heights, wo sich die meisten Läden befinden. An einem Samstagmorgen lassen die Jungs aus dem Viertel dort normalerweise ihre Autos bewundern, fahren auf und ab oder jagen einander.

Heute ist die Straße abgesperrt. Eine Menschenmenge marschiert in der Mitte. Die Leute haben Plakate und Poster mit Khalils Gesicht drauf dabei. In Sprechchören rufen sie: »Gerechtigkeit für Khalil!«

Ich sollte eigentlich eine von ihnen sein, aber ich kann mich der Demonstration nicht anschließen, wo ich doch weiß, dass ich einer der Gründe bin, warum die Menschen dort protestieren.

»Du weißt, dass nichts davon deine Schuld ist, oder?«, fragt Momma.

Wie um alles in der Welt hat sie das wieder geschafft? »Ich weiß.«

»Ich meine das ernst, Baby. Du hast alles richtig gemacht.«

»Aber manchmal genügt richtig einfach nicht, was?«

Sie nimmt meine Hand, und obwohl ich noch wütend bin, ziehe ich sie nicht weg. Eine Zeit lang ist das die einzige Antwort, die ich kriege.

Im Vergleich zu alltags ist der Verkehr auf dem Freeway ziemlich harmlos. Sekani setzt sich seine Kopfhörer auf und spielt mit dem Tablet. Im Radio kommen irgendwelche R&B-Songs aus den Neunzigern und Momma singt halblaut mit. Wenn sie gut drauf ist, legt sie sich richtig ins Zeug und feuert sich selbst an: »*Yes, Girl! Yes!*«

Aus heiterem Himmel sagt sie plötzlich: »Gleich nach deiner Geburt hast du nicht geatmet.«

Das höre ich zum ersten Mal. »Echt jetzt?«

»Mhm. Ich war achtzehn, als ich dich bekam. Selbst noch ein Baby, aber ich hielt mich schon für erwachsen. Hätte niemand gegenüber zugegeben, dass ich mich fast zu Tode fürchtete. Deine Nana war fest davon überzeugt, ich würde nie eine gute Mutter sein. Nicht die wilde Lisa.

Ich war entschlossen, ihr das Gegenteil zu beweisen. Hörte auf mit Trinken und Rauchen, ging zu allen Vorsorgeuntersuchungen, aß vernünftig, nahm meine Vitamine, die ganzen neun Monate hindurch. Verdammt, ich hab sogar Mozart gehört und die Kopfhörer an meinen Bauch gehalten. Haben wir ja gesehen, was das gebracht hat. Du hast die Klavierstunden nicht mal einen Monat lang durchgehalten.«

Ich lache. »Sorry.«

»Ist schon okay. Wie gesagt, ich hatte alles richtig gemacht. Ich weiß noch, wie sie dich in diesem Kreißsaal aus mir rauszogen und ich wartete, dass du schreien würdest. Aber das hast du nicht. Alle rannten wild umher und dein Vater und ich fragten immer wieder, was los sei. Endlich sagte uns die Schwester, dass du nicht atmen würdest.

Ich rastete aus. Dein Daddy konnte mich nicht beruhigen. Er war selbst auch alles andere als ruhig. Nach der längsten Minute meines Lebens schriest du. Ich glaube, danach habe ich noch lauter geheult als du. Ich wusste, dass ich doch irgendwas falsch gemacht hatte. Aber dann nahm eine der Schwestern meine Hand« – Momma fasst wieder nach meiner Hand – »schaute mir in die Augen und sagte: ›Manchmal machst du alles richtig, und es geht trotzdem alles schief. Entscheidend ist, dass du dennoch nie aufhörst, das Richtige zu tun.«

Für den Rest der Fahrt lässt sie meine Hand nicht mehr los.

Früher dachte ich, hier in Onkel Carlos' Viertel scheint die Sonne heller, aber heute stimmt das tatsächlich. Kein Rauch hängt in der Luft und sie ist frischer. Alle Häuser sind zweistöckig. Kinder spielen auf den Gehwegen und in den großen Gärten. Es gibt Limonadenstände, Garagenflohmärkte und jede Menge Jogger. Und trotz alldem ist es wirklich ruhig.

Wir kommen an Mayas Haus vorbei, das nur ein paar Straßen von Onkel Carlos' entfernt ist. Ich würde ihr gern schreiben und fragen, ob ich rüberkommen kann, aber ich habe ja bekanntermaßen grad kein Telefon.

»Du darfst deine Freundin heute nicht besuchen«, sagt Momma und hat erschreckenderweise schon wieder meine Gedanken gelesen. »Du hast Hausarrest.«

Mir bleibt der Mund offen stehen.

»Aber sie darf zu Carlos kommen und dich besuchen.«

Mit einem halben Lächeln schielt sie zu mir rüber. Das soll jetzt wohl der Moment sein, in dem ich sie umarme, mich bedanke und ihr sage, sie sei die Beste.

Keine Chance. Ich sage nur: »Cool, aber egal« und lehne mich zurück.

Sie bricht in Gelächter aus. »Du bist so was von stur!«

»Nein, bin ich nicht!«

»Doch, bist du«, sagt sie. »Genau wie dein Vater.«

Kaum biegen wir in Onkel Carlos' Einfahrt, springt Sekani aus dem Auto. Unser Cousin Daniel winkt ihm vom Gehweg aus mit ein paar anderen Jungs zu. Sie sitzen alle auf ihren Fahrrädern.

»Bis später, Momma«, ruft Sekani. Er rennt an Onkel Carlos vorbei, der gerade aus der Garage kommt, und schnappt sich sein eigenes Rad. Er hat es zu Weihnachten bekommen, aber er lässt es hier bei Onkel Carlos stehen, weil Momma nicht bereit ist, ihn damit in Garden Heights rumfahren zu lassen. Jetzt rast er damit die Einfahrt runter.

Momma springt aus dem Wagen und ruft ihm nach: »Aber nicht zu weit weg!«

Ich steige ebenfalls aus und werde von Onkel Carlos mit der perfekten Onkel-Carlos-Umarmung begrüßt – nicht zu fest, aber fest genug, um mir in Sekunden mitzuteilen, wie lieb er mich hat.

Dann küsst er mich zweimal auf den Scheitel und fragt: »Wie geht's dir, Baby Girl?«

»Okay.« Ich schnuppere. Da ist Rauch in der Luft. Aber von der guten Sorte. »Machst du Barbecue?«

»Ich habe gerade den Grill angeheizt, um fürs Mittagessen ein paar Burger und Hühnchen draufzulegen.«

»Hoffentlich kriegen wir davon keine Lebensmittelvergiftung«, scherzt Momma.

»Ah, sieh mal an, wer da witzig sein will«, sagt er. »Du wirst deine Worte noch bereuen und alles essen, was ich koche, Baby Sis, denn ich bin unerreicht. Diese Kochsendungen können mir nichts mehr beibringen.« Lässig stellt er den Kragen seines Poloshirts hoch.

Mein Gott, er kann manchmal so albern sein.

Tante Pam kümmert sich im Innenhof schon um den Grill. Meine kleine Cousine Ava umklammert daumenlutschend ein Bein ihrer Mom. Sobald sie mich sieht, kommt sie angerannt. »Starr-Starr!«

Ihre Zöpfe flattern beim Laufen und dann wirft sie sich in meine Arme. Ich wirble sie herum und werde mit jeder Menge Gekicher belohnt. »Wie geht's denn meiner liebsten Dreijährigen auf der ganzen weiten Welt?«

»Gut!« Schon schiebt sie sich ihren runzeligen, nassen Daumen wieder in den Mund. »Hallo, Tante Liiliii.«

»Hey, Baby. Warst du auch brav?«

Ava nickt viel zu heftig. *So* brav kann sie auf keinen Fall gewesen sein.

Tante Pam überlässt Onkel Carlos den Grill und begrüßt Momma mit einer Umarmung. Sie hat dunkelbraune Haut und eine voluminöse Lockenfrisur. Nana mag sie, weil sie »aus einer guten Familie« stammt. Ihre Mom ist Anwältin und ihr Dad der erste schwarze Chefchirurg im selben Krankenhaus, in dem Tante Pam als Chirurgin arbeitet. Eine Familie wie die Huxtables aus der *Bill Cosby Show*, nur eben in echt.

Ich setze Ava wieder ab und Tante Pam drückt mich besonders fest. »Wie geht's dir, Süße?«

»Schon okay.«

Sie sagt, sie verstehe, aber das tut niemand wirklich.

Da kommt Nana mit ausgestreckten Armen durch die Hintertür nach draußen gestürmt. »Meine Girls!«

Das ist das erste Anzeichen dafür, dass irgendwas im

Busch ist. Sie umarmt mich und Momma und küsst uns auf die Wangen. Nana küsst uns sonst nie und lässt sich auch nie küssen. Sie sagt immer, sie wisse ja nicht, wo unsere Münder vorher gewesen seien.

Dann nimmt sie mein Gesicht in ihre Hände und sagt: »Dank sei dem Herrn. Er hat dein Leben verschont. Halleluja!«

Sie packt Momma und mich an den Handgelenken und zieht uns zu den Sesseln am Pool. »Jetzt kommt mal mit und berichtet mir.«

»Aber ich wollte gerade Pam erzählen –«

Daraufhin sieht Nana Momma an und zischt: »Halt zum Teufel noch mal die Klappe, setzt dich und red mit mir, verdammt.«

Das ist typisch Nana. Sie macht es sich in einem Liegestuhl bequem und fächelt sich theatralisch Luft zu. Sie ist pensionierte Schauspiellehrerin, deshalb macht sie alles mit viel Dramatik. Momma und ich teilen uns eine Liege und setzen uns seitlich darauf.

»Was ist passiert?«, fragt Momma.

»Wann –«, fängt sie an, setzt aber sofort ein falsches Lächeln auf, als Ava mit ihrer Babypuppe und einem Kamm angewackelt kommt. Ava drückt mir beides in die Hand und geht mit ihren anderen Sachen spielen.

Ich kämme gehorsam der Puppe die Haare. Das Mädchen hat mich gut erzogen. Muss mir nicht mal mehr was sagen, und ich mache es trotzdem.

Sobald Ava außer Hörweite ist, sagt Nana: »Wann holt ihr mich wieder zurück in mein Haus?«

»Was ist passiert?«, fragt Momma.

»Red verdammt noch mal leiser!« Paradoxerweise sagt sie das ziemlich laut. »Gestern Morgen hab ich etwas Wels fürs Abendessen aus dem Tiefkühler genommen. Wollte ihn mit ein paar Hushpuppies und Pommes frittieren, mit allem drum und dran, wie sich's gehört. Dann hab ich das Haus verlassen, um ein paar Besorgungen zu machen.«

»Was denn für Besorgungen?«, frage ich nur so zum Spaß.

Da wirft Nana mir ihren speziellen Blick zu und es kommt mir vor, als würde ich Momma in dreißig Jahren sehen. Mit ein paar Falten und einzelnen grauen Haaren, die sie beim Färben übersehen hat (wenn sie mich das sagen hören könnte, würde sie mir dafür den Hintern versohlen).

»Ich bin schon groß, li'l Girl«, sagt sie. »Also frag mich nicht, was ich tue. Jedenfalls komme ich nach Hause, und da hat doch diese *Heffa* meinen Wels in Cornflakes gewälzt und gebacken!«

»In Cornflakes?«, frage ich und scheitele das Puppenhaar.

»Ja! Und dann sagt sie, ›so ist das gesünder‹. Wenn ich's gesund will, ess ich Salat.«

Momma legt eine Hand vor den Mund, aber ihre Mundwinkel wandern nach oben. »Und ich dachte, du und Pam, ihr versteht euch.«

»Haben wir auch. Bis sie sich in mein Essen eingemischt hat. Ich habe mich ja schon mit vielem arrangiert, seit ich hier bin. Aber das« – sie reckt den Zeigefinger in die Höhe –

»geht zu weit. Da wohne ich ja noch lieber bei dir und diesem Ex-Knacki, als mich damit rumzuschlagen.«

Momma steht auf und küsst Nana auf die Stirn. »Du wirst schon klarkommen.«

Nana wedelt sie fort. Als Momma weg ist, sieht sie mich an. »Bist du okay, Kleines? Carlos hat mir erzählt, dass du im Wagen von diesem Jungen saßt, der umgebracht wurde.«

»Yes, Ma'am, ich bin okay.«

»Gut. Und wenn nicht, dann wird es schon wieder werden. Wir sind hart im Nehmen.«

Ich nicke, obwohl ich ihr nicht glaube. Zumindest nicht, was mich betrifft.

Es klingelt an der Haustür. Ich sage: »Ich gehe schon«, lege Avas Puppe weg und laufe ins Haus.

Mist. Vor der Tür steht Chris. Ich möchte mich zwar bei ihm entschuldigen, aber dafür brauche ich verdammt noch mal Zeit, um mich vorzubereiten,

Seltsamerweise geht er auf und ab. So wie er es macht, wenn wir auf einen Test lernen oder vor einem wichtigen Spiel. Anscheinend fürchtet er sich davor, mit mir zu reden.

Ich mache auf und lehne mich an den Türrahmen. »Hey.«

»Hey.« Er lächelt und trotz allem muss ich auch lächeln.

»Ich habe gerade eines der Autos von meinem Dad gewaschen, als ich euch vorbeifahren sah«, meint er. Das erklärt sein Tanktop, die Flipflops und Shorts. »Geht's dir gut? Ich weiß, dass du mir das schon geschrieben hast, aber ich wollte einfach sicher sein.«

»Mir geht's gut«, sage ich.

»Der Laden von deinem Vater ist nicht betroffen, oder?«, fragt er.

»Nein.«

»Gut.«

Blicke und Schweigen.

Er seufzt. »Schau, wenn es wegen der Kondomsache ist – ich werde nie mehr eins kaufen.«

»Nie?«

»Also, nur wenn du willst, dass ich es tue.« Und schnell fügt er noch hinzu: »Was überhaupt nicht bald sein muss. Eigentlich musst du überhaupt nie mit mir schlafen. Oder mich küssen. Verdammt, wenn du nicht willst, dass ich dich anfasse, dann –«

»Chris, Chris«, sage ich und hebe die Hände, um ihn zu bremsen. Gleichzeitig muss ich mir das Lachen verbeißen. »Schon gut. Ich weiß, was du meinst.«

»Okay.«

»Okay.«

Noch eine Runde Blicke und Schweigen.

»Ehrlich gesagt ... muss ich mich bei dir entschuldigen«, erkläre ich und verlagere mein Gewicht von einem Fuß auf den anderen. »Weil ich dich angeschwiegen habe. Das hatte nichts mit dem Kondom zu tun.«

»Oh ...« Er zieht die Augenbrauen zusammen. »Womit hatte es dann zu tun?«

Ich seufze. »Mir ist nicht danach, drüber zu reden.«

»Dann kannst du also sauer auf mich sein, aber mir nicht mal sagen, warum?«

»Es hat ja nichts mit dir zu tun.«

»Doch, hat es, wenn du *mich* deshalb anschweigst«, sagt er.

»Du würdest es nicht verstehen.«

»Solltest du mich das vielleicht selbst entscheiden lassen?«, meint er. »Da bin ich, rufe dich an, schreibe dir, mache alles, und du kannst mir nicht mal sagen, warum du mich ignorierst? Das ist ziemlich daneben, Starr.«

Ich sehe ihn mit diesem speziellen Blick an, bei dem ich das starke Gefühl habe, auszusehen wie Momma und Nana, wenn sie dir zu verstehen geben wollen: »Ich kann nicht glauben, dass du das gerade gesagt hast.«

»Ich sagte doch schon, dass du es nicht verstehen würdest. Also lass es einfach.«

»Nein.« Er verschränkt die Arme vor der Brust. »Jetzt bin ich den ganzen weiten Weg hergekommen –«

»Den ganzen weiten Weg? Welchen Weg, Bro? Die Straße runter?«

Jetzt spricht aus meiner Stimme nur noch die Starr aus Garden Heights.

»Genau, die Straße runter«, sagt er. »Und weißt du was? Ich hätte das nicht tun müssen. Hab ich aber. Und du kannst mir noch nicht mal verraten, was los ist!«

»Du bist weiß, okay?«, schreie ich. »Du bist weiß!«

Schweigen.

»Ich bin weiß?«, fragt er, als höre er das gerade zum ersten Mal. »Was zum Teufel hat das damit zu tun?«

»Alles! Du bist weiß, ich bin schwarz. Du bist reich, ich nicht.«

»Das spielt doch keine Rolle!«, sagt er. »Mir ist das total egal, Starr. Du bist mir wichtig.«

»Das ist aber ein Teil von mir!«

»Okay, und ...? Das ist doch keine große Sache. Mein Gott, echt jetzt? Deshalb bist du so angepisst? *Deshalb* schweigst du mich an?«

Ich starre ihn nur an und weiß einfach, hundertprozentig, dass ich gerade genau wie Lisa Janae Carter aussehe. Mein Mund ist leicht geöffnet wie ihrer, wenn ich oder meine Brüder ihr »dumm kommen«, wie sie es nennt. Mein Kinn ist ein bisschen zurückgenommen und die Augenbrauen habe ich hochgezogen. Meine Güte, ich stemme sogar eine Hand in die Hüfte.

Chris weicht einen kleinen Schritt zurück. Genau wie meine Brüder und ich das dann machen. »Es ... es ergibt für mich nur keinen Sinn, okay? Das ist alles.«

»Eben, wie ich schon gesagt habe, du verstehst es nicht. Oder etwa doch?«

Zack. Wenn ich mich wie meine Mom benehme, dann ist das hier einer ihrer »Siehst du, ich hab's dir doch gesagt«-Momente.

»Nein, tu ich wohl nicht«, sagt er.

Eine weitere Runde Schweigen.

Chris schiebt seine Hände in die Hosentaschen. »Vielleicht könntest du mir helfen, es zu verstehen? Ich weiß es nicht. Aber ich weiß, dass dich nicht in meinem Leben zu haben, schlimmer ist, als keine Beats zu produzieren oder kein Basketball zu spielen. Und du weißt doch, wie sehr ich Beats und Basketball liebe, Starr.«

Ich grinse. »Mit so einem Satz willst du bei mir landen?«
Er beißt sich auf die Unterlippe und zuckt mit den Achseln. Ich muss lachen. Er auch.

»War nicht gut?«, fragt er.

»Schrecklich.«

Wir verstummen wieder, aber es ist die Art von Schweigen, die mir nichts ausmacht. Er streckt die Hand nach meiner aus.

Ich weiß immer noch nicht, ob ich meine Identität verrate, wenn ich mit Chris zusammen bin, aber ich habe ihn so vermisst, dass es wehtut. Momma denkt, in Onkel Carlos' Haus zu kommen, das sei normal. Dabei ist Chris die Normalität, die ich wirklich will. Eine Normalität, in der ich nicht entscheiden muss, welche Starr ich sein soll. Die Normalität, in der mir keiner sagt, wie leid es ihm täte oder von »dem Drogendealer Khalil« redet. Einfach ... normal.

Deshalb kann ich Chris auch nicht sagen, dass ich die Zeugin bin.

Ich nehme seine Hand und alles fühlt sich plötzlich richtig an. Kein Zusammenzucken, keine Flashbacks.

»Los komm«, sage ich. »Onkel Carlos' Burger sollten fertig sein.«

Wir gehen in den Garten hinter dem Haus. Hand in Hand. Er lächelt dabei und ich erstaunlicherweise auch.

Kapitel 10

Wir übernachten bei Onkel Carlos, weil die Unruhen wieder aufflammen, sobald die Sonne untergegangen ist. Aus irgendeinem Grund bleibt der Laden verschont. Wir sollten eigentlich in die Kirche gehen und Gott dafür danken, aber Momma und ich sind zu müde. Sekani möchte noch einen Tag bei Onkel Carlos bleiben, also kehren wir am Sonntagmorgen ohne ihn nach Garden Heights zurück.

Gerade als wir den Freeway verlassen, stoßen wir auf eine Straßensperre der Polizei. Nur eine einzige Fahrspur wird nicht von Streifenwagen blockiert, und die Polizisten reden mit den Fahrern, bevor sie sie passieren lassen.

Plötzlich fühlt es sich an, als packe jemand mein Herz und quetsche es zusammen. »Können wir –« Ich schlucke. »Können wir das umgehen?«

»Ich glaube kaum. Wahrscheinlich sind die rund um das ganze Viertel postiert.« Momma wirft einen Blick auf mich und runzelt die Stirn. »Mümmel? Alles okay?«

Ich umklammere den Türgriff. Die können so leicht ihre Waffen zücken und mit uns das Gleiche machen wie mit Khalil. Dann läuft das ganze Blut aus unseren Körpern auf die Straße, wo es jeder sehen kann. Unsere Münder stehen offen. Unsere Augen starren himmelwärts, auf der Suche nach Gott.

»Hey.« Momma nimmt mein Gesicht in ihre Hände. »Hey, sieh mich an.«

Ich versuche es, aber meine Augen sind voller Tränen. Ich habe es dermaßen satt, so verdammt schwach zu sein. Khalil mag sein Leben verloren haben, aber ich habe auch etwas verloren, und das kotzt mich an.

»Ist okay«, sagt Momma. »Wir schaffen das, ja? Mach einfach die Augen zu, wenn's sein muss.«

Das tue ich.

Lass deine Hände immer sichtbar.

Keine plötzlichen Bewegungen.

Red nur, wenn du was gefragt wirst.

Die Sekunden ziehen sich wie Stunden. Der Beamte fragt Momma nach ihrem Ausweis und dem Versicherungsnachweis. Ich bete zu Black Jesus, er möge uns nach Hause bringen, und hoffe, dass kein Schuss fällt, während sie in ihrer Geldbörse sucht.

Schließlich fahren wir weiter. »Siehst du, Baby«, sagt sie. »Alles bestens.«

Ihre Worte hatten mal Gewicht. Wenn sie sagte, alles sei bestens, dann war es das auch. Aber nachdem man miterlebt hat, wie zwei Menschen ihren letzten Atemzug getan haben, dann sind solche Worte nur noch einen Dreck wert.

Als wir in unsere Einfahrt biegen, umklammere ich den Türgriff immer noch.

Daddy kommt raus und klopft an meine Scheibe. Momma lässt sie für mich runter. »Da sind ja meine Girls.« Er lächelt, doch das Lächeln macht rasch einem Stirnrunzeln Platz. »Was ist passiert?«

»Wolltest du gerade irgendwohin, Baby?«, fragt Momma, was heißen soll, dass sie später darüber reden.

»Genau. Muss mal eben zum Großmarkt und Ware aufstocken.« Er tippt mir auf die Schulter. »Hey, hast du Lust, mit deinem Daddy abzuhängen? Dann kaufe ich dir Eis. Einen von diesen Rieseneimern, die ungefähr für einen Monat reichen.«

Ich lache, obwohl mir nicht danach ist. Daddy kriegt so was hin. »Ich brauche gar nicht so viel Eis.«

»Ich hab ja auch nicht gesagt, dass du es brauchst. Wenn wir zurückkommen, könnten wir was von dem Harry-Potter-Zeug gucken, das du so gern magst.«

»Neeeiiin.«

»Warum denn nicht?«, fragt er.

»Daddy, du bist der Schlimmste zum Harry-Potter-Anschauen. Andauernd fragst du nur« – ich verstelle meine Stimme, damit sie seiner ähnelt – »»warum knallen die diesen *Nigga* Voldemort denn nicht ab?««

»Hey, weil es einfach keinen Sinn ergibt, dass in den ganzen Filmen und Büchern noch keiner dran gedacht hat, ihn abzuknallen.«

»Und wenn es das nicht ist«, sagt Momma, »dann gibst du deine Theorie ›Harry Potter handelt von Gangs‹ zum Besten.«

»Die passt auch!«, sagt er.

Okay, es ist ja auch eine gute Theorie. Daddy behauptet, dass die Häuser von Hogwarts eigentlich Gangs sind. Weil sie ihre eigenen Farben und Verstecke haben und immer etwas füreinander riskieren, eben wie Gangmitglieder.

Harry, Ron und Hermine tricksen einander niemals aus, genau wie die Angehörigen einer Gang. Todesser haben sogar die gleichen Tattoos. Und dann Voldemort. Bei dem haben sie Angst, seinen Namen auszusprechen. Und dieses »Er, dessen Name nicht genannt werden darf« ist doch so, als würde man ihm einen *Street name* geben. Also jede Menge Gangzeug gleich auf den ersten Blick.

»Ihr wisst genau, dass das ziemlich schlüssig ist«, sagt Daddy. »Bloß weil es in England spielt, heißt das ja nicht, dass es nichts mit Gangs zu tun hat.« Er schaut mich an. »Also möchtest du heute mit deinem alten Herrn abhängen oder nicht?«

Dazu habe ich eigentlich immer Lust.

Also rollen wir durch die Straßen, während Tupac aus den Subwoofers dröhnt. Er rappt darüber, dass man sich nicht unterkriegen lassen darf, und Daddy schaut, während er mitsingt, zu mir rüber, als wolle er mir das Gleiche raten wie Tupac.

»Ich weiß, dass du die Schnauze voll hast, Baby, aber Kopf hoch.« Er stupst mein Kinn an. »*I know you're fed up, baby, but keep your head up.*«

Dann singt er den Refrain mit, wo davon die Rede ist, dass es leichter werden wird. Ich weiß nicht, ob ich am liebsten weinen möchte, weil das gerade so genau auf mich zutrifft, oder losprusten, weil Daddy so schrecklich singt.

»Der Typ hat einem echt aus dem Herzen gesprochen. Wirklich aus dem Herzen. Solche Rapper gibt's heutzutage gar nicht mehr.«

»Man merkt, dass du alt wirst, Daddy.«

»Mir egal. Es stimmt. Heute geht es Rappern nur noch um die Kohle, um Nutten und Klamotten.«

»Du wirst echt alt«, flüstere ich.

»Pac hat auch über diese Sachen gerappt, aber ihm ging es genauso um Stärkung der schwarzen Bevölkerung«, sagt Daddy. »Er hat zum Beispiel das Wort ›Nigga‹ genommen und ihm eine ganz neue Bedeutung gegeben – *Never Ignorant Getting Goals Accomplished* – Niemals dumm, jemand, der seine selbst gesetzten Ziele erreicht. Und er hat gesagt, *Thug Life* bedeutet –«

»*The Hate U Give Little Infants F-s Everybody.*« Ich spreche das *Fuck* nicht aus, denn schließlich rede ich ja mit meinem Daddy.

»Das weißt du schon?«

»Klar. Khalil hat mir erklärt, was es bedeutet. Wir hörten gerade Tupac, bevor ... du weißt schon.«

»Okay, also was denkst du, bedeutet es?«

»Weißt du das etwa nicht?«, frage ich.

»Doch. Aber ich will hören, was du denkst.«

Das ist mal wieder typisch. Er stachelt mich zum Denken an. »Khalil hat gesagt, es ginge darum, was die Gesellschaft uns in der Jugend eintrichtert, und wie es später auf sie zurückfällt und ihr schadet«, sage ich. »Ich glaube aber, es geht um mehr, als nur die Jugend. Ich glaube, es geht um uns.«

»Wer ist *uns*?«, fragt er.

»Die Schwarzen, Minderheiten, arme Leute. Alle am unteren Ende der Gesellschaft.«

»Die Unterdrückten«, sagt Daddy.

»Genau. Wir sind diejenigen, die den Kürzeren ziehen, aber wir sind auch diejenigen, die sie am meisten fürchten. Deshalb hatte es die Regierung auch auf die Black Panthers abgesehen, stimmt's? Weil sie Angst vor den Panthers hatte.«

»Mhm«, macht Daddy. »Die Panthers haben die Leute ausgebildet und ihnen Kraft gegeben. Diese Taktik, den Unterdrückten Kraft zu geben, ist aber viel älter als die Panthers. Nenn mir ein Beispiel dafür.«

Ist das sein Ernst? Dafür brauche ich jetzt einen Moment. »Der Sklavenaufstand von 1831«, sage ich. »Nat Turner hat die anderen Sklaven mobilisiert und ausgebildet, was zu einer der größten Sklavenrevolten der Geschichte führte.«

»Genau, genau. Du bist auf der richtigen Spur. Und wofür steht dann der ›Hass‹, den sie ›kleinen Kindern‹ in der heutigen Gesellschaft geben?«

»Rassismus?«

»Da musst du schon ein bisschen genauer werden. Denk mal an Khalil und seine ganze Situation. Bevor er starb.«

»Er war ein Drogendealer.« Es tut weh, das auszusprechen. »Und möglicherweise auch ein Gangmitglied.«

»Warum war er ein Drogendealer? Warum werden so viele Leute in unserem Viertel Drogendealer?«

Ich erinnere mich daran, was Khalil gesagt hat – er war es leid gewesen, sich zwischen Zigaretten und Essen entscheiden zu müssen. »Sie brauchen Geld«, sage ich. »Und sie haben nicht viele Möglichkeiten, an welches zu kommen.«

»Richtig. Fehlende Möglichkeiten«, sagt Daddy. »Die großen Unternehmen Amerikas bringen keine Jobs in unsere Communitys, und sie reißen sich verdammt noch mal auch nicht darum, uns einzustellen. Und dann kommt noch der Mist dazu, dass du sogar mit einem Highschool-Abschluss von den Schulen in unseren Vierteln nicht besonders gut dastehst. Deshalb war ich auch einverstanden, als deine Momma vorschlug, dich und deine Brüder auf die Williamson zu schicken. Unsere Schulen erhalten nicht die nötigen Mittel, um euch so auszubilden, wie die Williamson das kann. Hier in der Gegend kommt man leichter an Crack als an eine gute Schule. Und jetzt überleg mal«, sagt er. »Wie sind die Drogen eigentlich in unsere Viertel gekommen? Das ist eine milliardenschwere Industrie von der wir hier reden, Baby. Der Dreck wird in unsere Communitys geflogen, aber ich kenne niemand mit einem Privatjet. Du vielleicht?«

»Nein.«

»Genau. Die Drogen kommen von irgendwoher und zerstören unsere Community«, sagt er. »Da gibt es Leute wie Brenda, die glauben, sie zum Überleben zu brauchen, und dann gibt es die Khalils, die glauben, sie verkaufen zu müssen, um zu überleben. Die Brendas kriegen keine Jobs, solange sie nicht clean sind, können sich eine Entziehungskur aber erst leisten, wenn sie einen Job haben. Wenn die Khalils eingelocht werden, weil sie Drogen verkaufen, verbringen sie entweder einen Großteil ihres Lebens im Knast, einer anderen milliardenschweren Branche, oder sie haben Probleme, einen richtigen Job zu finden und fangen dann wahrscheinlich wieder an zu dealen. Das ist der Hass, den sie uns geben, Baby, ein gegen uns gerichtetes System. Das bedeutet *Thug Life*.«

»Ich verstehe schon, aber Khalil *musste* ja keine Drogen verkaufen«, sage ich. »Du hast damit doch auch aufgehört.«

»Stimmt. Aber urteile nicht über ihn, solange du nicht in seiner Lage gesteckt hast. Es ist viel schwerer, sich von so einem Leben fernzuhalten, als hineinzugeraten. Vor allem in seiner Situation. Jetzt noch eine einzige Frage.«

»Wirklich?« Verdammt, er hat mir schon genug zum Nachdenken gegeben.

»Ja, *wirklich*«, wiederholt er, und ahmt dabei meine hohe Stimme nach. Obwohl ich eigentlich nicht so klinge. »Wie passt, nach allem, was ich dir jetzt gesagt habe, *Thug Life* mit den Protesten und Unruhen zusammen?«

Darüber muss ich kurz nachdenken. »Alle sind ange-pisst, weil Hundertfünfzehn nicht zur Verantwortung gezogen wird«, sage ich, »aber auch, weil er nicht der Erste ist, der so was getan hat und damit durchgekommen ist. Das hat es schon öfter gegeben, und die Leute werden sich weiter dagegen auflehnen, bis sich was ändert. Also schätze ich mal, das System liefert immer noch Hass und alle werden weiterhin verarscht?«

Daddy lacht und stupst mich an. »Das ist meine Tochter. Pass auf dein Mundwerk auf, aber ja, so ungefähr. Und man wird uns weiter verarschen, bis sich was ändert. Das ist der Schlüssel. Es muss sich was ändern.«

In meiner Kehle bildet sich ein Kloß, als mir die Wahrheit bewusst wird. Mit einem Schlag. »Deshalb gehen die

Leute auf die Straße, oder? Weil sich nichts ändern wird, wenn wir nicht den Mund aufmachen.«

»Ganz genau. Wir dürfen nicht schweigen.«

»Also darf *ich* auch nicht schweigen.«

Daddy erstarrt und sieht mich nur an.

Ich merke, wie er mit sich ringt. Ich bin ihm wichtiger als eine Bewegung. Ich bin sein Baby und werde es immer sein. Wenn Schweigen bedeutet, dass ich in Sicherheit bin, dann ist er absolut dafür.

Aber diese Sache betrifft nicht nur mich und Khalil. Hier geht es um *Uns*, mit dem großem U. Um alle, die aussehen, fühlen und diesen Schmerz empfinden wie wir, selbst wenn sie mich oder Khalil gar nicht kennen. Mein Schweigen hilft *Uns* nicht.

Daddy richtet den Blick wieder auf die Straße und nickt. »Yeah. Man darf nicht schweigen.«

Der Großmarkt ist die Hölle.

All diese Leute, die riesige Wägen herumschieben. Die Dinger sind echt schwer zu manövrieren, vor allem voll beladen. Als wir den Laden endlich verlassen, fühle ich mich, als hätte Black Jesus mich aus den Tiefen der Hölle gerettet. Daddy hat immerhin mein Eis besorgt.

Das ganze Zeug einzukaufen, war aber nur der erste Schritt. Wir schleppen es in unseren Laden, räumen es in die Regale und dann muss ich – und nur ich – Preisschilder auf all die Chipstüten, Kekspackungen und Süßigkeiten kleben. Daran hätte ich mal denken sollen, bevor ich zugestimmt habe, mit meinem Daddy abzuhängen.

Während ich schufte, bezahlt er in seinem Büro Rechnungen.

Ich klebe gerade Schildchen auf das scharfe Knabberzeug, als jemand vorne an die Tür klopft.

»Wir haben geschlossen«, rufe ich, ohne hinzugucken. Da hängt doch auch ein Schild. Können die Leute nicht lesen?

Anscheinend nicht. Es klopft noch mal.

Daddy taucht in der Tür seines Büros auf. »Wir haben geschlossen!«

Erneutes Klopfen.

Daddy verschwindet im Büro und kehrt mit seiner Glock zurück. Die sollte er eigentlich nicht tragen, weil er vorbestraft ist, aber er sagt, genau genommen trägt er sie ja nicht mit sich rum. Er hat sie nur in seinem Büro liegen.

Dann schaut er nach der Person vor der Tür. »Was willst du?«

»Ich hab Hunger«, sagt ein junger Typ. »Kann ich was kaufen?«

Daddy schließt auf und hält die Tür offen. »Du hast fünf Minuten.«

»Danke«, sagt DeVante im Reinkommen. Aus seinem Afro-Puff ist inzwischen ein ausgewachsener Afro geworden. Er hat so was Wildes in seinem Ausdruck, und damit meine ich nicht seine Frisur, sondern seinen Blick. Seine Augen sind geschwollen und rot und blitzen hin und her. Er nickt mir im Vorbeigehen nur ganz flüchtig zu.

Daddy wartet mit seiner Knarre an der Kasse.

DeVante späht nach draußen. Dann schaut er auf die

Chips. »Fritos, Cheetos oder Dori-« Seine Stimme bricht ab, während er wieder hinausspäht. Er merkt, dass ich ihn beobachte und schaut zurück auf die Chips. »Doritos.«

»Deine fünf Minuten sind bald um«, sagt Daddy.

»Verdammt, Alter. Na gut!« DeVante schnappt sich eine Tüte Fritos. »Kann ich noch was zu trinken haben?«

»Aber schnell.«

DeVante läuft zu den Kühlschränken. Ich geselle mich zu Daddy an die Kasse. Da ist so offensichtlich was im Busch. DeVante verrenkt sich den Hals, um nach draußen zu sehen. Seine fünf Minuten verstreichen mindestens dreimal. Niemand kann so lange zwischen Coke, Pepsi oder Faygo hin und her überlegen. Tut mir leid, aber das gibt's nicht.

»So, Vante.« Daddy winkt ihn zur Kasse. »Versuchst du, deinen Mut zusammenzukratzen, um mich zu überfallen, oder haust du gerade vor jemand ab?«

»Nein, zum Teufel, ich versuche nicht, dich zu überfallen.« Er holt einen Packen Scheine hervor und legt ihn auf die Theke. »Ich hab Kohle. Und ich bin ein King. Ich haue vor verdammt noch mal keinem ab.«

»Nein, du versteckst dich nur in Läden«, sage ich.

Wütend funkelt er mich an, aber Daddy erklärt ihm: »Sie hat recht. Du versteckst dich vor jemandem. Kings oder GDs?«

»Das sind aber nicht die GDs aus dem Park, oder?«, frage ich.

»Warum kümmerst du dich nicht einfach um deine Angelegenheiten?«, giftet er mich an.

»Du bist in den Laden von meinem Daddy gekommen, also kümmere ich mich gerade um meine Angelegenheiten.«

»Allerdings«, sagt Daddy. »Aber jetzt mal im Ernst, vor wem versteckst du dich?«

DeVante starrt auf seine ramponierten Chucks, bei denen nicht mal mein Putz-Set noch was ausrichten könnte. »King«, murmelt er.

»Kings oder King?«, fragt Daddy.

»King«, wiederholt DeVante lauter. »Er will, dass ich mir die Typen vorknöpfe, die meinen Bruder umgelegt haben. Aber ich will damit nichts zu tun haben.«

»Ja, ich hab das von Dalvin gehört«, sagt Daddy. »Tut mir leid. Was ist passiert?«

»Wir waren auf der Party von Big D, als ein paar GDs ihn rausgefordert haben. Sie gerieten in Streit und einer von den Feiglingen hat ihn in den Rücken geschossen.«

O verdammt. Dieselbe Party, auf der auch Khalil und ich waren. Das waren die Schüsse, wegen denen wir abgehauen sind.

»Big Mav, wie hast du es geschafft auszusteigen?«, fragt DeVante.

Daddy streicht sich über seinen Ziegenbart und mustert DeVante. »Auf die harte Tour«, antwortet er schließlich. »Mein Daddy war ein King Lord. Adonis Carter. Ein hundertprozentiger OG.«

»Yo!«, sagt DeVante. »Das ist dein Pops? Big Don?«

»Yep. Der größte Drogendealer, den diese Stadt je gesehen hat.«

»Yo, Man. Das ist ja irre.« DeVante klingt jetzt echt wie ein Fan Girl. »Ich hab gehört, sogar Cops haben für ihn gearbeitet und alles. Er hat richtig fett Kohle gemacht.«

Ich habe gehört, dass mein Granddaddy so damit beschäftigt war, fett Kohle zu machen, dass er keine Zeit für Daddy hatte. Es gibt eine Menge Fotos von Daddy, als er noch jünger war und auf denen er Nerz oder Schmuck trägt und mit teurem Spielzeug spielt, aber Grandpa Don ist auf keinem einzigen zu sehen.

»Wahrscheinlich«, sagt Daddy. »Ich hab davon aber nicht viel mitgekriegt. Er ist in den Knast gewandert, als ich acht war. Seither sitzt er. Ich bin sein einziges Kind. Sein Sohn. Alle erwarteten von mir, dass ich da weitermachte, wo er aufgehört hat.

Mit zwölf wurde ich ein King Lord. Shit, es war die einzige Möglichkeit, um zu überleben. Wegen meinem Pops war dauernd irgendwer hinter mir her. Aber als King Lord hatte ich Leute, die mich beschützten. Ein King zu sein, das wurde mein Leben. Ich war bereit, dafür zu sterben, echt wahr.«

Er schaut zu mir. »Dann wurde ich ein Daddy und begriff, dass der King-Lord-Scheiß es nicht wert war, dafür zu sterben. Ich wollte aussteigen. Aber du weißt ja, wie es läuft, das ist leichter gesagt als getan. King war der Boss und mein allerbester Freund, aber er konnte mich nicht einfach so rauslassen. Ich verdiente auch gutes Geld, und es war echt schwer, sich dazu durchzuringen, darauf zu verzichten.«

»Ja, King sagt, du wärst einer der besten Dealer gewesen, die ihm je begegnet sind«, sagt DeVante.

Daddy zuckt mit den Achseln. »Das hab ich von meinem Pops. Aber in Wirklichkeit war ich nur gut, weil ich nie geschnappt wurde. Eines Tages waren King und ich unterwegs, um Waffen abzuholen und wurden hochgenommen. Die Cops wollten wissen, wem die Waffen gehörten. King war schon zwei Mal verknackt worden und diese Anklage hätte lebenslänglich bedeutet. Ich war nicht mal vorbestraft, also nahm ich es auf mich und bekam ein paar Jahre und den Rest auf Bewährung. Loyal wie eine Momma.

Das waren die härtesten drei Jahre meines Lebens. In meiner Jugend war ich sauer auf meinen Daddy gewesen, weil er in den Knast ging und mich verließ. Und jetzt saß ich im selben Knast und verpasste ebenfalls, wie meine Babys aufwuchsen.«

DeVantes Augenbrauen schießen in die Höhe. »Du warst im selben Knast wie dein Pops?«

Daddy nickt. »Mein Leben lang hatten andere ihn wie einen richtigen König hingestellt, verstehst du? Wie eine Legende. Aber er war nur ein schwacher alter Mann, der bedauerte, dass er die Zeit mit mir verpasst hatte. Das Echteste, was er je zu mir gesagt hat, war: ›Mach nicht die gleichen Fehler wie ich.‹« Daddy sieht wieder mich an. »Genau das habe ich aber gemacht. Ich habe erste Schultage verpasst und so was. Mein Baby wollte zu jemand anderem Daddy sagen, weil ich nicht da war.«

Ich schaue weg. Er weiß, wie nah Onkel Carlos und ich uns seither stehen.

»Ich war endgültig fertig mit dem King-Lord-Scheiß, den Scheißdrogen und all dem«, sagt Daddy. »Und weil ich für ihn in den Knast gewandert war, willigte King ein, mich aus der Gang zu lassen. Das war die drei Jahre wert.«

DeVantes Blick verschleiert sich, so, wie wenn er über seinen Bruder spricht. »Du musstest ins Gefängnis gehen, um aussteigen zu können?«

»Ich bin die Ausnahme, nicht die Regel«, sagt Daddy. »Wenn die Leute sagen, es gilt fürs ganze Leben, dann gilt es fürs ganze Leben. Du musst bereit sein, dabei oder dafür zu sterben. Willst du aussteigen?«

»Ich will nicht in den Knast.«

»Das hat er dich nicht gefragt«, sage ich. »Er hat dich gefragt, ob du aussteigen willst.«

DeVante schweigt lange. Dann blickt er zu Daddy auf und sagt: »Ich will einfach nur am Leben bleiben, Alter.«

Daddy streicht über seinen Bart und seufzt. »Na schön. Ich werde dir helfen. Aber ich verspreche dir, wenn du wieder anfängst zu dealen oder mit dem Gangbanging, dann wirst du dir, wenn ich mit dir fertig bin, wünschen, King hätte sich dich vorgenommen. Gehst du zur Schule?«

»Ja.«

»Wie sehen deine Noten aus?«, fragt Daddy.

Er zuckt mit den Achseln.

»Was zum Teufel heißt das?« Daddy macht DeVantes Schulterzucken nach. »Du weißt ja wohl, was für Noten du kriegst, also?«

»Ich meine, ich kriege As und Bs und so«, sagt DeVante. »Ich bin ja nicht bekloppt.«

»Na schön. Gut. Dann sorgen wir auch dafür, dass du auf der Schule bleibst.«

»Alter, ich kann nicht zurück an die Garden High«, sagt DeVante. »Da sind lauter King Lords. Das wär doch lebensmüde, oder?«

»Ich hab ja auch nicht gesagt, dass du dorthin gehen sollst. Wir werden uns was überlegen. In der Zwischenzeit kannst du hier im Laden arbeiten. Hast du zu Hause übernachtet?«

»Nope. Da lässt King seine Jungs nach mir Ausschau halten.«

»Na klar tut er das«, murmelt Daddy. »Auch das werden wir hinkriegen. Starr, zeig ihm, wie man die Preisschilder macht.«

»Du willst ihn einfach so anstellen?«, frage ich.

»Wessen Laden ist das hier, Starr?«

»Deiner, aber –«

»Genug geredet. Zeig ihm, wie man die Preisschilder macht.«

DeVante kichert. Ich würde ihm am liebsten eine reinhauen.

»Komm mit«, nuschle ich.

Wir sitzen im Schneidersitz vor dem Regal mit den Chips. Daddy schließt die Vordertür ab und verschwindet in seinem Büro. Ich schnappe mir eine Riesentüte Hot Cheetos und knalle ein 99-Cent-Schildchen drauf.

»Du sollst mir doch zeigen, wie man das macht«, sagt DeVante.

»Ich zeig es dir ja. Schau zu.«

Ich greife nach der nächsten Tüte. Er beugt sich sehr dicht über meine Schulter. Zu dicht. Atmet in mein Ohr und solchen Mist. Ich ziehe den Kopf weg und schaue ihn an. »Geht's noch?«

»Was hast du eigentlich für ein Problem mit mir?«, fragt er. »Du hattest gestern schon was gegen mich, sobald ich aufgetaucht bin. Dabei hab ich dir nichts getan.«

Ich klebe ein Preisschild auf eine Packung Doritos. »Nein, aber Denasia. Und Kenya. Und wer weiß wie vielen anderen Mädchen in Garden Heights noch.«

»Moment mal, mit Kenya habe ich nichts zu tun.«

»Du hast sie doch nach ihrer Telefonnummer gefragt, oder nicht? Obwohl du mit Denasia zusammen bist.«

»Ich bin nicht mit Denasia zusammen. Ich habe nur auf dieser Party mit ihr getanzt«, sagt er. »Sie ist diejenige, die sich aufführt, als sei sie meine Freundin, und die sauer wurde, weil ich mit Kenya geredet habe. Hätte ich nicht mit den beiden zu tun gehabt, dann hätte ich –« Er schluckt. »Dann hätte ich Dalvin helfen können. Bis ich bei ihm war, lag er schon blutend am Boden. Ich konnte ihn nur noch im Arm halten.«

Ich sehe mich auch in einer Blutlache sitzen. »Und ihm irgendwie versichern, alles würde gut, obwohl du wusstest –«

»Dass es nicht die geringste Chance dafür gab.«

Wir schweigen beide.

Trotzdem habe ich ein seltsames Déjà-vu. Ich sehe mich wie jetzt im Schneidersitz, während ich Khalil zeige, wie man Preisschilder anbringt.

Wir konnten Khalil nicht helfen, bevor er starb. Vielleicht schaffen wir es bei DeVante.

Ich drücke ihm eine Tüte Hot Fries in die Hand. »Ich werde dir nur ein einziges Mal erklären, wie man diesen Preisauszeichner bedient, also passt du besser auf.«

Er grinst. »Meine Aufmerksamkeit gehört nur dir, li'l Momma.«

Später, als ich eigentlich schon schlafen sollte, redet Mom auf dem Flur mit Dad. »Er versteckt sich also vor King und du meinst, das sollte er *hier* tun?«

DeVante. Anscheinend ist meinem Daddy erst mal keine andere Lösung eingefallen und da hat er beschlossen, dass DeVante bei uns bleiben soll. Jedenfalls hat er uns beide vor ein paar Stunden hier abgesetzt, bevor er zurück zum Laden fuhr, um den vor den Randalierern zu schützen. Gerade ist er zurückgekehrt. Er meinte, unser Haus sei der einzige Ort, wo King nicht nach DeVante suchen wird.

»Ich musste was tun«, sagt Daddy.

»Das verstehe ich ja. Und ich weiß, du glaubst, das ist wie eine zweite Chance mit Khalil –«

»Das glaube ich gar nicht.«

»Doch, tust du«, sagt sie sanft. »Ich versteh schon, Baby. Ich schleppe auch ein tonnenschweres Bedauern wegen Khalil mit mir rum. Aber das hier? Das bringt unsere Familie in Gefahr.«

»Es ist doch nur vorübergehend. DeVante kann nicht in Garden Heights bleiben. Das Viertel ist nicht gut für ihn.«

»Moment mal. Für ihn ist es nicht gut, aber für unsere Kinder soll es in Ordnung sein?«

»Ach komm, Lisa. Es ist schon spät. Das will ich jetzt überhört haben. Ich war die halbe Nacht im Laden.«

»Und ich war die halbe Nacht auf und hab mir Sorgen um dich gemacht! Dazu noch Sorgen, weil meine Babys in diesem Viertel leben.«

»Ihnen geht's gut! Sie haben mit dem ganzen Gangbanging nichts zu tun.«

Momma schnaubt. »Genau. So gut, dass ich fast eine Stunde fahren muss, um sie zu einer anständigen Schule zu bringen. Und Gott behüte, dass Sekani mal draußen spielen will. Dann muss ich ihn zum Haus meines Bruders fahren, wo ich mir keine Sorgen darum machen muss, dass er erschossen wird wie die besten Freunde seiner Schwester.«

Wie krank ist das, dass es zwei meiner Freunde getroffen hat?

»Na schön, nehmen wir mal an, wir ziehen weg«, sagt Daddy. »Und dann? Sind wir so wie all die anderen Verräter, die abhauen und dieses Viertel sich selbst überlassen. Wir können die Dinge hier verändern, hauen aber lieber ab. Willst du das unseren Kindern beibringen?«

»Ich will, dass meine Kinder ihr Leben genießen können! Ich hab's kapiert, Maverick, dass du deinen Leuten helfen willst. Das will ich auch. Deshalb reiße ich mir in dieser Klinik jeden Tag den Arsch auf. Aber aus dem Viertel wegzuziehen, bedeutet keinen Verrat und es bedeutet auch nicht, dass du den Leuten hier nicht mehr beistehst. Du musst dich endlich entscheiden, was dir wichtiger ist – deine Familie oder Garden Heights. Ich habe meine Wahl getroffen.«

»Was sagst du da?«

»Dass ich das tun werde, was ich für meine Babys tun muss.«

Man hört Schritte, dann geht eine Tür zu.

Ich liege fast die ganze restliche Nacht wach und frage mich, was das jetzt bedeutet. Für die beiden. Für uns. Okay, sie haben schon vorher übers Umziehen geredet, aber erst seit Khalils Tod streiten sie so darüber.

Falls sie sich trennen, gibt es noch etwas, das Hundertfünfzehn mir genommen hat.

Kapitel 11

Am Montagmorgen weiß ich schon, dass irgendwas im Busch ist, als ich nur einen Fuß in die Williamson setze. Alle sind total leise. Sie flüstern sogar, in kleinen Gruppen auf den Fluren und in der Eingangshalle. Als würden sie während eines Basketballspiels über Spielzüge diskutieren.

Hailey und Maya haben mich gefunden, bevor ich nach ihnen suche. »Hast du die Nachricht gekriegt?«, fragt Hailey.

Das ist das Erste, was sie sagt. Kein Hallo oder so. Aber ich habe mein Handy nicht dabei, also frage ich nur: »Welche Nachricht?«

Sie zeigt sie mir auf ihrem Smartphone. Eine große Rundmail mit etwa hundert Namen. Haileys älterer Bruder Remy hat die erste Nachricht losgeschickt.

Heute Demo 1. Stunde

Darauf hat Luke, der mit den Locken und Grübchen, geantwortet:

Ja, verdammt. Freistunde! Ich bin dabei.

Darauf wieder Remy:

Genau darum geht's doch, Dummkopf.

Es fühlt sich an, als hätte jemand bei meinem Herz die Pausentaste gedrückt. »Die demonstrieren für Khalil?«

»Genau«, sagt Hailey total aufgekratzt. »Perfektes Timing. Deshalb habe ich auch nicht für den Geschichtstest gelernt. Das ist wirklich das erste Mal, dass Remy was echt Gutes eingefallen ist, damit wir den Unterricht schwänzen können. Ich meine, es ist zwar irgendwie krass, dass wir gegen den Tod eines *Drogendealers* demonstrieren, aber –«

All meine Williamson-Regeln gehen über Bord und die Starr aus Garden Heights tritt auf den Plan. »Was hat das denn, verdammte Hölle noch mal, damit zu tun?«

Ihre Münder formen zwei perfekt runde Kreise. »Also, ich meine ... wenn er ein Drogendealer war«, sagt Hailey, »dann erklärt das, warum ...«

»... er umgebracht wurde, obwohl er überhaupt nichts getan hat? Es ist also in Ordnung, dass er getötet wurde? Ich dachte, ihr wolltet dagegen demonstrieren?«

»Wollen wir ja auch! Mein Gott, Starr, mach dich mal locker«, sagt sie. »Ich dachte, du wärst voll dafür. Nach allem, was du in letzter Zeit so auf Tumblr postest.«

»Wisst ihr was?«, sage ich, ganz kurz davor, so *richtig* zu explodieren. »Lasst mich bloß in Ruhe. Und viel Spaß bei eurer kleinen Demo.«

Am liebsten würde ich wie ein Preisboxer auf jeden losgehen, der mir begegnet. Die freuen sich alle so, weil sie vielleicht den verdammten Tag freikriegen. Und Khalil liegt unter der Erde. Er kann keinen Tag freikriegen von diesem Mist. Und ich muss das auch an jedem einzelnen Tag durchleben.

In meinem Klassenzimmer schmeiße ich den Rucksack auf den Boden und lasse mich auf einen Stuhl fallen. Als Hailey und Maya reinkommen, starre ich sie finster an und drohe ihnen stumm, mich bloß nicht anzusprechen.

Ich breche alle Regeln der Williamson-Starr, und es ist mir scheißegal.

Chris kommt vor dem Läuten rein und hat die Kopfhörer um seinen Hals hängen. Er geht auf mich zu, zwickt mich in die Nase und macht dazu »tut, tuut«, weil er das aus irgendeinem Grund komisch findet. Normalerweise lache ich dann und schlage nach ihm, aber heute ... Tja, da bin ich nicht in der Stimmung dafür. Ich schlage nur nach ihm. Und das auch noch ziemlich fest.

Er schreit »Aua« und schüttelt seine Hand aus. »Was ist denn mit dir los?«

Ich antworte nicht. Denn wenn ich jetzt den Mund aufmache, explodiere ich.

Er hockt sich neben meinen Tisch und schüttelt meinen Oberschenkel. »Starr? Alles okay?«

Unser Lehrer, der glatzköpfige, untersetzte Mr. Warren räuspert sich. »Mr. Bryant, meine Stunde ist keine Dating Show. Also setzen Sie sich bitte.«

Chris rutscht auf den Platz neben mir. »Was ist mit ihr los?«, flüstert er Hailey zu.

Die stellt sich dumm und sagt nur: »Keine Ahnung.«

Mr. Warren sagt, wir sollen unsere MacBooks rausholen, und fängt mit dem Unterricht in englischer Literatur an. Es dauert keine fünf Minuten, bis jemand ruft: »Gerechtigkeit für Khalil.«

»Gerechtigkeit für Khalil«, wiederholen die anderen. »Gerechtigkeit für Khalil.«

Mr. Warren meint, sie sollen damit aufhören, aber sie werden lauter und hauen mit den Fäusten auf die Tische.

Ich würde mich am liebsten übergeben, schreien und heulen.

Da trampeln meine Klassenkameraden auch schon zur Tür. Maya geht als Letzte. Sie schaut noch mal zu mir zurück, dann wieder zu Hailey, die ihr bedeutet, zu kommen. Maya folgt ihr.

Ich glaube, das war's mit meiner Gefolgschaft für Hailey.

Auf dem Flur klingen die Rufe für Khalil wie Sirenen. Anders als Hailey ist es einigen vielleicht egal, dass er ein Dealer war. Vielleicht sind sie fast genauso wütend wie ich. Aber da ich weiß, warum Remy zu dieser Demo aufgerufen hat, bleibe ich auf meinem Platz sitzen.

Aus irgendeinem Grund tut Chris das auch. Sein Tisch scharrt über den Boden, als er ihn so nah heranschiebt, dass er an meinen stößt. Mit dem Daumen wischt er meine Tränen weg.

»Du kanntest ihn, oder?«, fragt er.

Ich nicke.

»Oh«, sagt Mr. Warren. »Das tut mir so leid, Starr. Du musst nicht – du kannst deine Eltern anrufen, ja?«

Ich wische mir übers Gesicht. Das Letzte, was ich brauche, ist Momma, die sich um mich sorgt, weil ich nicht klarkomme. Außerdem will ich damit klarkommen. »Können Sie mit dem Unterricht weitermachen, Sir?«, frage ich. »So eine Ablenkung täte ganz gut.«

Er lächelt traurig und tut dann genau das.

Im weiteren Verlauf des Schultags sind Chris und ich manchmal die Einzigen in unseren Kursen. Gelegentlich gesellen sich noch ein, zwei Leute dazu. Einige kommen extra, um mir zu sagen, wie scheiße sie das mit Khalils Tod finden, aber wie bescheuert Remys Grund für den Protest ist. Diese Zehntklässlerin tritt im Flur auf mich zu und erklärt, dass sie es in der Sache richtig findet, aber beschlossen hat, in den Unterricht zurückzukehren, nachdem sie erfahren hat, warum wirklich demonstriert wird.

Sie benehmen sich, als wäre ich die offizielle Vertreterin der schwarzen Rasse und als schuldeten sie mir eine Erklärung. Aber das kann ich schon verstehen. Wenn ich eine solche Demonstration boykottiere, ist das ein Statement, aber wenn sie es tun, sieht das nach Rassismus aus.

Zum Mittagessen steuern Chris und ich unseren Tisch neben den Automaten an. Jess mit ihrem perfekten Pixie-Cut ist die Einzige außer uns. Sie isst Cheese Fries und liest etwas auf ihrem Handy.

»Hey«, sage ich und es klingt eher wie eine Frage. Es wundert mich, dass sie hier ist.

»Isnlos?« Sie nickt. »Setzt euch. Wie ihr seht, gibt's ja Platz genug.«

Ich setze mich neben sie und Chris hockt sich neben mich. Jess und ich spielen seit drei Jahren zusammen Basketball und seit zwei davon legt sie ihren Kopf auf meine Schulter, aber es ist mir peinlich zuzugeben, dass ich nicht viel über sie weiß. Nur dass sie in die zwölfte geht, ihre Eltern Anwälte sind und sie in einer Buchhandlung jobbt. Ich hätte nicht gedacht, dass sie sich nicht an der Demonstration beteiligt.

Anscheinend habe ich sie durchdringend angestarrt,

denn sie sagt jetzt zu mir: »Ich benutze keine Toten, um den Unterricht zu schwänzen.«

Wäre ich nicht hetero, würde ich sie allein schon für diesen Spruch daten. Diesmal lehne ich meinen Kopf an ihre Schulter.

Sie streicht über meine Haare und meint: »Weiße Menschen tun manchmal total bescheuerte Dinge.«

Jess ist weiß.

Seven und Layla gesellen sich mit ihren Tabletts zu uns. Seven hält mir seine Faust hin. Ich checke sie.

»Se-ven«, sagt Jess und die beiden checken auch ihre Fäuste. Ich hatte keine Ahnung, dass die beiden so eng sind. »Wir demonstrieren anscheinend gegen die ›Raus aus dem Unterricht‹-Demo.«

»Exakt«, sagt Seven. »Demo gegen die ›Raus aus dem Unterricht‹-Demo.«

Nach dem Unterricht holen Seven und ich Sekani ab, und der kann nicht aufhören, von den Fernsehkameras zu reden, die er vom Fenster seines Klassenzimmers aus gesehen hat. Schließlich ist er Sekani und auf diese Welt gekommen, um nach Kameras Ausschau zu halten. Ich habe viel zu viele Selfies von ihm auf meinem Handy, auf denen er ein »Helle-Haut-Gesicht« macht, mit zusammengekniffenen Augen und hochgezogenen Augenbrauen.

»Kommt ihr jetzt alle in die Nachrichten?«, fragt er.

»Nee«, sagt Seven. »Brauchen wir nicht.«

Wir könnten nach Hause fahren, die Tür abschließen und um den Fernseher streiten, wie wir es sonst immer machen, oder Daddy im Laden helfen. Wir fahren zum Laden.

Daddy steht in der Tür und beobachtet eine Reporterin und einen Kameramann, die vor dem Laden von Mr. Lewis Position bezogen haben. Natürlich ruft Sekani, sobald er die Kamera erblickt: »Ooh, ich will ins Fernsehen!«

»Halt die Klappe«, sage ich. »Willst du nicht.«

»Doch, will ich. Du weißt gar nicht, was ich will!«

Der Wagen hält und Sekani schiebt meinen Sitz so heftig nach vorn, dass ich mit dem Kinn gegen das Armaturenbrett knalle, während er schon rausspringt. »Daddy, ich will ins Fernsehen!«

Ich reibe mir das Kinn. Seine Hibbeligkeit wird mich noch das Leben kosten.

Daddy hält Sekani an den Schultern fest. »Beruhig dich, Mann. Du kommst nicht ins Fernsehen.«

»Was ist denn da los?«, fragt Seven, nachdem wir auch ausgestiegen sind.

»Um die Ecke wurden ein paar Cops überfallen«, sagt Daddy und hat einen Arm auf Sekanis Brust gelegt, um ihn ruhig zu halten.

»Überfallen?«, frage ich.

»Ja. Die haben sie aus ihrem Streifenwagen gezerrt und zusammengeschlagen. *Gray Boys.*«

Graue Jungs. Das ist der Deckname für King Lords. Verdammt.

»Hab gehört, was an eurer Schule los war«, sagt Daddy. »Alles cool?«

»Ja.« Ich beschränke mich auf die einfachste Antwort. »Uns geht's gut.«

Mr. Lewis rückt seine Kleidung zurecht und fährt sich mit einer Hand über seinen Afro. Die Reporterin sagt irgendwas, und er lacht so heftig, dass sein Bauch wackelt.

»Was hat dieser Trottel denn zu sagen?«, fragt sich Daddy.

»Wir gehen in fünf Sekunden auf Sendung«, sagt der Kameramann und ich kann nur noch denken, *bitte bringt Mr. Lewis nicht live ins Fernsehen*, »vier, drei, zwei, eins.«

»Das stimmt, Joe«, sagt die Reporterin jetzt. »Ich stehe hier mit Mr. Cedric Lewis Junior, der den Vorfall mit den Polizeibeamten heute beobachtet hat. Können Sie uns sagen, was Sie gesehen haben, Mr. Lewis?«

»Der hat gar nichts beobachtet«, sagt Daddy zu uns. »War die ganze Zeit in seinem Laden. Ich hab ihm erzählt, was passiert ist!«

»Sicher kann ich das«, sagt Mr. Lewis. »Die Jungs haben diese Beamten aus ihrem Wagen gezerrt. Dabei haben die gar nichts getan. Die saßen einfach nur da und wurden dann wie Hunde verprügelt. Unfassbar! Hören Sie? Verdammt noch mal un-fass-bar!«

Jemand wird Mr. Lewis zum Meme machen. Er macht sich gerade zum Idioten und merkt es noch nicht mal.

»Denken Sie, das war Vergeltung für den Fall Khalil Harris?«, fragt die Reporterin.

»Na klar! Was bescheuert ist. Diese Gangster terrorisieren Garden Heights seit Jahren. Wie kommen die dazu, sich jetzt aufzuregen? Vielleicht weil sie ihn nicht selbst umgelegt haben? Der Präsident und alle suchen nach Terroristen, aber ich werde Ihnen einen nennen, den sie sofort hier abholen können.«

»Tun Sie's nicht, Mr. Lewis«, betet Daddy. »Tun Sie's nicht.«

Natürlich tut er es. »Sein Name ist King und er wohnt direkt hier in Garden Heights. Wahrscheinlich der größte Drogendealer der Stadt. Der herrscht über diese King Lords-Gang. Sollen sie sich doch den holen, wenn sie jemand schnappen wollen. Diejenigen, die das mit den Cops gemacht haben, das waren natürlich auch seine Jungs. Wir haben das so satt! Dagegen sollte mal jemand demonstrieren!«

Daddy hält Sekani die Ohren zu, denn jedes Schimpfwort, das dann folgt, würde einen Dollar in Sekanis Spardose bedeuten, wenn er es hören würde. »Shit«, zischt Daddy. »Shit, Shit, Shit. Dieser Motherf–«

»Er hat sie verpfiffen«, sagt Seven.

»Live im Fernsehen«, füge ich hinzu.

Daddy wiederholt immer nur »Shit, Shit, Shit«.

»Glauben Sie, dass die Ausgangssperre, die der Bürgermeister für heute verhängt hat, solche Vorfälle unterbinden wird?«, fragt die Reporterin Mr. Lewis.

Ich sehe Daddy an. »Welche Ausgangssperre?«

Er nimmt seine Hände von Sekanis Ohren. »Jeder Laden in Garden Heights muss bis neun Uhr zumachen. Und nach zehn darf keiner mehr auf der Straße sein. Licht aus, wie im Knast.«

»Bist du dann heute Abend zu Hause, Daddy?«, fragt Sekani.

Daddy drückt ihn lächelnd an sich. »Ja, Mann. Und

nachdem du deine Hausaufgaben gemacht hast, kann ich dir ein paar Sachen auf *Madden* zeigen.«

Die Reporterin beendet ihr Interview. Daddy wartet, bis sie und der Kameramann verschwunden sind, dann geht er zu Mr. Lewis rüber. »Sind Sie irre?«, fragt er.

»Was denn? Weil ich die Wahrheit gesagt habe?«, sagt Mr. Lewis.

»Mann, das können Sie doch nicht live im Fernsehen machen, jemand derart verpfeifen. Jetzt sind Sie ein toter Mann, das wissen Sie, oder?«

»Ich hab keine Angst vor dem *Nigga*!«, sagt Mr. Lewis so laut, dass es jeder hören kann. »Haben Sie etwa Angst vor dem?«

»Nee, aber ich weiß, wie das Spiel läuft.«

»Und ich bin zu alt zum Spielen. Das sollten Sie auch sein!«

»Mr. Lewis, hören Sie mal –«

»Nee, jetzt hör du mir mal zu, Junge. Ich habe in einem Krieg gekämpft, kam zurück und habe den nächsten hier ausgefochten. Siehst du das hier?« Er zieht sein Hosenbein hoch, sodass eine karierte Socke über der Prothese sichtbar wird. »Hab ich im Krieg verloren. Aber diese stammt von hier.« Dann zieht er sein Hemd hoch. Eine dünne rosafarbene Narbe verläuft vom Rücken bis nach vorn zu seinem dicken Bauch. »Das haben mir ein paar weiße Jungs zugefügt, weil ich aus ihrem Brunnen getrunken habe.« Er lässt das Hemd wieder runter. »Ich habe mich echt schon Schlimmerem gestellt als irgendeinem sogenannten King. Der kann nichts anderes tun als mich umbringen. Und wenn ich sterben muss, weil ich die Wahrheit gesagt habe, dann sterbe ich eben.«

»Sie verstehen nicht«, sagt Daddy.

»Doch, tue ich. Verdammt, ich verstehe dich schon. Du läufst hier rum, behauptest, kein Gangster mehr zu sein, behauptest, du würdest versuchen, was zu ändern, aber dann hältst du dich trotzdem noch an den ganzen ›Niemand verpfeifen‹-Mist. Das bringst du deinen Kids auch bei, nicht wahr? King kontrolliert dich immer noch, du Blödmann, aber du bist zu dumm, das zu erkennen.«

»Dumm? Wie können Sie mich dumm nennen, während Sie sich live vor eine Fernsehkamera stellen und jemand verpfeifen?«

Da ertönt das vertraute Geräusch einer Polizeisirene.

O Gott.

Der Streifenwagen kommt mit Blaulicht die Straße lang und bleibt neben Daddy und Mr. Lewis stehen.

Zwei Polizisten steigen aus. Einer schwarz, einer weiß. Sie haben die Hände zu nah an den Pistolen an ihren Hüften.

Nein, nein, nein.

»Haben wir hier ein Problem?«, fragt der Schwarze und sieht Daddy direkt an. Er ist kahlköpfig wie Daddy, aber älter, größer und kräftiger.

»No, Sir, Officer«, sagt Daddy. Seine Hände, die bis eben noch in seinen Hosentaschen steckten, hat er jetzt sichtbar an seinen Seiten.

»Sind Sie sich da sicher?«, fragt der jüngere Weiße nach. »Auf uns wirkte das nicht so.«

»Wir haben uns nur unterhalten, Officers«, sagt Mr.

Lewis, viel sanfter als noch vor einer Minute. Auch er hat die Hände sichtbar an seinen Seiten. Mit ihm müssen seine Eltern also ebenfalls geredet haben, als er zwölf war.

»Für mich sieht das aus, als hätte dieser junge Mann Sie bedrängt, Sir«, sagt der Schwarze und wendet dabei den Blick nicht von Daddy. Mr. Lewis hat er noch gar nicht angesehen. Ich frage mich, ob das daran liegt, dass Mr. Lewis auch kein *NWA*-T-Shirt trägt. Oder daran, dass seine Arme nicht mit Tattoos bedeckt sind. Oder auch daran, dass er keine Baggy-Jeans und kein umgedrehtes Baseballcap trägt.

»Können Sie sich ausweisen?«, fragt der schwarze Cop Daddy.

»Sir, ich wollte gerade zurück in meinen Laden –«

»Ich sagte, können Sie sich ausweisen?«

Meine Hände fangen an zu zittern. Frühstück, Mittagessen und alles andere in meinem Magen rumort herum, bereit, hier und jetzt wieder hochzukommen. Die werden mir Daddy wegnehmen.

»Was ist denn hier los?«

Ich drehe mich um. Tim, der Neffe von Mr. Reuben, kommt zu uns rüber. Auf dem Bürgersteig gegenüber sind bereits Leute stehen geblieben.

»Ich werde jetzt meinen Ausweis rausholen«, sagt Daddy, »der steckt in meiner hinteren Hosentasche. In Ordnung?«

»Daddy –«, sage ich.

Daddy wendet seinen Blick nicht von dem Polizisten. »Ihr geht alle in den Laden, ja? Alles okay.«

Wir rühren uns aber nicht von der Stelle.

Daddy bewegt eine Hand ganz langsam zu seiner hinteren Hosentasche. Ich schaue von seinen Händen zu ihren, um zu sehen, ob sie nach ihren Waffen greifen.

Daddy zieht sein Portemonnaie heraus, das aus Leder, das ich ihm zum Vatertag gekauft habe. Seine Initialen sind darauf geprägt. Er zeigt es ihnen.

»Sehen Sie? Da ist mein Ausweis drin.«

Seine Stimme klang noch nie so zaghaft.

Der schwarze Officer nimmt ihm den Geldbeutel ab und öffnet ihn. »Oh«, sagt er. »*Maverick Carter*.«

Er wechselt einen Blick mit seinem Partner.

Beide sehen mich an.

Mein Herzschlag setzt aus. Ihnen ist klar, dass ich die Zeugin bin.

Es muss eine Akte geben, in der die Namen meiner Eltern stehen. Oder die Detectives haben geplaudert und deshalb kennt uns jetzt jeder auf der Polizeiwache. Sie könnten es aber auch irgendwie von Onkel Carlos erfahren haben. Ich habe keine Ahnung, wie genau, aber es ist passiert. Und falls Daddy was zustößt ...

Der schwarze Cop sieht ihn an. »Auf den Boden, Hände hinter den Rücken.«

»Aber –«

»Auf den Boden. Gesicht runter!«, brüllt er. »Jetzt!«

Daddy schaut zu uns. Sein Gesichtsausdruck ist eine Entschuldigung dafür, dass wir das mitansehen müssen.

Er geht auf die Knie und legt sich bäuchlings auf den Boden. Dann nimmt er die Hände auf den Rücken und verschränkt die Finger.

Wo ist der Kameramann denn jetzt? Warum kann das nicht in den Nachrichten kommen?

»Moment mal, Officer«, sagt Mr. Lewis. »Er und ich, wir haben uns doch nur unterhalten.«

»Sir, gehen Sie rein«, befiehlt ihm der weiße Cop.

»Aber er hat nichts getan!«, sagt Seven.

»Junge, geh rein!«, sagt der schwarze Cop.

»Nein! Das ist mein Vater und –«

»Seven!«, brüllt Daddy.

Obwohl er auf dem Asphalt liegt, ist in seiner Stimme genug Autorität, um Seven zum Schweigen zu bringen.

Der schwarze Officer durchsucht Daddy, während sein Partner all die Schaulustigen im Auge behält. Wir sind inzwischen schon ziemlich viele. Ms. Yvette und einige ihrer Kundinnen stehen mit Handtüchern um die Schultern in der Tür ihres Ladens. Auf der Straße bleibt ein Auto stehen.

»Kümmern Sie sich jetzt mal alle um Ihre eigenen Angelegenheiten«, ruft der weiße Cop.

»Nein, Sir«, sagt Tim. »Das sind unsere Angelegenheiten.«

Der schwarze Cop drückt ein Knie in Daddys Rücken, während er ihn durchsucht. Er tastet ihn einmal, zweimal, dreimal ab, genau wie Hundertfünfzehn Khalil. Nichts.

»Larry«, sagt der weiße Cop.

Der schwarze, anscheinend Larry, schaut zu ihm hoch und dann auf all die Leute, die sich schon versammelt haben.

Da nimmt Larry das Knie von Daddys Rücken und erhebt sich. »Aufstehen«, sagt er.

Langsam richtet Daddy sich auf.

Larry späht zu mir rüber. In meinem Mund schmecke ich Galle. An Daddy gewandt sagt er: »Ich werde dich im Auge behalten, Junge. Vergiss das nicht.«

Daddys Kiefer sehen aus wie versteinert.

Dann fahren die Cops weg. Genau wie das Auto, das auf der Straße angehalten hatte. Auch die anderen Zuschauer zerstreuen sich. Einer ruft: »Alles gut, Maverick.«

Daddy schaut zum Himmel und blinzelt, wie ich es tue, wenn ich nicht weinen will. Dazu ballt er immer wieder die Fäuste.

Mr. Lewis legt ihm eine Hand auf den Rücken. »Komm, mein Sohn.«

Er führt Daddy in unsere Richtung, aber an uns vorbei und in den Laden. Tim folgt den beiden.

»Warum haben die Daddy so behandelt?«, fragt Sekani leise. Mit Tränen in den Augen sieht er Seven und mich an.

Seven legt einen Arm um ihn. »Ich weiß es auch nicht, Alter.«

Ich schon.

Ich gehe ebenfalls in den Laden.

DeVante stützt sich neben der Kasse auf einen Besen. Er trägt eine dieser hässlichen grünen Schürzen, die Daddy mir und Seven immer aufdrängt, wenn wir im Laden arbeiten.

Mein Herz verkrampft sich. Khalil hat die auch getragen.

DeVante unterhält sich gerade mit Kenya, die einen Korb mit Lebensmitteln in der Hand hält. Als hinter mir die Türglocke anschlägt, schauen beide in meine Richtung.

»Yo, was ist denn passiert?«, fragt DeVante.

»Waren das die Cops da draußen?«, sagt Kenya.

Ich kann Mr. Lewis und Tim in der Tür zu Daddys Büro stehen sehen. Er muss da drin sein.

»Genau«, sage ich zu Kenya und laufe nach hinten durch. Kenya und DeVante folgen mir und stellen eine Unmenge an Fragen, für die ich jetzt keine Zeit habe.

Überall auf dem Boden des Büros liegen Papiere verstreut. Daddy steht über den Schreibtisch gebeugt. Sein Rücken hebt und senkt sich mit jedem tiefen Atemzug.

Dann haut er mit der Faust auf den Tisch. »Fuck!«

Daddy hat mir mal gesagt, dass jeder Schwarze den Zorn seiner Vorfahren erbt. Der in dem Moment entstanden ist, als diese nicht verhindern konnten, dass die Sklavenhalter ihren Familien Leid zufügten. Daddy hat auch gesagt, es gibt nichts Gefährlicheres, als diesen Zorn anzufachen.

»Lass es raus, Junge«, sagt Mr. Lewis.

»Diese verdammten Schweine, Alter«, sagt Tim. »Diesen Shit haben die nur abgezogen, weil sie von Starr wissen.«

Moment mal. Wie bitte?

Daddy schaut über die Schulter. Seine Augen sind geschwollen und feucht, als hätte er geweint. »Verdammt, wovon redest du da, Tim?«

»Einer von den Jungs aus dem Viertel hat dich, Lisa und

deine Kleine an jenem Abend am Tatort aus dem Krankenwagen steigen gesehen«, sagt Tim. »Das hat sich in der
Nachbarschaft rumgesprochen, und die Leute glauben, sie
ist die Zeugin, von der in den Nachrichten die Rede ist.«

Oh.

Shit.

»Starr, geh bei Kenya kassieren«, sagt Daddy. »Und
DeVante, mach die Böden fertig.«

Ich laufe an Seven und Sekani vorbei zur Kasse.

Das Viertel weiß also Bescheid.

Während ich Kenyas Einkauf eintippe, zieht sich mein
Magen zusammen. Wenn die Leute in unserer Gegend
es wissen, wird es nicht lange dauern, bis man auch außerhalb von Garden Heights Bescheid weiß. Und was
dann?

»Das hast du zweimal eingetippt«, sagt Kenya.

»Was?«

»Die Milch. Die hast du zweimal eingegeben, Starr.«

»Oh.«

Ich storniere eine Milch und lege die Packung in eine
Tüte. Kenya kocht wahrscheinlich heute Abend für sich
und Lyric. Das macht sie manchmal. Ich tippe den Rest
ihrer Einkäufe in die Kasse, nehme das Geld und gebe ihr
das Wechselgeld zurück.

Eine Sekunde lang sieht sie mich an, dann sagt sie:
»Warst du wirklich bei ihm?«

Mein Hals ist wie zugeschnürt. »Spielt das eine Rolle?«

»O ja, tut es. Warum verschweigst du das? Als würdest
du dich verstecken.«

»Sag das nicht.«

»Aber so ist es doch. Oder?«

Ich seufze. »Kenya, hör auf. Du verstehst das nicht, okay?«

Kenya verschränkt die Arme. »Was gibt's da nicht zu verstehen?«

»Eine Menge!« Eigentlich wollte ich nicht schreien, aber verdammt noch mal. »Ich kann das den Leuten nicht einfach so erzählen.«

»Warum nicht?«

»Darum! Du hast ja nicht gesehen, was die Cops gerade mit meinem Daddy gemacht haben, weil sie wissen, dass ich die Zeugin bin.«

»Dann lässt du dich also von der Polizei davon abhalten, für Khalil den Mund aufzumachen? Ich dachte echt, er hätte dir mehr bedeutet.«

»Hat er.« Mehr als sie je erfahren wird. »Ich habe schon mit den Cops geredet, Kenya. Und nichts ist passiert. Was soll ich denn noch tun?«

»Geh ins Fernsehen oder irgendwas. Keine Ahnung«, sagt sie. »Erzähl jedem, was an dem Abend wirklich passiert ist. Die scheren sich doch einen Dreck um seine Version der Geschichte. Du lässt zu, dass sie schlecht über ihn reden –«

»Entschuldige mal – wie zum Teufel lasse ich denn irgendwas zu?«

»Du hörst das doch auch alles, was sie in den Nachrichten über ihn verbreiten, wo sie ihn einen *Thug* nennen und so. Und du weißt, dass Khalil das nicht war. Ich wette, wenn er einer von deinen Privatschulfreunden gewesen wäre, wärst du jetzt schon im Fernsehen, würdest ihn verteidigen und alles.«

»Ist das dein Ernst?«

»Yeah, verdammt noch mal«, sagt sie. »Du hast ihn für diese besseren Kids fallen lassen, und du weißt es. Wahrscheinlich hättest du mich auch fallen gelassen, wenn ich nicht wegen meinem Bruder immer wieder vorbeikommen würde.«

»Das stimmt nicht!«

»Bist du dir da sicher?«

Bin ich nicht.

Kenya schüttelt den Kopf. »Und weißt du, was das Schlimmste an der ganzen Sache ist? Der Khalil, den ich kannte, wäre ohne zu zögern vor die Fernsehkameras gegangen und hätte jedem erzählt, was an dem Abend passiert ist, wenn es drum gegangen wäre, dich zu verteidigen. Und du kannst für ihn nicht das Gleiche tun.«

Ihre Worte sind wie eine Ohrfeige. Und zwar von der schlimmsten Sorte. Weil sie wahr sind.

Kenya greift nach ihren Einkaufstüten. »Ich sag ja nur, Starr. Wenn ich ändern könnte, was bei mir zu Hause zwischen meiner Momma und Daddy abgeht, ich würde es tun. Und du hast die Chance, dabei zu helfen, was zu verändern, das *unsere ganze Gegend* betrifft, aber du hältst die Klappe. Wie ein Feigling.«

Kenya verlässt den Laden. Tim und Mr. Lewis folgen ihr kurz darauf. Im Rausgehen reckt Tim mir noch die Black-Power-Faust entgegen. Obwohl ich sie nicht verdiene.

Ich gehe zu Daddys Büro. Seven steht in der Tür, Daddy hockt auf dem Schreibtisch. Sekani sitzt neben ihm und nickt mit traurigem Gesicht zu allem, was Daddy gerade sagt. Es erinnert mich daran, wie Daddy und Momma damals mit mir geredet haben. Anscheinend hat Daddy beschlossen, nicht zu warten, bis Sekani zwölf ist.

Jetzt entdeckt Daddy mich. »Sev, geh du an die Kasse. Und nimm Sekani mit. Ist an der Zeit, dass er es lernt.«

»Ooh, Alter«, stöhnt Sekani. Ich kann's ihm nicht verübeln. Je mehr man im Laden gelernt hat, desto mehr Hilfe wird auch von einem erwartet.

Daddy klopft auf die frei gewordene Stelle neben sich und ich setze mich auf den Tisch. In seinem Büro ist gerade mal genug Platz für den Schreibtisch und einen Aktenschrank. An den Wänden hängen massenhaft gerahmte Fotos. Darunter das von ihm und Momma am Tag ihrer Hochzeit. Ihr Bauch (also genau genommen ich) sieht groß und rund aus. Es gibt Bilder von mir und meinen Brüdern als Babys und dieses eine von vor ungefähr sieben Jahren, als meine Eltern uns drei mit in die Mall zum Fotografen schleppten. Sie selbst kamen im Partnerlook, mit Baseballtrikots, Baggyjeans und Timberlands. Ziemlich kitschig.

»Bist du okay?«, fragt Daddy.

»Und du?«

»Bei mir wird das schon wieder«, sagt er. »Es kotzt mich nur an, dass du und deine Brüder den Scheiß mitansehen musstet.«

»Das haben die nur meinetwegen gemacht.«

»Nee, Baby. Die hatten damit schon angefangen, bevor sie von dir wussten.«

»Aber genützt hat es auch nicht gerade.« Ich starre auf meine Js, während ich die Füße hin und her baumeln lasse. »Kenya hat mich einen Feigling genannt, weil ich nicht den Mund aufmache.«

»Das hat sie nicht so gemeint. Sie macht nur gerade viel durch, das ist alles. King behandelt Iesha an wirklich jedem Abend wie eine Schlenkerpuppe.«

»Aber sie hat recht.« Meine Stimme bricht. Ich bin ganz nah dran loszuheulen. »Ich bin ein Feigling. Nachdem ich gesehen habe, was die mit dir gemacht haben, will ich erst recht nichts mehr sagen.«

»Hey.« Daddy fasst mich am Kinn, sodass ich ihn ansehen muss. »Fall darauf nicht rein. Genau das wollen die doch. Wenn du nichts mehr sagen willst, dann ist das deine Sache. Aber lass nicht die Angst vor denen dein Grund sein. Was sage ich euch immer, vor wem ihr euch fürchten sollt?«

»Vor niemand außer Gott. Und vor dir und Momma. Vor allem Momma, wenn sie stocksauer ist.«

Er lacht leise. »Genau. Und damit endet die Liste. Du hast nichts und niemanden sonst zu fürchten. Siehst du das hier?« Er schiebt den Ärmel seines Shirts hoch und zeigt mir das Tattoo von meinem Babybild auf seinem Oberarm. »Was steht da drunter?«

»*Something to live for, something to die for*«, sage ich, ohne hinzuschauen. Ich kenne den Schriftzug schließlich schon mein Leben lang.

»Ganz genau. Du und deine Brüder, ihr seid, wofür es zu leben und zu sterben lohnt. Und ich werde tun, was immer ich tun muss, um euch zu beschützen.« Er küsst mich auf die Stirn. »Wenn du bereit bist zu reden, Baby, dann rede. Ich stehe hinter dir.«

Kapitel 12

Ich locke gerade Brickz nach drinnen, als es draußen vorbeifährt.

Eine Ewigkeit sehe ich ihm zu, wie es die Straße entlangkriecht, bis mir in den Sinn kommt, jemand darauf aufmerksam zu machen. »Daddy!«

Er schaut vom Unkrautzupfen zwischen seinen Paprikastauden hoch. »Ist das ihr Ernst?«

Das Panzerfahrzeug sieht aus wie die Dinger, die man in den Nachrichten sieht, wenn vom Krieg im Nahen Osten die Rede ist. Es hat ungefähr die Größe von zwei Hummers. Die blau-weißen Scheinwerfer machen die Straße fast taghell. Oben drauf ist ein Polizist in kugelsicherer Weste und mit Helm postiert. Er hält sein Gewehr im Anschlag.

Da dröhnt eine Stimme aus dem Fahrzeug. »Jeder, der sich nicht an die Ausgangssperre hält, wird verhaftet.«

Daddy zupft weiter Unkraut. »Was für ein Bullshit.«

Brickz folgt dem Stück Fleischwurst, das ich ihm vor die Nase halte, bis zu seinem Platz in der Küche. Dort setzt er sich brav hin, frisst es und dann sein übriges Futter. Brickz entspannt sich, solange Daddy zu Hause ist.

Eigentlich sind wir alle irgendwie so. Wenn Daddy zu Hause ist, bleibt Momma nicht die ganze Nacht wach, Sekani zuckt nicht dauernd zusammen und Seven muss nicht den Mann im Haus spielen. Ich schlafe dann auch besser.

Jetzt kommt Daddy rein und klopft angetrocknete Erde

von seinen Fingern. »Die Rosen gehen ein. Brickz, hast du etwa auf meine Rosen gepisst?«

Brickz hebt aufmerksam den Kopf. Erst sucht er Daddys Blick, dann senkt er aber wieder den Kopf. »Lass dich bloß nicht dabei erwischen«, sagt Daddy, »sonst haben wir ein Problem.«

Nun senkt Brickz auch noch die Augen.

Ich schnappe mir ein bisschen Küchenpapier und ein Stück Pizza aus der Schachtel auf der Küchentheke. Das ist heute Abend schon mein viertes Stück, glaube ich. Momma hat zwei Riesenpizzen bei Sal's auf der anderen Seite des Freeways geholt. Sal's gehört Italienern, deshalb ist die Pizza auch dünn, irgendwie »kräuterig« und lecker.

»Bist du mit deinen Hausaufgaben fertig?«, fragt Daddy.

»Yep.« Eine Lüge.

Er wäscht sich die Hände am Spülbecken. »Irgendwelche Tests diese Woche?«

»Trigonometrie am Freitag.«

»Hast du schon dafür gelernt?«

»Yep.« Noch eine Lüge.

»Gut.« Er holt sich Trauben aus dem Kühlschrank. »Hast du deinen alten Laptop noch? Den du hattest, bevor wir dir dieses sauteure Obstding gekauft haben.«

Ich lache. »Das ist ein Apple MacBook, Daddy.«

»Ganz bestimmt war es teurer als ein Apfel. Aber wie auch immer, hast du den alten noch?«

»Ja.«

»Gut. Gib ihn Seven. Er soll ihn anschauen und prüfen, ob er in Ordnung ist. Ich will, dass DeVante ihn kriegt.«

»Warum?«

»Zahlst du schon Rechnungen?«

»Nein.«

»Dann muss ich dir das auch nicht beantworten.«

Auf diese Weise entzieht er sich fast jeder Diskussion mit mir. Ich sollte mir mal eines dieser billigen Zeitschriftenabos zulegen und dann sagen: »Doch, ich zahle eine Rechnung, und?« Aber das wird auch keinen Unterschied machen.

Nachdem ich die Pizza verdrückt habe, mache ich mich auf den Weg in mein Zimmer. Daddy hat sich schon in sein und Mommas Zimmer zurückgezogen. Ihr Fernseher läuft und sie liegen beide bäuchlings auf dem Bett. Eines ihrer Beine liegt auf seinem, während sie in ihren Laptop tippt. Das ist seltsam bewundernswert. Manchmal beobachte ich die beiden, um eine Vorstellung davon zu kriegen, was ich eines Tages will.

»Bist du wegen DeVante noch sauer auf mich?«, fragt Daddy. Sie antwortet nicht und hält den Blick auf den Bildschirm gerichtet. Er rümpft die Nase und geht ganz nah an ihr Gesicht heran. »Bist du noch sauer auf mich? He? Bist du noch sauer auf mich?«

Sie lacht und schubst ihn scherzhaft. »Weg da, Junge. Nein, ich bin nicht sauer auf dich. Und jetzt gib mir mal eine Traube.«

Grinsend füttert er sie mit einer Traube und ich muss wegschauen. Das ist einfach zu süß. Ja, die zwei sind meine Eltern, aber sie sind eben auch mein einzig wahres Traumpaar. Ganz im Ernst.

Daddy sieht ihr dabei zu, wie sie da am Computer zugange ist, und füttert sie jedes Mal mit einer Traube, wenn er selbst eine isst. Wahrscheinlich lädt sie die neuesten Familienschnappschüsse bei Facebook hoch, damit unsere weiter entfernt wohnenden Verwandten sie zu sehen bekommen. Was soll sie bei allem, was gerade passiert, denn auch sagen? »Sekani musste mitansehen, wie sein Daddy von Cops schikaniert wurde, aber er macht sich so gut in der Schule. #StolzeMom.« Oder: »Starr hat ihren besten Freund sterben sehen. Schließt sie in eure Gebete ein. Aber mein Baby hat es auch wieder auf die Liste der besten Schüler geschafft. #Blessed.« Oder vielleicht sogar: »Draußen rollen Panzerfahrzeuge vorbei, aber Seven hat bisher schon Zusagen von sechs Colleges. #ErWirdSeinen-WegMachen.«

Ich gehe in mein Zimmer. Mein alter und mein neuer Laptop liegen beide auf dem Schreibtisch, wo totales Chaos herrscht. Neben dem alten Laptop liegt ein riesiges Paar Jordans von Daddy, mit vergilbten Sohlen. Über mein Sammelsurium aus Reinigungsmitteln und Zahnpasta, mit dem ich sie irgendwann säubern werde, ist Klarsichtfolie gebreitet. Zu sehen, wie gelbliche Sohlen wieder strahlend weiß werden, das ist so befriedigend, wie einen fetten Mitesser auszudrücken. *Waaahnsinn.*

Da ich Daddy angelogen habe, was meine Hausaufgaben angeht, sollte ich sie jetzt machen, aber ich habe mir eine Tumblr-Auszeit genommen. Das heißt, ich habe nicht mit den Hausaufgaben angefangen, sondern war die letzten zwei Stunden auf Tumblr. Da habe ich einen neuen Blog angefangen – *Der Khalil, den ich kannte*. Ich nenne darin meinen Namen nicht, sondern stelle nur Bilder von Khalil ein. Auf dem ersten ist er dreizehn und trägt einen Afro. Onkel Carlos hatte mit uns eine Ranch besucht, damit wir »mal eine Vorstellung vom Landleben bekommen«. Khalil mustert skeptisch ein Pferd, das neben ihm steht. Ich erinnere mich, wie er meinte: »Wenn das Ding eine falsche Bewegung macht, haue ich aber ab!«

Auf Tumblr gebe ich dem Foto die Überschrift: »Der Khalil, den ich kannte, hatte Angst vor Tieren.« Ich tagge es mit seinem Namen. Jemand liked und rebloggt es. Dann noch einer und noch einer.

Das bringt mich dazu, noch mehr Bilder zu posten. Wie das von uns als Vierjährige in der Badewanne. Wegen des vielen Schaums sieht man von uns unten rum nichts. Ich schaue auch nicht in die Kamera. Ms. Rosalie sitzt auf dem Wannenrand, strahlt uns an, und Khalil strahlt zurück. Ich habe dazugeschrieben: »Der Khalil, den ich kannte, liebte Schaumbäder fast so sehr wie seine Grandma.«

Innerhalb von nur zwei Stunden haben Hunderte Menschen die Fotos geliked und gerebloggt. Ich weiß, das ist nicht dasselbe, wie ins Fernsehen zu gehen, wie Kenya meinte, aber ich hoffe, es nützt trotzdem. Mir zumindest hilft es.

Auch andere posten Dinge über Khalil, Kunstprojekte, die er gemacht hat, Fotos von ihm aus den Nachrichten. Ich glaube, ich habe jedes einzelne davon gerebloggt.

Witzig, dass jemand ein altes Video von Tupac gepostet hat. Okay, alle Videoclips von Tupac sind alt. In diesem hat er ein kleines Kind auf dem Schoß und trägt eine Snapback Cap verkehrt rum, was heute ziemlich schick wäre. Er erklärt *Thug Life* so, wie Khalil es mir erzählt hat – *The Hate U Give Little Infants Fucks Everybody*. Weil das Kind ihm wie gebannt ins Gesicht schaut, buchstabiert Pac »F-u-c-k-s«. Als Khalil mir erklärte, was es bedeutet, habe ich es zwar irgendwie schon verstanden. Aber jetzt begreife ich es wirklich.

Gerade will ich mir meinen alten Laptop schnappen, als mein Handy zu summen beginnt. Momma hat es mir vorhin wiedergegeben – halleluja, danke, Black Jesus. Sie meinte, das sei nur für den Fall, dass in der Schule wieder irgendwas ist. Jedenfalls habe ich es zurückbekommen und eigentlich ist mir egal, warum. Ich hoffe, die Nachricht ist von Kenya. Ich habe ihr vorhin den Link zu meinem neuen Tumblr Feed geschickt. Dachte, sie würde ihn sehen wollen, weil sie mich irgendwie dazu gebracht hat, ihn zu starten.

Aber es ist Chris. Er hat sich von Seven abgeschaut, alles nur noch in Großbuchstaben zu schreiben:

OMG!

DIESE FOLGE VON DER PRINZ VON BEL-AIR

WILLS DAD HAT IHN NICHT MITGENOMMEN

DIESER DRECKSKERL IST ZURÜCKGEKOMMEN UND

HAT IHN WIEDER IM STICH GELASSEN

JETZT HEULT ER SICH BEI ONKEL PHIL AUS

MEINE AUGEN SCHWITZEN

Verständlich. Das ist ja auch ernsthaft die traurigste Folge überhaupt. Ich schreibe Chris zurück:

Sorry. ☹ Und deine Augen schwitzen nicht. Du heulst, Babe.

Er antwortet:

Lüge!

Ich:

Du muss nich lügen, Craig. Du muss nich lügen.

Er antwortet:

HAST DU MIR GERADE MIT EINEM SATZ AUS *FRIDAY* GEANTWORTET???

Filme aus den Neunzigerjahren sind einfach unser Ding. Ich schreibe zurück:

Yep ;)

Er wieder:

BYE, FELICIA!

Ich bringe den Laptop zu Seven in sein Zimmer, behalte dabei aber das Telefon in der Hand, falls Chris noch eine *Prinz von Bel-Air*-Krise kriegt. Auf dem Flur höre ich Reggaeklänge, dann rappt Kendrick Lamar darüber, dass er ein Heuchler ist. Seven sitzt seitlich auf dem unteren Stockbett, zu seinen Füßen ein aufgeklappter Laptop. DeVante hockt im Schneidersitz auf dem Boden. Sein Afro wippt im Takt des Songs.

Von einem Poster an der Wand schaut eine Zombie-Version von Steve Jobs herunter, dazu eine Menge Superhelden und Charaktere aus *Star Wars*. Auf dem unteren Bett liegt eine Tagesdecke mit Slytherin-Wappen, die ich mir definitiv eines Tages klauen werde. Seven und ich sind gegenläufige Harry-Potter-Fans. Das heißt, wir mochten zuerst die Filme, dann die Bücher. Ich habe Khalil und

Natasha auch damit angesteckt. Als wir noch im Sozial-
wohnungsbau in Cedar Grove wohnten, fand Momma
eine DVD des ersten Films für einen Dollar in einem
Secondhandladen. Seven und ich beschlossen, Slytherins
zu werden, weil die fast ausnahmslos reich sind. Wenn
man in einer Sozialwohnung mit einem einzigen Schlafzimmer aufwächst, ist Reichtum das Erstrebenswerteste.

Seven entfernt eine silberfarbene Box aus dem Computer und untersucht sie. »Die ist noch gar nicht so alt.«

»Was machst du da?«, frage ich.

»Big D hat mich gebeten, seinen Computer zu reparieren. Er braucht ein neues DVD-Laufwerk. Seins hat er mit
dem Brennen der ganzen Raubkopien kaputtgemacht.«

Mein Bruder ist der inoffizielle Technikexperte von
Garden Heights. Alte Damen, Abzocker und alles, was es
dazwischen gibt, bezahlen ihn dafür, dass er ihre Computer und Handys repariert. Er macht damit auch gutes
Geld.

Am Fuß des Stockbetts steht ein schwarzer Müllsack,
aus dem ein paar Klamotten rausschauen. Jemand hat ihn
über den Zaun in unseren Garten geworfen. Seven, Sekani
und ich fanden ihn, als wir vom Laden heimkamen. Wir
dachten, es könnten DeVantes Sachen sein, aber Seven hat
reingeschaut, und alles gehörte ihm. Diese Sachen hatte er
im Haus seiner Momma gehabt.

Er hat Iesha angerufen. Sie meinte, sie würde ihn rausschmeißen. Weil King es ihr aufgetragen hätte.

»Seven, tut mir leid –«

»Ist schon okay, Starr.«

»Aber sie hätte nicht –«

»Ich sagte, ist okay.« Er schaut zu mir hoch. »In Ordnung? Mach dir nichts draus.«

»Na gut«, sage ich und merke, dass mein Handy vibriert. Also drücke ich DeVante den Laptop in die Hand und schaue nach. Immer noch keine Nachricht von Kenya. Stattdessen eine von Maya.

Bist du sauer auf uns?

»Was ist damit?«, fragt DeVante und starrt auf den Laptop.

»Daddy will, dass du den kriegst. Aber er meinte, Seven soll ihn vorher noch durchchecken«, erkläre ich ihm, während ich schon an Maya zurückschreibe.

Was glaubst du?

»Warum möchte er, dass ich den kriege?«, fragt DeVante.

»Vielleicht will er sehen, ob du tatsächlich einen bedienen kannst«, sage ich.

»Natürlich weiß ich, wie man einen Computer bedient«, sagt DeVante und schlägt nach Seven, der kichert.

Mein Handy brummt drei Mal. Maya hat geantwortet.

Definitiv sauer.

Können wir 3 reden?

In letzter Zeit ist es seltsam zwischen uns.

Typisch Maya. Wenn Hailey und ich irgendwelchen Ärger miteinander haben, versucht sie, es in Ordnung zu bringen. Aber sie muss wissen, dass jetzt nicht der Zeitpunkt für ein Kumbaya ist.

Okay. Sag dir Bescheid, wenn ich wieder bei meinem Onkel bin.

In der Ferne hört man Schüsse in rascher Abfolge. Ich zucke zusammen.

»Gottverdammte Maschinenpistolen«, sagt Daddy. »Die Leute führen sich auf, als wäre das hier der Irak oder irgend so ein Scheiß.«

»Nicht fluchen, Daddy!«, ruft Sekani aus dem Fernsehzimmer.

»Sorry, Junge. Ich werfe einen Dollar in die Dose.«

»Zwei! Du hast das G-Wort gesagt.«

»Na gut, zwei. Starr, kommst du mal kurz in die Küche?«

In der Küche spricht Momma mit ihrer »anderen« Stimme ins Telefon. »Ja, Ma'am. Wir möchten dasselbe.« Sie sieht mich. »Und da kommt gerade meine liebe Tochter. Könnten Sie bitte kurz dranbleiben?« Sie legt die Hand über den Hörer. »Es ist die Staatsanwältin. Sie würde gern diese Woche mit dir reden.«

Damit habe ich überhaupt nicht gerechnet. »Oh …«

»Yeah«, sagt Momma. »Schau, Baby, wenn du dich damit nicht wohlfühlst –«

»Ist okay.« Ich spähe zu Daddy. Er nickt. »Ich kriege das hin.«

»Oh«, macht sie und schaut zwischen mir und Daddy hin und her. »Okay. Wenn du dir sicher bist. Ich denke aber, wir sollten uns vorher mit Ms. Ofrah treffen. Vielleicht ihr Angebot annehmen, dich zu vertreten.«

»Unbedingt«, sagt Daddy. »Ich traue diesen Leuten bei der Staatsanwaltschaft nicht.«

»Wie wär's dann, wenn wir uns mit ihr morgen treffen

und den Termin mit der Staatsanwältin später in der Woche machen?«, fragt Momma.

Ich nehme mir noch ein Stück Pizza und beiße hinein. Inzwischen ist sie kalt, aber kalte Pizza schmeckt sowieso am besten. »Das heißt also zwei Tage lang keine Schule?«

»Nein, du gehst trotzdem zur Schule«, sagt sie. »Und hast du auch mal Salat zu der vielen Pizza gegessen?«

»Ich hatte Gemüse. Diese kleinen Paprikastückchen.«

»Die zählen nicht, wenn sie so klein sind.«

»Doch, tun sie. Wenn Babys als Menschen zählen, auch wenn sie noch klein sind, können Gemüsestücke genauso als Gemüse zählen, selbst wenn sie klein sind.«

»Mit der Logik brauchst du mir nicht kommen. Also, dann treffen wir morgen Ms. Ofrah und die Staatsanwältin am Mittwoch. In Ordnung?«

»Schon, bis auf die Sache mit der Schule.«

Momma nimmt die Hand vom Hörer. »Entschuldigen Sie die Verzögerung. Wir können Mittwochvormittag kommen.«

»In der Zwischenzeit können Sie Ihren Jungs, dem Bürgermeister und dem Polizeichef mal ausrichten, sie sollen ihre verdammten Panzer aus meinem Viertel abziehen«, sagt Daddy laut. Momma gibt ihm einen Klaps, aber er verschwindet sowieso schon im Flur. »Fordern, dass die Leute sich friedlich verhalten, aber hier durchrollen, als wären wir in einem gottverdammten Krieg.«

»Drei Dollar, Daddy«, sagt Sekani.

Nachdem Momma aufgelegt hat, sage ich: »Es würde mich auch nicht umbringen, mal einen Tag Schule zu verpassen. Ich will sowieso nicht da sein, wenn sie wieder mit diesem Demo-Mist anfangen.« Es würde mich ja nicht überraschen, wenn Remy versuchen würde, wegen Khalil eine ganze Woche schulfrei rauszuschlagen. »Ich brauche zwei Tage, das reicht schon.« Momma zieht die Augenbrauen hoch. »Okay, eineinhalb. Bitte?«

Sie holt tief Luft und atmet langsam wieder aus. »Wir werden sehen. Aber kein Wort davon zu deinen Brüdern, verstanden?«

Im Grunde genommen hat sie Ja gesagt, ohne es auszusprechen. Soll mir auch recht sein.

Pastor Eldridge hat mal gepredigt: »Glaube bedeutet nicht nur, etwas für wahr zu halten, sondern etwas dafür zu tun.« Als also mein Wecker am Dienstagmorgen klingelt, stehe ich nicht auf, weil ich davon überzeugt bin, dass Momma mich nicht zwingen wird, zur Schule zu gehen.

Und um Pastor Eldridge noch mal zu zitieren, Halleluja, Gott zeigt sich und zeigt's mir. Denn Momma zwingt mich nicht zum Aufstehen. Ich bleibe im Bett liegen und lausche, wie alle anderen sich fertig machen. Sekani petzt Momma, dass ich noch nicht aufgestanden bin.

»Kümmer dich nicht um sie«, sagt sie. »Kümmer dich lieber um dich selbst.«

Aus dem Fernseher plärren irgendwelche morgendlichen Nachrichtensendungen, während Momma im Haus herumwuselt. Als Khalil und Hundertfünfzehn erwähnt werden, stellt jemand den Ton deutlich leiser, und so bleibt es, bis irgendein anderer Bericht folgt.

Unter meinem Kopfkissen brummt das Handy. Ich hole es hervor. Kenya hat mir endlich was zu meinem neuen Tumblr Feed geschrieben. Erst lässt sie mich also stundenlang warten, und dann ist ihr Kommentar superkurz:

Is ok

Ich verdrehe die Augen. Mehr Beifall ist von ihr nicht zu erwarten. Ich schreibe ihr zurück.

Hab dich auch lieb

Ihre Reaktion?

Ich weiß :)

Sie ist so zickig. Ich frage mich aber auch, ob sie gestern Abend vielleicht nicht geantwortet hat, weil es bei ihr zu Hause wieder Drama gab. Daddy meinte, King würde Iesha immer noch schlagen. Manchmal schlägt er auch Kenya und Lyric. Aber es ist nicht Kenyas Art einfach so davon anzufangen, deshalb frage ich:

Alles ok?

Das Übliche, antwortet sie.

Kurz, aber es sagt alles. Ich kann nicht viel tun, also erinnere ich sie nur:

Ich bin da, wenn du mich brauchst

Ihre Antwort?

Kann ich dir nur raten

Na? Zickig.

Das Seltsame daran, wenn man nicht zur Schule geht: Man fragt sich, was man jetzt tun würde, wenn man dort wäre. Um acht überlege ich mir, dass Chris und ich gerade zu Geschichte laufen würden, weil das dienstags unsere erste Stunde ist. Ich schicke ihm rasch eine Nachricht.

Komme heute nicht in die Schule.

Schon nach zwei Minuten eine Antwort.

Bist du krank? Muss ich dir einen Kuss geben, damit's besser wird? Zwinker zwinker

Er hat echt »Zwinker zwinker« geschrieben anstelle von zwei Emojis. Zugegebenermaßen muss ich lächeln. Ich schreibe zurück:

Und wenn ich ansteckend bin?

Er sagt:

Spielt keine Rolle. Ich küsse dich überall hin. Zwinker zwinker.

Ich antworte:

Ist das wieder ein Anbaggerspruch?

Er antwortet in weniger als einer Minute.

Es ist, was immer du willst. Liebe dich, Prinzessin von Bel-Air.

Schweigen. Das »L«-Wort überrascht mich total. Wie ein Spieler des gegnerischen Teams, der dir den Ball klaut, gerade als du zum Wurf ansetzt. Das nimmt dir deinen kompletten Schwung und du fragst dich eine Woche lang, wie dir das passieren konnte.

Tja. Dass Chris sagt, *liebe dich*, ist genau so, nur dass ich mir keine Woche Zeit nehmen kann, um darüber nachzugrübeln. Nicht zu antworten ist irgendwie auch eine Antwort. Die Zeit rennt mir davon, und ich muss irgendwas sagen.

Aber was?

Indem er das »Ich« vor »liebe dich« weggelassen hat, klingt es lässiger. Im Ernst, »liebe dich« und »Ich liebe dich«, das ist ein Unterschied. Selbe Mannschaft, verschiedene Spieler. »Liebe dich« ist nicht so forsch und aggressiv wie »Ich liebe dich«. »Liebe dich« kann dich schon mal ausspielen, klar, aber nicht mit einem Slam Dunk. Es ist eher vergleichbar mit einem hübschen Sprungwurf.

Zwei Minuten vergehen. Ich muss irgendwas sagen.

Liebe dich auch.

Das kommt mir so fremd vor wie ein spanisches Wort, das ich noch nicht gelernt habe, aber interessanterweise fällt es mir ziemlich leicht.

Als Reaktion kriege ich ein Zwinker-Emoji.

Just Us for Justice befindet sich in einem ehemaligen Taco Bell an der Magnolia Avenue, zwischen der Autowaschanlage und einem Geldverleih. Daddy ist früher mit mir und Seven jeden Freitag zu diesem Taco Bell gefahren und hat uns dort Tacos für neunundneunzig Cent, Zimtgebäck und eine Limo zum Teilen gekauft. Das war kurz nachdem er aus dem Gefängnis gekommen war und nicht viel Geld hatte. Meistens sah er uns beim Essen zu. Manchmal bat er aber auch die Restaurantleiterin, eine Freundin von Momma, uns im Auge zu behalten, während er zum Geldverleih nebenan ging. Als ich älter wurde und entdeckte, dass Geschenke nicht einfach »auftauchen«, wurde mir klar, dass Daddy immer vor unseren Geburtstagen und vor Weihnachten dort hinging.

Momma klingelt bei *Just Us* und Ms. Ofrah schließt uns auf.

»Entschuldigen Sie«, sagt sie und sperrt wieder ab. »Ich bin heute alleine hier.«

»Oh«, sagt Momma. »Wo sind denn Ihre Kollegen?«

»Einige sind bei einem Runden Tisch an der Garden Heights High. Andere führen eine Demonstration an der Carnation an, wo Khalil ermordet wurde.«

Es ist seltsam, jemanden so unumwunden sagen zu hören »wo Khalil ermordet wurde«, wie Ms. Ofrah das tut. Sie beißt sich weder auf die Zunge, noch zögert sie.

Der Großteil des ehemaligen Restaurants besteht jetzt aus kleinen Nischen mit niedrigen Zwischenwänden. Es hängen fast so viele Poster hier wie bei Seven, aber von der Sorte, die Daddy gefallen würde: Malcolm X mit einem Gewehr neben einem Fenster, Huey Newton im Knast mit erhobener Faust als Zeichen für Black Power, Fotos von Black Panthers, die bei Kundgebungen Frühstück an Kinder ausgeben.

Ms. Ofrah führt uns zu ihrem Arbeitsplatz neben dem Drive-Through-Fenster. Lustig, dass eine Tasse von Taco Bell auf ihrem Schreibtisch steht. »Ich danke Ihnen sehr fürs Kommen«, sagt sie. »Ich habe mich so gefreut, als Sie angerufen haben, Mrs. Carter.«

»Bitte nennen Sie mich doch Lisa. Wie lange nutzen Sie diese Räumlichkeit schon?«

»Inzwischen sind es fast zwei Jahre. Und falls Sie sich das fragen, ja, es gibt gelegentlich noch Witzbolde, die am Fenster vorfahren und bei mir ihre Bestellung aufgeben wollen.«

Wir lachen. Da klingelt es vorne am Eingang.

»Das wird mein Mann sein«, sagt Momma. »Er war schon unterwegs hierher.«

Ms. Ofrah geht öffnen und dann hallt auch schon Daddys Stimme durch den Raum, während er ihr folgt. Er nimmt sich einen Stuhl aus einer anderen Nische und stellt ihn halb in Ms. Ofrahs Büro, halb auf den Durchgang. So klein ist ein einzelner Arbeitsplatz hier.

»Entschuldigen Sie die Verspätung. Musste noch DeVante bei Mr. Lewis postieren.«

»Bei Mr. Lewis?«, frage ich nach.

»Genau. Weil ich jetzt hier bin, habe ich ihn gebeten, sich von DeVante im Laden helfen zu lassen. Mr. Lewis braucht nämlich jemanden, der ihm seinen dämlichen Arsch rettet. Nachdem er jemanden live im Fernsehen verpfiffen hat.«

»Sie reden wohl von dem Herrn, der das Interview über die King Lords gegeben hat, oder?«, fragt Ms. Ofrah.

»Genau von dem«, sagt Daddy. »Ihm gehört der Friseurladen direkt neben meinem Geschäft.«

»O wow. Das Interview hat definitiv für Aufsehen gesorgt. Als ich das letzte Mal nachgesehen habe, waren es schon über eine Million Aufrufe.«

Ich wusste es. Mr. Lewis ist ein Meme geworden.

»Man braucht eine Menge Mumm, um so freimütig aufzutreten wie er. Ich habe das, was ich auf Khalils Beerdigung sagte, auch so gemeint, Starr. Es war sehr mutig von dir, mit der Polizei zu reden.«

»Ich komme mir nicht besonders mutig vor.« Während Malcolm X mich von der Wand herab beobachtet, kann

248

ich schließlich nicht lügen. »Ich bin ja nicht im Fernsehen wie Mr. Lewis.«

»Und das ist auch okay«, sagt Ms. Ofrah. »Es schien, als hätte Mr. Lewis sich spontan aus Wut und Enttäuschung geäußert. In einem Fall wie Khalils wäre es mir lieber, du würdest dich überlegter und geplant äußern.« Sie sieht Momma an. »Sie sagten, die Staatsanwaltschaft habe gestern angerufen?«

»Ja. Sie möchten Starr gern diese Woche treffen.«

»Das ergibt Sinn. Der Fall wurde an ihre Behörde übergeben. Und jetzt bereiten sie alles vor, um ihn vor ein großes Geschworenengericht zu bringen.«

»Was bedeutet das?«, frage ich.

»Die Geschworenen werden entscheiden, ob Officer Cruise angeklagt werden soll.«

»Und Starr muss dann vor dem Geschworenengericht aussagen«, sagt Daddy.

Ms. Ofrah nickt. »Das ist ein bisschen anders als ein normaler Prozess. Es wird kein Richter oder Verteidiger anwesend sein, und die Staatsanwältin wird Starr befragen.«

»Aber was, wenn ich nicht alle Fragen beantworten kann?«

»Wie meinst du das?«

»Ich – die Sache mit der Waffe im Auto. In den Nachrichten hieß es, im Wagen könnte eine Waffe gewesen sein, als würde das alles ändern. Ich weiß echt nicht, ob da eine war.«

Ms. Ofrah schlägt einen Ordner auf, der auf ihrem Tisch liegt, nimmt ein Blatt Papier heraus und schiebt es mir hin. Es ist ein Foto von Khalils schwarzer Haarbürste, die er im Auto benutzt hat.

»Das ist die sogenannte Waffe«, erläutert Ms. Ofrah. »Officer Cruise behauptet, sie in der Autotür gesehen zu haben. Er vermutete, Khalil habe nach ihr greifen wollen. Der Griff war dick und schwarz genug, dass er ihn für eine Waffe halten konnte.«

»Und Khalil war schwarz genug«, fügt Daddy hinzu.

Eine Haarbürste.

Khalil musste wegen einer verdammten Haarbürste sterben.

Ms. Ofrah legt das Foto zurück in die Mappe. »Es wird interessant, was sein Vater in dem Interview heute Abend dazu sagt.«

Moment mal. »Interview?«, frage ich.

Momma rutscht ein wenig auf ihrem Stuhl herum. »Äh ... der Vater des Polizisten hat ein Interview gegeben, das heute Abend gesendet wird.«

Ich schaue von ihr zu Daddy. »Und keiner hat mir was davon gesagt?«

»Weil es sich nicht lohnt, drüber zu reden, Baby«, sagt Daddy.

Ich sehe Ms. Ofrah an. »Dann kann sein Dad der ganzen Welt die Version seines Sohnes erzählen und ich meine und Khalils nicht? Er wird alle glauben machen, Hundert-fünfzehn sei das Opfer.«

»Nicht unbedingt«, meint Ms. Ofrah. »Manchmal gehen solche Aktionen auch nach hinten los. Und letztendlich spielt die öffentliche Meinung keine Rolle. Das Sagen hat die Jury. Wenn die genug Indizien ausmachen kann, was sie tun sollte, dann wird Officer Cruise angeklagt und vor Gericht gestellt.«

»Wenn«, wiederhole ich.

Peinliches Schweigen breitet sich aus. Der Vater von Hundertfünfzehn ist seine Stimme, aber ich bin Khalils. Die einzige Möglichkeit, den Leuten seine Seite der Geschichte zu zeigen, besteht darin, dass ich mich zu Wort melde.

Ich schaue durch das Drive-Through-Fenster zur Autowaschanlage nebenan. Wasserfontänen aus einem Schlauch. Sie erzeugen im Sonnenschein Regenbögen, genau wie vor sechs Jahren, kurz bevor die Kugeln Natasha trafen.

Ich drehe mich zu Ms. Ofrah. »Als ich zehn war, habe ich gesehen, wie meine beste Freundin aus einem vorbeifahrenden Auto ermordet wurde.«

Erstaunlich, wie leicht mir »ermordet« jetzt über die Lippen kommt.

»Oh.« Ms. Ofrah sinkt auf ihrem Stuhl zurück. »Das wusste ich nicht, und es tut mir sehr leid, Starr.«

Ich schaue auf meine Finger und nestele herum, während mir Tränen in die Augen steigen. »Ich habe versucht, es zu vergessen, aber ich erinnere mich noch an jedes Detail. Die Schüsse, den Ausdruck in Natashas Gesicht. Sie haben denjenigen, der das getan hat, nie gefasst. Es war wohl nicht wichtig genug. Dabei war es wichtig. Sie war wichtig.« Ich sehe Ms. Ofrah wieder an, aber vor lauter Tränen erkenne ich sie kaum. »Und ich will, dass alle wissen, Khalil war auch wichtig.«

Ms. Ofrah blinzelt. Heftig. »Absolut. Ich –« Sie räuspert sich. »Ich würde dich gern vertreten, Starr. Kostenlos, versteht sich.«

Momma nickt und hat auch Tränen in den Augen.

»Ich werde tun, was in meiner Macht steht, damit du gehört wirst, Starr. Weil genau wie Khalil und Natasha auch du wichtig bist. Weil deine Stimme wichtig ist. Ich würde als Erstes versuchen, ein Fernsehinterview zustande zu bringen.« Sie schaut meine Eltern an. »Falls Sie damit einverstanden sind.«

»Solange ihre Identität dabei nicht preisgegeben wird«, sagt Daddy.

»Das sollte kein Problem sein«, sagt sie. »Und was die Staatsanwaltschaft betrifft, kann ich es so arrangieren, dass wir da morgen gemeinsam hingehen.«

Aus Daddys Richtung ertönt ein leises Summen. Er holt sein Telefon hervor und nimmt den Anruf entgegen. Die Person, die sich meldet, schreit irgendwas, aber ich kann es nicht verstehen. »Hey, beruhig dich, Vante. Sag das noch mal!« Bei der Antwort steht Daddy bereits auf. »Ich komme. Hast du 911 angerufen?«

»Was ist passiert?«, fragt Momma.

Er winkt uns, ihm zu folgen. »Bleib bei ihm, ja? Wir sind schon unterwegs.«

Kapitel 13

Das rechte Auge von Mr. Lewis ist zugeschwollen und aus einem Schnitt auf seiner Wange tropft ihm Blut aufs Hemd, aber er weigert sich, ins Krankenhaus zu gehen.

Deshalb wurde Daddys Büro zu einem Behandlungsraum umfunktioniert und Momma versorgt dort mit seiner Hilfe Mr. Lewis. Ich lehne am Türrahmen, DeVante steht noch ein Stück weiter weg im Laden.

»Die mussten zu fünft auf mich losgehen, bis sie mir gewachsen waren«, sagt Mr. Lewis. »Zu fünft! Gegen einen kleinen alten Mann. Ist das nicht ein Ding?«

»Ein Ding ist, dass Sie noch am Leben sind«, sage ich. *Snitches get stitches*, sagt man bei uns, aber das gilt für King Lords eigentlich nicht. Die bringen Verräter eher gleich ins Grab.

Momma dreht Mr. Lewis' Kopf zur Seite, damit sie den Schnitt auf seiner Wange besser sehen kann. »Da hat sie recht. Sie können echt von Glück sagen, Mr. Lewis. Das muss nicht mal genäht werden.«

»Den hat mir King höchstpersönlich verpasst«, sagt er. »Er ist aber erst reingekommen, als die anderen mich schon zu Fall gebracht hatten. Mieses Arschloch, sieht schon aus wie ein schwarzes Michelin-Männchen.«

Ich schnaube.

»Das ist nicht komisch«, sagt Daddy. »Ich hab Ihnen doch gesagt, dass sie es Ihnen heimzahlen werden.«

»Und ich hab dir gesagt, dass ich keine Angst habe! Wenn das schon das Schlimmste ist, was die tun können, dann ist das gar nichts!«

»Nein, das ist nicht das Schlimmste«, sagt Daddy. »Die hätten Sie umbringen können!«

»Ich bin nicht derjenige, den die tot sehen wollen!« Er streckt seinen fetten Finger in meine Richtung, schaut aber an mir vorbei DeVante an. »Um den solltet ihr euch Sorgen machen! Ich hab ihn dazu gebracht, sich zu verstecken, bevor sie reinkamen, aber King meinte, er wüsste, dass du dem Jungen hilfst, und dass er ihn umlegt, wenn er ihn in die Finger kriegt.«

DeVante fährt mit aufgerissenen Augen zurück.

Innerhalb von höchstens zwei Sekunden packt Daddy DeVante am Hals und knallt ihn gegen den Tiefkühler. »Was zur Hölle hast du getan?«

DeVante strampelt und zuckt und versucht, Daddys Hand von seinem Hals wegzuzerren.

»Daddy, nicht!«

»Sei still!« Er wendet seine wütend funkelnden Augen nicht von DeVante. »Ich habe dich in mein Haus aufgenommen und du hast mir nicht ehrlich gesagt, warum du dich versteckst? King würde dich nicht tot sehen wollen, außer du hättest echt was angestellt, also, was hast du getan?«

»Mav-rick!« Momma zieht den Namen scharf auseinander. »Lass ihn los. Wie soll er was erklären, während du ihn würgst?«

Daddy lässt los und DeVante beugt sich nach Luft

schnappend vornüber. »Fass mich nicht noch mal an!«, keucht er.

»Sonst?«, verhöhnt Daddy ihn. »Red gefälligst.«

»Mann, das ist echt keine große Sache. King spinnt.«

Meint der das ernst? »Was hast du getan?«, frage ich.

DeVante rutscht auf den Boden und versucht, wieder zu Atem zu kommen. Ein paar Sekunden lang blinzelt er heftig. Dann verzieht er das Gesicht und plötzlich heult er los wie ein Baby.

Mir fällt nichts anderes ein, als mich vor ihn hinzusetzen. Wenn Khalil so heulte, weil seine Momma mal wieder Mist gebaut hatte, hab ich immer seinen Kopf angehoben.

Jetzt hebe ich DeVantes Kopf ein Stückchen. »Ist schon gut«, sage ich.

Das hat bei Khalil immer funktioniert. Es klappt auch bei DeVante. Er hört auf, so heftig zu weinen und sagt: »Ich hab King so ungefähr fünf Riesen geklaut.«

»Verdammt!«, stöhnt Daddy. »Warum zum Teufel, Mann?«

»Ich musste doch meine Familie von hier wegbringen! Ich wollte mich doch um diese Typen kümmern, die Dalvin umgelegt hatten, und Scheiße noch mal, damit hätte ich mir ein paar GDs auf den Hals gehetzt. Ich war sowieso schon ein Todgeweihter, hundert Pro. Ich wollte nicht, dass meine Momma und meine Schwestern da reingerieten. Also habe ich ihnen Bustickets besorgt und sie aus der Stadt geschafft.«

»Darum kriegen wir deine Momma nicht ans Telefon«, kombiniert Momma.

Tränen laufen über sein Gesicht. »Sie wollte sowieso nicht, dass ich mitkomme. Hat gesagt, sie würden meinetwegen nur umgebracht. Noch bevor sie weg sind, hat sie mich rausgeschmissen.« Er sieht Daddy an. »Big Mav, es tut mir leid. Ich hätte es dir damals gleich sagen sollen. Ich habe meine Meinung geändert und will diese Typen nicht mehr umbringen, aber jetzt will King mich tot sehen. Bitte bring mich nicht zu ihm. Ich tue alles. Bitte!«

»Wehe!« Mr. Lewis humpelt aus Daddys Büro. »Hilf dem Jungen, Maverick!«

Daddy starrt an die Decke, als wolle er Gott fluchend herausfordern.

»Daddy«, bettele ich.

»Na gut! Komm, Vante.«

»Big Mav«, jammert er. »Es tut mir so leid, bitte –«

»Ich bringe dich nicht zu King, aber wir müssen dich hier wegschaffen. Sofort.«

Vierzig Minuten später halten Momma und ich hinter Daddy und DeVante in Onkel Carlos' Einfahrt.

Mich überrascht, dass Daddy überhaupt weiß, wie man hier herkommt. Er fährt nämlich nie mit. Niemals. An keinem einzigen Feiertag oder Geburtstag. Wahrscheinlich will er Nana und ihr Mundwerk vermeiden.

Momma und ich steigen aus dem Wagen, während Daddy und DeVante aus dem Truck klettern.

»Hier bringst du ihn her?«, fragt Momma. »In das Haus meines Bruders?«

»Ja«, sagt Daddy, als sei das keine große Sache.

Onkel Carlos kommt aus der Garage und wischt sich das Öl mit einem von Tante Pams guten Handtüchern von den Händen. Eigentlich sollte er gar nicht zu Hause sein. Es ist mitten an einem Arbeitstag und er ist nie krank. Jetzt hört er mit dem Wischen auf, aber die Knöchel an einer Hand sind immer noch dunkel.

DeVante blinzelt gegen das Sonnenlicht und schaut sich um, als hätten wir ihn auf einen fremden Planeten gebracht. »Verdammt, Big Mav. Wo is'n hier?«

»Wo sind wir hier?«, verbessert Onkel Carlos ihn und streckt ihm seine Hand entgegen »Carlos. Du musst DeVante sein.«

DeVante starrt auf die Hand. Überhaupt keine Manieren. »Woher weißt du, wie ich heiße?«

Onkel Carlos lässt seine Hand fallen. »Maverick hat mir von dir erzählt. Wir haben abgemacht, dass du herkommen sollst.«

»Ach!«, sagt Momma mit einem gekünstelten Lachen. »Maverick hat abgemacht, dass er herkommen soll.« Aus schmalen Augen starrt sie Daddy an. »Es wundert mich, dass du überhaupt hergefunden hast, Maverick.«

Daddys Nasenflügel beben. »Wir reden später.«

»Komm mit«, sagt Onkel Carlos. »Ich zeige dir dein Zimmer.«

DeVante starrt das Haus mit großen Augen an. »Was machst du, dass du dir so ein Haus leisten kannst?«

»Meine Güte, bist du neugierig«, sage ich.

Onkel Carlos lacht leise. »Schon gut, Starr. Meine Frau ist Chirurgin und ich bin Detective.«

DeVante erstarrt. Dann dreht er sich zu Daddy um. »What the fuck? Du hast mich zu einem Cop gebracht?«

»Achte auf deinen Ton«, sagt Daddy. »Ich hab dich zu jemandem gebracht, der dir tatsächlich helfen will.«

»Aber zu einem Cop? Wenn die Homies das spitzkriegen, glauben sie doch, ich will sie verpfeifen.«

»Wenn du dich vor ihnen verstecken musst, sind das nicht deine Homies«, sage ich. »Außerdem würde Onkel Carlos dich niemals auffordern, jemanden zu verpfeifen.«

»Sie hat recht«, sagt Onkel Carlos. »Maverick ist es wirklich ernst damit, dich aus Garden Heights rauszuholen.«

Momma schnaubt hörbar.

»Als er uns die Situation schilderte, wollten wir helfen«, fährt Onkel Carlos fort. »Und es klingt, als würdest du Hilfe brauchen.«

DeVante seufzt. »Alter, das ist echt nicht cool.«

»Schau, ich bin beurlaubt«, sagt Onkel Carlos. »Du musst dir keine Sorgen darüber machen, dass ich dir Informationen entlocken will.«

»Beurlaubt?«, frage ich. Das erklärt den Jogginganzug am helllichten Tag. »Warum hat man dich beurlaubt?«

Er schaut flüchtig von mir zu Momma, die wahrscheinlich nicht merkt, dass ich ihr winziges Kopfschütteln sehe. »Mach dir darüber keine Gedanken, Baby Girl«, sagt er und legt einen Arm um mich. »Ich brauchte mal 'ne Pause.«

Es ist so dermaßen offensichtlich. Die haben ihn meinetwegen beurlaubt.

Nana empfängt uns an der Haustür. Und weil ich sie kenne, weiß ich, dass sie uns schon seit unserem Eintreffen durchs Fenster beobachtet hat. Sie hat einen Arm vor der Brust und in der anderen Hand eine Zigarette. Während sie DeVante mustert, bläst sie den Rauch an die Decke.

»Wer soll das denn sein?«

»DeVante«, erklärt Onkel Carlos. »Er wohnt ab jetzt bei uns.«

»Was meinst du mit, er wohnt bei uns?«

»Genau was ich gesagt habe. Er hat ein paar Probleme in Garden Heights, und deshalb muss er hierbleiben.«

Sie schnaubt. Daher hat Momma das also. »Ein paar Probleme, was? Sag die Wahrheit, Junge.« Sie senkt ihre Stimme und fragt mit misstrauisch zusammengekniffenen Augen. »Hast du einen umgebracht?«

»Momma!«, sagt meine Momma.

»Was denn? Ich frage lieber nach, bevor ich mit einem Mörder im Haus schlafe und eines Morgens tot aufwache!«

Was zum ... »Tot kannst du gar nicht aufwachen«, sage ich.

»Kleines, du weißt schon, wie ich das meine!« Sie gibt die Haustür frei. »Dann finde ich mich im Angesicht des Herrn wieder und weiß nicht, wie das passiert ist!«

»Als ob du in den Himmel kommen würdest«, murmelt Daddy.

Onkel Carlos führt DeVante einmal durchs Haus. Sein Zimmer ist ungefähr so groß wie meins und Sevens zusammen. Es passt irgendwie nicht, dass er nur einen kleinen Rucksack dabei hat. Als wir alle in der Küche stehen, nimmt Onkel Carlos ihm den ab.

»Wer hier wohnt, muss sich an ein paar Regeln halten«, sagt Onkel Carlos. »Erstens, halte dich an die Regeln. Zweitens« – er holt die Glock aus DeVantes Rucksack – »keine Waffen, keine Drogen.«

»Ich weiß, dass du die in meinem Haus noch nicht hattest«, sagt Daddy.

»King hat wahrscheinlich Kopfgeld auf mich ausgesetzt. Da kannst du dir verdammt nochmal sicher sein, dass ich eine Knarre habe.«

»Regel Nummer drei«, fällt Onkel Carlos ihm ins Wort. »Kein Fluchen, keine Schimpfwörter. Ich habe einen Achtjährigen und eine Dreijährige. Die brauchen so was nicht zu hören.«

Weil schon reicht, was sie von Nana hören. Avas aktuelles Lieblingswort ist »Gottverdammt!«.

»Regel Nummer vier«, sagt Onkel Carlos, »geh zur Schule.«

»Mann«, stöhnt DeVante auf. »Ich hab Big Mav schon gesagt, dass ich nicht zurück an die Garden High kann.«

»Wissen wir«, sagt Daddy. »Sobald wir deine Momma erreicht haben, melden wir dich zu einem Fernkurs an. Lisas Momma ist pensionierte Lehrerin. Sie kann dir Nachhilfe geben, damit du das Jahr extern beenden kannst.«

»Einen Teufel werd ich tun!«, sagt Nana. Ich weiß zwar nicht, wo sie sich versteckt, aber es wundert mich nicht, dass sie lauscht.

»Momma, sei nicht so neugierig!«, sagt Onkel Carlos.

»Dann hör du auf, mich zu irgendwelchem Scheiß zu verpflichten!«

»Und du hör auf zu fluchen«, sagt er.

»Sag mir weiter, was ich zu tun habe, dann werden wir schon sehen, was passiert.«

Onkel Carlos' Gesicht verfärbt sich rot.

Da klingelt es an der Haustür.

»Carlos, geh aufmachen«, ruft Nana aus ihrem Versteck.

Er verzieht den Mund und geht tatsächlich. Als er zu-rückkommt, höre ich ihn mit jemand reden. Dieser Je-mand lacht und ich kenne dieses Lachen, weil es mich zum Lachen bringt.

»Seht mal, wen ich mitgebracht habe«, sagt Onkel Carlos.

Chris steht in seinem weißen Williamson-Poloshirt und Khaki-Shorts hinter ihm. Er trägt die rot-schwarzen Jor-dans Twelve, die MJ trug, als er bei den Finals von 1997 die Grippe hatte. Mist, dadurch sieht Chris irgendwie noch besser aus. Oder ich habe einen Jordan-Tick.

»Hi.« Er lächelt zurückhaltend.

»Hi.« Ich lächle auch.

Ich vergesse kurz, dass Daddy hier ist und ich wahr-scheinlich gleich ein Riesenproblem habe. Der Zustand dauert aber nur circa zehn Sekunden an, denn da fragt Daddy auch schon: »Wer bist du?«

Chris streckt ihm die Hand hin. »Christopher, Sir. Schön, Sie kennenzulernen.«

Daddy mustert ihn zweimal von oben bis unten. »Kennst du meine Tochter oder was?«

»Yeaaah«, antwortet Chris gedehnt und sieht mich an. »Wir gehen beide auf die Williamson?«

Ich nicke. Gute Antwort.

Daddy verschränkt die Arme. »Also ist das so, oder nicht? Du klingst, als wärst du dir da gar nicht so sicher.«

Momma umarmt Chris schnell. Inzwischen betrachtet Daddy ihn so finster, wie er nur kann. »Wie geht's dir, mein Lieber?«, fragt sie.

»Gut. Und ich wollte auch gar nicht stören. Ich habe nur euer Auto gesehen, und weil Starr ja heute nicht in der Schule war, dachte ich, ich schaue vorbei, um zu sehen, wie es ihr geht.«

»Ist schon in Ordnung«, sagt Momma. »Sag deinen Eltern auch schöne Grüße von mir. Geht's ihnen gut?«

»Moment mal«, sagt Daddy. »Ihr tut ja alle so, als ginge der Bursche hier schon ein Weilchen ein und aus.« Er dreht sich zu mir. »Warum habe ich noch nie von ihm gehört?«

Es wird mich eine Menge Mut kosten, öffentlich für Khalil einzutreten. Ungefähr so viel Mut wie für den Moment, »als ich meinem militant schwarzen Daddy von meinem weißen Boyfriend erzählte«. Wenn ich schon vor Dad wegen Chris kneife, wie soll ich dann für Khalil einstehen?

Daddy ermahnt mich immer, nie ein Blatt vor den Mund zu nehmen. Das gilt auch für ihn.

Also sage ich es. »Er ist mein Boyfriend.«

»Boyfriend?«, wiederholt Daddy.

»Genau, ihr Boyfriend!«, tönt Nana von wo auch immer. »Hallo, Chris-Schätzchen.«

Chris sieht sich verwirrt um. »Äh, hey, Ms. Montgomery.«

Nana hatte das mit Chris als Erste spitzgekriegt. Dank

ihrer meisterhaften Fähigkeiten als Schnüfflerin. Sie riet mir: »Nur zu, Baby, mach einen schönen Swirl.« Dann gab sie mir all ihre Schwarz-Weiß-Abenteuer zum Besten, was nicht nötig gewesen wäre.

»Zum Teufel noch mal, Starr!«, sagt Daddy. »Du datest einen weißen Jungen?«

»Maverick!«, fährt Momma ihn an.

»Krieg dich wieder ein, Maverick«, sagt Onkel Carlos. »Er ist ein guter Kerl und behandelt sie mit Respekt. Und nur darauf kommt es doch an, oder?«

»Du wusstest davon?«, sagt Daddy. Er schaut mich an, und mir ist nicht klar, ob das in seinen Augen Wut oder Kränkung ist. »*Er* wusste es und ich nicht?«

Das passiert, wenn man zwei Dads hat. Einer von ihnen wird zwangsläufig gekränkt, und man selbst fühlt sich dann zwangsläufig beschissen.

»Lass uns rausgehen«, sagt Momma scharf. »Sofort.«

Daddy wirft Chris noch einen finsteren Blick zu und folgt Momma auf den Innenhof. Die Türen haben zwar dickes Glas, aber ich höre trotzdem, wie sie ihn zusammenstaucht.

»Komm mit, DeVante«, sagt Onkel Carlos. »Ich zeig dir noch den Keller und die Waschküche.«

DeVante mustert Chris von oben bis unten. »Boyfriend«, sagt er mit einem kurzen Lachen und schaut mich an. »Ich hätt's mir denken sollen, dass du einen weißen Typen hast.«

Dann verschwindet er mit Onkel Carlos. Was zum Teufel sollte das jetzt wieder heißen?

»Sorry«, sage ich zu Chris. »Mein Dad hätte nicht so auf dich losgehen sollen.«

»Hätte schlimmer kommen können. Er hätte mich ja auch umbringen können.«

Stimmt. Ich fordere ihn mit einer Handbewegung auf, sich an die Frühstückstheke zu setzen, während ich uns was zu trinken hole.

»Wer war denn der Typ bei deinem Onkel?«, fragt er.

Tante Pam hat nicht eine einzige Limo im Haus. Nur Saft, Wasser und Mineralwasser. Bestimmt hat Nana aber einen Vorrat an Sprite und Coke in ihrem Zimmer. »De-Vante«, sage ich und entscheide mich für zwei kleine Tetrapaks Apfelsaft. »Er hat Ärger mit den King Lords und Daddy hat ihn hergebracht, damit er bei Onkel Carlos wohnt.«

»Warum hat er mich so angeglotzt?«

»Krieg dich wieder ein, Maverick. Er ist *weiß*!«, schreit Momma im Innenhof. »Weiß, weiß, weiß!«

Chris wird rot. Und röter. Und noch röter.

Ich gebe ihm ein Saftpäckchen. »*Deshalb* hat DeVante dich so angestarrt. Weil du weiß bist.«

»Okay?« Und das klingt eher nach einer Frage als nach einer Feststellung. »Ist das sowas typisch Schwarzes, das ich sowieso nicht verstehe?«

»Okay, Babe, reden wir mal Klartext. Wenn du jemand anders wärst, würde ich dich dafür jetzt so was von schief angucken.«

»Für was denn? ›Typisch Schwarz‹?«

»Genau.«

»Aber ist es das denn nicht?«

»Nicht wirklich«, sage ich. »Das ist nichts exklusiv Schwarzes, weißt du? Die Begründungen sind vielleicht andere, aber mehr nicht. Haben deine Eltern kein Problem damit, dass wir zusammen sind?«

»Ich würde es nicht ein Problem nennen«, sagt Chris. »Aber wir haben schon drüber gesprochen.«

»Dann ist es also nichts typisch Schwarzes, was?«

»Treffer versenkt.«

Wir sitzen nebeneinander in der Küche und er erzählt mir in allen Einzelheiten vom heutigen Schultag. Keiner hat geschwänzt, weil die Polizei da war und nur auf irgendeine Eskalation gewartet hat.

»Hailey und Maya haben nach dir gefragt«, sagt er. »Ich hab ihnen gesagt, du bist krank.«

»Sie hätten mir auch schreiben und sich direkt bei mir erkundigen können.«

»Ich glaube, sie haben ein schlechtes Gewissen wegen gestern. Vor allem Hailey. Weiße Schuldgefühle.« Er zwinkert mir zu.

Ich muss lachen. Mein weißer Boyfriend redet von weißen Schuldgefühlen.

Momma schreit: »Und ich finde es toll, dass du darauf bestehst, ein fremdes Kind aus Garden Heights rauszubringen, aber deine sollen in diesem Höllenloch bleiben!«

»Willst du sie etwa in der Vorstadt mit all dem Bullshit-Fake haben?«, sagt Daddy.

»Wenn das hier Fake ist, Baby, dann würde ich mich jeden einzelnen Tag gegen die Realität entscheiden. Ich habe es nämlich satt! Die Kids gehen hier draußen zur Schule, ich bringe sie hier in die Kirche, ihre Freunde leben hier. Wir können es uns leisten herzuziehen. Aber du willst unbedingt in diesem Chaos bleiben!«

»Weil die Leute sie in Garden Heights wenigstens nicht wie Dreck behandeln.«

»Das tun sie doch! Und warte mal, was passiert, wenn King DeVante nicht finden kann. Bei wem, glaubst du, wird er als Erstes suchen? Bei uns!«

»Ich hab dir schon gesagt, dass ich das regle«, sagt Daddy. »Wir werden nicht umziehen. Das steht einfach nicht zur Debatte.«

»Ach, wirklich?«

»Wirklich.«

Chris lächelt mich zaghaft an. »Heikles Thema.«

Meine Wangen werden heiß, und ich bin froh, dass man bei meiner Hautfarbe das Rot nicht so sieht. »Ja. Heikel.«

Er nimmt meine Hand und tippt mit seinen Fingerspitzen einzeln gegen meine. Dann verschränkt er unsere Finger und wir lassen die Arme zwischen uns baumeln.

In dem Moment kommt Daddy rein und knallt die Tür hinter sich zu. Sofort fällt sein Blick auf unsere Hände. Chris lässt nicht los. Pluspunkt für meinen Freund.

»Wir reden später, Starr.« Damit marschiert Daddy hinaus.

»Wenn das hier eine romantische Komödie wäre«, sagt Chris, »dann wärst du Zoe Saldana und ich Ashton Kutcher.«

»Hä?«

Er nippt an seinem Saft. »Dieser alte Film, *Guess Who* –

Meine Tochter kriegst du nicht! Ich hab ihn zufällig gesehen, als ich vor ein paar Wochen die Grippe hatte. Zoe Saldana datet Ashton Kutcher. Ihrem Dad gefällt es nicht, dass sie mit einem weißen Typen zusammen ist. Das sind wir.«

»Nur dass es bei uns nicht lustig ist«, sage ich.

»Das kann ja noch kommen.«

»Nee. Lustig ist, dass du eine romantische Komödie geschaut hast.«

»Hey!«, ruft er. »Die war urkomisch. Mehr Komödie als Romanze. Bernie Mac spielt ihren Dad. Der Typ war superkomisch, einer der Kings of Comedy. Ich glaube nicht, dass man von einer romantischen Komödie reden kann, schon allein weil er mitgespielt hat.«

»Okay, du kriegst Pluspunkte dafür, dass du Bernie Mac kennst und weißt, dass er ein King of Comedy ist –«

»Das sollte *jeder* wissen.«

»Stimmt, aber damit kommst du nicht durch. Es war trotzdem eine romantische Komödie. Aber ich werde es keinem erzählen.«

Ich beuge mich zu ihm, um ihn auf die Wange zu küssen, aber er dreht den Kopf, sodass ich nicht anders kann, als ihn auf den Mund zu küssen. In kürzester Zeit knutschen wir richtig. In der Küche meines Onkels.

»*Ä-hem*!«, räuspert sich jemand. Chris und ich fahren auseinander.

Bis eben hatte ich noch gedacht, es wäre peinlich, wenn mein Freund meine Eltern streiten hört. Nope. Peinlich ist, wenn meine Mutter mich und Chris beim Knutschen erwischt. Mal wieder.

»Meint ihr nicht, ihr solltet einander auch atmen lassen?«, sagt sie.

Chris wird bis zu seinem Adamsapfel hinunter rot. »Ich sollte besser gehen.«

Er verschwindet, nachdem er Momma noch kurz zugewunken hat.

Sie betrachtet mich mit hochgezogenen Augenbrauen. »Nimmst du regelmäßig die Pille?«

»Mommy!«

»Beantworte meine Frage. Ja oder nein?«

»Ja-ha«, stöhne ich und lege mein Gesicht auf die Tischplatte.

»Wann war deine letzte Periode?«

O. Mein. Gott. Ich hebe den Kopf hoch und setze mein künstlichstes Lächeln auf. »Alles in bester Ordnung. Versprochen.«

»Ihr habt ja vielleicht Nerven. Dein Daddy ist kaum aus der Tür und schon schlabbert ihr euch gegenseitig ab. Dabei weißt du doch, wie Maverick tickt.«

»Bleiben wir heute über Nacht hier?«

Die Frage trifft sie unvorbereitet. »Wie kommst du darauf?«

»Weil du und Daddy –«

»Eine Meinungsverschiedenheit hatten, mehr nicht.«

»Eine Meinungsverschiedenheit, die die ganze Nachbarschaft gehört hat.« Und da war ja noch die andere an dem Abend neulich.

»Starr, mit uns ist alles okay. Mach dir keine Sorgen. Dein Vater ist eben ... dein Vater.«

Draußen hupt jemand ein paarmal.

Momma verdreht die Augen. »Wenn man von deinem Vater redet. Ich schätze, Mr-Ich-knall-jetzt-mal-die-Türen braucht mich, damit ich das Auto umstelle und er vorbei kann.« Kopfschüttelnd geht sie nach draußen.

Ich werfe Chris' Tetrapak weg und suche in den Schränken herum. Tante Pam ist zwar heikel, was Getränke angeht, aber sie hat immer gute Snacks vorrätig, und mein Magen knurrt schon. Ich nehme mir ein paar Graham-Cracker und streiche Erdnussbutter drauf. Das schmeckt so gut.

Da kommt DeVante in die Küche. »Kann einfach nicht glauben, dass du mit einem Weißen zusammen bist.« Er setzt sich neben mich und klaut mir ein Graham-Cracker-Sandwich. »Noch dazu mit einem *Wigga*.«

»Entschuldige mal«, sage ich, den Mund voller Erdnussbutter. »Er ist kein *Wigga*.«

»Also bitte! Der Typ trägt Js. Weiße Jungs tragen Converse und Vans. Js nur, wenn sie versuchen, schwarz zu sein.«

Echt? »Da hab ich mich wohl geirrt. Ich wusste gar nicht, dass man über die Schuhe die Rasse bestimmen kann.«

Dazu fällt ihm nichts mehr ein. Dachte ich mir.

»Was findest du eigentlich an dem? Mal ehrlich! Alle Typen in Garden Heights würden sofort mit dir zusammen sein und du suchst dir Justin Bieber aus?«

Ich deute mit dem Finger auf sein Gesicht. »Nenn ihn nicht so. Und was für Typen? Keiner in Garden Heights interessiert sich für mich. Es kennt ja kaum jemand meinen Namen. Verdammt, sogar du hast mich Big Mavs Tochter, die im Laden jobbt, genannt.«

»Weil du dich nie blicken lässt«, sagt er. »Hab dich nie auf einer Party oder so gesehen.«

Ohne nachzudenken, antworte ich: »Du meinst Partys, wo Leute erschossen werden?« Sobald ich den Satz ausgesprochen habe, fühle ich mich schrecklich. »O mein Gott, tut mir leid. Das hätte ich nicht sagen sollen.«

Er schaut auf die Tischplatte. »Is okay. Mach dir keine Gedanken.«

Stumm knabbern wir die Graham Cracker.

»Ähm ...«, sage ich. Das Schweigen ist quälend. »Onkel Carlos und Tante Pam sind ziemlich cool. Ich glaube, es wird dir hier gefallen.«

Er beißt in den nächsten Cracker.

»Manchmal können sie altmodisch sein, aber eigentlich sind sie lieb. Sie werden auf dich aufpassen. Wie ich Tante Pam kenne, wird sie dich wie Ava und Daniel behandeln. Onkel Carlos wahrscheinlich tougher. Aber wenn du dich an die Regeln hältst, passiert dir nichts.«

»Khalil hat manchmal von dir geredet«, sagt DeVante.

»Hm?«

»Du hast gesagt, keiner würde dich kennen, aber Khalil hat von dir gesprochen. Ich wusste nicht, dass du Big Mavs Tochter bist, die – also, ich wusste nicht, dass du gemeint warst«, sagt er. »Aber er hat von seiner Freundin Starr gesprochen und gesagt, du wärst das coolste Mädchen, das er kennt.«

Ein bisschen Erdnussbutter bleibt mir im Hals stecken,

aber das ist nicht der einzige Grund, warum ich schlucke. »Woher kanntest du – ach so. Ihr wart ja beide King Lords.«

Ehrlich, immer wenn ich daran denke, dass Khalil in dieses Leben reingerutscht ist, fühlt es sich an, als würde ich ihn noch einmal sterben sehen. Klar, Khalil selbst ist wichtiger, als die Dinge, die er getan hat, aber es wäre gelogen, wenn ich behauptete, es würde mir nichts ausmachen oder mich nicht enttäuschen. Er hätte es besser wissen müssen.

Da sagt DeVante: »Khalil war kein King Lord, Starr.«

»Aber bei der Beerdigung hat doch King eine Bandana auf –«

»Um das Gesicht nicht zu verlieren«, sagt DeVante. »Er hat versucht, Khalil zum Beitritt zu bewegen, aber der hat abgelehnt. Dann legt ein Cop ihn um, also war klar, dass alle Homies jetzt auf seiner Seite sind. Da wollte King nicht zugeben müssen, dass Khalil ihn hat auflaufen lassen. Deshalb war es ihm ein Anliegen, dass die Leute glauben, Khalil hätte zu den King Lords gehört.«

»Moment«, sage ich. »Woher weißt du, dass er King einen Korb gegeben hat?«

»Das hat Khalil mir mal im Park erzählt. Da waren wir zusammen postiert.«

»Dann habt ihr da zusammen Drogen verkauft?«

»Ja. Für King.«

»Oh.«

»Er wollte keine Drogen verkaufen, Starr«, sagt DeVante. »Keiner will diesen Shit wirklich machen. Aber Khalil hatte kaum eine Wahl.«

»Doch, hatte er«, sage ich gepresst.

»Nein, hatte er nicht. Schau, seine Momma hatte King Stoff geklaut. Dafür wollte der sie tot sehen. Khalil hat das mitgekriegt und angefangen zu dealen, um die Schulden zu begleichen.«

»Was?«

»Ja. Das ist der einzige Grund, warum er mit dem Shit angefangen hat. Weil er versucht hat, sie zu retten.«

Ich kann es nicht glauben.

Aber dann glaube ich es doch. Das war so typisch Khalil. Egal, was seine Momma tat, er blieb immer ihr Ritter und wollte sie beschützen.

Was ich getan habe, war noch schlimmer, als ihn zu verleugnen. Ich habe das Schlechteste von ihm gedacht. Wie alle anderen.

»Sei nicht sauer auf ihn«, sagt DeVante, und seltsamerweise höre ich gleichzeitig in meinem Kopf auch Khalil, wie er mich bittet, nicht sauer zu sein.

»Bin ich nicht ...« Ich seufze. »Okay, ich war ein bisschen sauer. Und ich hasse es einfach, dass er als *Thug* bezeichnet wird und all den Mist, obwohl die Leute gar nicht die ganze Geschichte kennen. Du hast gesagt, er war kein Gangbanger, und wenn jeder wüsste, warum er Drogen verkauft hat, dann –«

»Dann würden sie nicht denken, dass er so ein *Thug* war wie ich?«

Verdammt. »Ich wollte nicht ...«

»Schon gut«, sagt er. »Ich versteh das. Irgendwie bin ich ja wohl ein *Thug*. Ich hab eben getan, was ich tun musste.

Die King Lords waren das, was für Dalvin und mich einer Familie noch am nächsten kam.«

»Aber deine Momma«, sage ich, »und deine Schwestern –«

»Die konnten sich nicht so um uns kümmern, wie King Lords das tun«, sagt er. »Im Gegenteil, Dalvin und ich haben uns um *sie* gekümmert. Und mit den King Lords hatten wir eine ganze Menge Leute hinter uns, egal, was kam. Die kauften uns Klamotten und den ganzen Scheiß, den unsere Momma sich nicht leisten konnte. Sie achteten sogar darauf, dass wir was zu essen kriegten.« Er schaut auf die Tischplatte. »Es war einfach cool, dass zur Abwechslung mal jemand auf uns aufpasste, anstatt andersrum.«

»Oh.« Eine bescheuerte Antwort, schon klar.

»Wie gesagt, keiner dealt gern mit Drogen. Ich habe den Scheiß gehasst. Echt jetzt. Aber ich hasste es eben auch, mitanzusehen, dass meine Momma und meine Schwestern nichts zu essen hatten, weißt du?«

»Ich weiß es nicht.« Ich habe so was nie erleben müssen. Dafür haben meine Eltern gesorgt.

»Dann hast du's gut«, sagt er. »Mir tut es trotzdem leid, wenn die Leute so über Khalil reden. Er war wirklich einer von den Guten. Hoffentlich kommt eines Tages die Wahrheit ans Licht.«

»Ja«, sage ich leise.

DeVante. Khalil. Keiner von beiden hatte eigentlich eine Wahl. Wäre ich an ihrer Stelle gewesen … Ich bin mir nicht sicher, ob ich es besser gemacht hätte.

Dann bin ich wohl auch ein *Thug*.

»Ich geh mal eine Runde spazieren«, sage ich und stehe auf. In meinem Kopf herrscht ein unglaubliches Durcheinander. »Du kannst die restlichen Cracker mit Erdnussbutter haben.«

Dann gehe ich raus. Ohne zu wissen, wohin. Ich weiß gerade sowieso nicht mehr besonders viel.

Kapitel 14

Am Ende stehe ich vor Mayas Haus. Um die Wahrheit zu sagen, ist es das am weitesten von Onkel Carlos' entfernte, bis zu dem ich gehen kann, bevor die Häuser irgendwie alle gleich aussehen.

Es ist diese seltsame Zeit zwischen Tag und Nacht, wenn der Himmel in Flammen zu stehen scheint und die Moskitos Jagd machen. Bei den Yangs brennen schon alle Lichter, und das sind ganz schön viele. Ihr Haus ist groß genug, dass ich mit meiner Familie bei ihnen wohnen könnte und wir immer noch Platz hätten. In der runden Auffahrt steht ein blaues Infiniti-Coupé mit eingedellter Stoßstange. Hailey kann verdammt nochmal einfach nicht Auto fahren.

Ungelogen gibt es mir schon einen kleinen Stich zu wissen, dass die beiden ohne mich abhängen. So was passiert eben, wenn du dermaßen weit weg von deinen Freunden wohnst. Ich kann deshalb nicht sauer sein. Neidisch vielleicht. Aber nicht sauer.

Aber diese Scheißdemo? Die macht mich immer noch sauer. So sauer, dass ich jetzt an der Haustür läute. Außerdem habe ich Maya gesagt, wir drei könnten reden. Dann reden wir eben jetzt.

Mrs. Yang macht mir mit ihrem Bluetooth-Headset um den Hals die Tür auf.

»Starr!« Strahlend umarmt sie mich. »Wie schön, dich zu sehen! Wie geht es euch denn?«

»Gut«, sage ich. Sie ruft Maya zu, dass ich da bin, und lässt mich rein. Im Flur empfängt mich der Duft von Mrs. Yangs Meeresfrüchte-Lasagne.

»Ich hoffe, ich komme nicht ungelegen«, sage ich.

»Überhaupt nicht, Süße. Maya ist oben. Hailey auch. Und du kannst sehr gern mit uns zu Abend essen ... Nein, George, damit habe ich nicht dich gemeint«, sagt sie in ihr Headset. Danach formt sie stumm mit den Lippen »*mein Assistent*« und verdreht dazu ein bisschen die Augen.

Grinsend ziehe ich meine Nike Dunks aus. Im Haus der Yangs ist das Ausziehen der Schuhe zum einen chinesische Tradition, zum anderen hat es damit zu tun, dass Mrs. Yang möchte, dass man es bequem hat.

Maya kommt die Treppe runtergerannt. In einem oversized T-Shirt und Basketball-Shorts, die ihr fast bis zu den Knöcheln hängen. »Starr!«

Als sie unten ankommt, herrscht kurz Verlegenheit, weil sie die Arme ausbreitet, als wolle sie mich umarmen, sie dann aber wieder sinken lässt. Ich umarme sie trotzdem. Es ist schon eine Weile her, dass ich eine von diesen guten Maya-Umarmungen erlebt habe. Ihr Haar duftet nach Zitrusfrüchten und sie drückt mich fest und mütterlich.

Dann geht Maya voraus in ihr Zimmer. Von der Decke hängen Lichterketten. Es gibt ein Regal mit Videospielen und überall Figuren und anderen Kram aus »Adventure Time – Abenteuerzeit mit Finn und Jake«. Hailey lümmelt auf einem Sitzsack und konzentriert sich auf die Basketballspieler, die sie gerade auf Mayas Flachbildschirm steuert.

»Schau mal, wer hier ist, Hails«, sagt Maya.

Hailey schaut zu mir hoch. »Hey.«

»Hey.«

Verkrampfter geht's kaum.

Ich steige über eine Sprite-Dose und eine Tüte Doritos, bevor ich mich auf den anderen Sitzsack plumpsen lasse. Maya macht die Zimmertür zu. Auf deren Rückseite hängt ein altes Poster von Michael Jordan in seiner berühmten Jumpman-Pose.

Maya lässt sich bäuchlings auf ihr Bett fallen und schnappt sich einen Joystick vom Boden. »Magst du mitmachen, Starr?«

»Ja, klar.«

Sie gibt mir einen dritten Joystick und wir fangen ein neues Spiel an – wir drei gegen das Computer-Team. Das hat große Ähnlichkeit mit unserem Spiel in echt. Eine Kombination aus Rhythmus, Chemie und Können, aber die Verunsicherung zwischen uns ist dermaßen präsent, dass sie sich kaum ignorieren lässt.

Die beiden werfen mir immer wieder Blicke zu. Ich halte die Augen auf den Bildschirm gerichtet. Das Publikum auf dem Bildschirm jubelt, als Haileys Spieler einen Drei-Punkte-Wurf macht. »Schöner Wurf«, kommentiere ich.

»Okay, Schluss mit dem Blödsinn.« Hailey greift nach der Fernbedienung des Fernsehers, schaltet das Spiel aus und auf irgendeine Krimiserie um. »Warum bist du sauer auf uns?«

»Warum habt ihr demonstriert?« Da sie anscheinend nicht um den heißen Brei herumreden will, kann ich auch gleich zur Sache kommen.

»Weil ... eben«, sagt sie, als sei das Grund genug. »Ich versteh nicht, warum das für dich so ein Riesending ist, Starr. Du hast gesagt, du kanntest ihn nicht mal.«

»Was macht das für einen Unterschied?«

»Ist eine Demo nicht eine gute Sache?«

»Nicht, wenn ihr das nur macht, um den Unterricht zu schwänzen.«

»Also möchtest du, dass wir uns dafür entschuldigen, obwohl alle anderen auch mitgemacht haben?«, fragt Hailey.

»Nur weil alle anderen es gemacht haben, ist es nicht automatisch okay.«

Shit. Ich klinge schon wie meine Mutter.

»Hört auf, Leute!«, sagt Maya. »Hailey, wenn Starr möchte, dass wir uns entschuldigen, na schön, dann entschuldigen wir uns. Starr, es tut mir leid, dass ich mitdemonstriert habe. Es war eine blöde Idee, so eine Tragödie zu benutzen, um den Unterricht zu schwänzen.«

Wir sehen beide Hailey an. Die lehnt sich zurück und verschränkt die Arme. »Ich werde mich nicht entschuldigen, wenn ich gar nichts falsch gemacht habe. Wenn überhaupt, dann sollte sie sich entschuldigen, weil sie mir letzte Woche vorgeworfen hat, rassistisch zu sein.«

»Wow«, sage ich nur. Wenn mich eines an Hailey ärgert, dann wie sie einen Streit so hindreht, dass am Ende sie das Opfer ist. Das beherrscht sie echt meisterhaft. Früher bin ich darauf reingefallen, aber jetzt?

»Ich werde mich nicht für das entschuldigen, was ich empfunden habe«, sage ich. »Mir ist auch egal, wie du es gemeint hast, Hailey. Die Bemerkung mit dem Fried Chicken fühlte sich für mich rassistisch an.«

»Na schön«, sagt sie. »Und für mich fühlte es sich gut an, zu demonstrieren. Da ich mich nicht dafür entschuldigen werde, was ich gefühlt habe, und du dich nicht dafür, was du gefühlt hast, sollten wir wohl einfach nur zusammen fernsehen.«

»Prima«, sage ich.

Maya stöhnt, als müsse sie sich echt zusammennehmen, um uns nicht beiden an die Gurgel zu gehen. »Wisst ihr was? Wenn ihr beide stur sein wollt, dann bitte.«

Sie zappt durch die Sender. Hailey macht inzwischen dieses dämliche Rüberschielen aus den Augenwinkeln, bei dem der andere nicht merken soll, dass man ihn ansieht. Ist mir aber auch egal. Ich dachte, ich wäre zum Reden hergekommen, aber anscheinend wollte ich doch eine Entschuldigung.

Ich schaue auf den Fernseher. Ein Gesangswettbewerb, eine Reality-Show, Hundertfünfzehn, eine Tanzsendung mit Promis – Moment.

»Zurück, zurück«, sage ich zu Maya.

Sie schaltet um und als er wieder auf dem Bildschirm auftaucht, sage ich: »Genau. Das!«

Ich habe mir sein Gesicht so oft vorgestellt. Es wirklich wieder zu sehen, ist allerdings etwas anderes. Dabei war mein Gedächtnis ziemlich exakt – diese feine, gezackte Narbe über der Lippe, die vielen Sommersprossen auf Gesicht und Hals.

Mein Magen zieht sich zusammen und ich kriege Gänsehaut. Eigentlich will ich nur weg von Hundertfünfzehn. Meinem Instinkt scheint es egal zu sein, dass das nur ein Foto im Fernsehen ist. Um den Hals trägt er einen silbernen Kreuzanhänger. So als würde Jesus befürworten, was er getan hat. Anscheinend glauben wir nicht an denselben Jesus.

Was aussieht wie eine ältere Version von ihm, taucht auf dem Bildschirm auf, aber dieser Mann hat keine Narbe über der Lippe und mehr Falten als Sommersprossen. Außerdem hat er weiße Haare, die aber noch von ein paar braunen Strähnen durchsetzt sind.

»Mein Sohn fürchtete um sein Leben«, sagt er. »Er wollte doch nur nach Hause zu seiner Frau und den Kindern.«

Fotos werden eingeblendet. Hundertfünfzehn, wie er lächelnd die Arme um eine Frau legt, deren Gesicht man unkenntlich gemacht hat. Eines von einem Angelausflug mit zwei kleinen Kindern, auch mit verwischten Gesichtern. Dann noch mit einem freundlichen Golden Retriever, seinem Pastor und anderen Diakonen, die allesamt unkenntlich sind. Am Ende ein Bild in seiner Polizeiuniform.

»Officer Brian Cruise Junior ist seit sechzehn Jahren im Polizeidienst«, sagt die Stimme aus dem Off, und man sieht noch mehr Bilder von ihm als Cop. Das heißt, er ist schon so lange, wie Khalil lebte, Polizist. Ich frage mich plötzlich, ob Khalil nicht aus einer kranken Laune des Schicksals heraus nur geboren wurde, damit dieser Mann ihn töten konnte.

»Während des Großteils dieser Zeit tat er in Garden

Heights Dienst«, fährt die Stimme fort. »In einem Viertel, das für seine Gangs und Drogendealer berüchtigt ist.«

Ich werde nervös, als Fotos aus meiner Nachbarschaft, meiner Heimat, gezeigt werden. Es kommt mir vor, als hätten sie nur die schlimmsten Seiten ausgesucht – Drogensüchtige, die durch die Straßen streunen, die heruntergekommenen Sozialwohnungen von Cedar Grove, Gangmitglieder, die Zeichen ihrer Zugehörigkeit machen, mit weißen Tüchern zugedeckte Leichen auf Bürgersteigen. Was ist mit Mrs. Rooks und ihren Kuchen? Oder mit Mr. Lewis und seinen Haarschnitten? Mit Mr. Reuben? Dem Krankenhaus? Meiner Familie?

Was ist mit mir?

Ich spüre Haileys und Mayas Blicke, aber ich kann sie nicht erwidern.

»Mein Sohn hat sehr gern in dieser Gegend gearbeitet«, behauptet der Vater von Hundertfünfzehn. »Er wollte das Leben der Leute dort verbessern.«

Witzig. Die Sklavenhalter dachten auch, sie würden das Leben der Schwarzen eigentlich verbessern. Sie vor ihren »wilden afrikanischen Gepflogenheiten« bewahren. Der gleiche Mist, nur in einem anderen Jahrhundert. Ich wünschte, Leute wie sie würden aufhören zu glauben, dass Leute wie ich gerettet werden müssen.

Hundertfünfzehn Senior redet über das Leben seines Sohnes vor den Schüssen. Was für ein braver Junge er war, dass er sich nie in Schwierigkeiten brachte und immer anderen helfen wollte. Große Ähnlichkeit mit Khalil. Aber dann erzählt er auch von Dingen, die Hundertfünfzehn gemacht hat und die Khalil nie mehr tun wird – aufs College gehen, heiraten, eine Familie gründen.

Die Reporterin fragt nach dem Abend.

»Anscheinend hat Brian den Jungen angehalten, weil eins seiner Rücklichter kaputt war und er zu schnell gefahren ist.«

Khalil ist nicht zu schnell gefahren.

»Er sagte zu mir: ›Pop, schon als ich ihn anhielt, hatte ich ein schlechtes Gefühl‹«, sagt Hundertfünfzehn Senior.

»Warum denn?«, fragt der Reporter nach.

»Er meinte, der Junge und seine Freundin hätten sofort angefangen, ihn zu beschimpfen –«

Wir haben kein einziges Schimpfwort benutzt.

»Und sie warfen sich die ganze Zeit Blicke zu, als führten sie irgendwas im Schilde. Brian sagt, da bekam er es mit der Angst zu tun, denn wenn die beiden sich zusammengetan hätten, hätten sie ihn überwältigen können.«

Ich hätte niemanden überwältigen können. Ich hatte viel zu viel Angst. Er schildert uns, als hätten wir übermenschliche Kräfte. Dabei sind wir bloß ein paar Kids.

»Aber egal wie viel Angst er auch hat, mein Sohn macht trotzdem noch seinen Job«, sagt er. »Und genau das hatte er auch an diesem Abend vor.«

»Laut einiger Berichte war Khalil Harris unbewaffnet, als sich der Vorfall ereignete«, sagt die Reporterin. »Hat Ihr Sohn Ihnen gesagt, warum er sich entschied zu schießen?«

»Brian sagt, er stand mit dem Rücken zu dem Jungen, als er ihn sagen hörte: ›Ich zeig's dem Mistkerl.‹«

Nein, nein, nein. Khalil hat mich gefragt: Bist du okay?

»Brian drehte sich um und sah was in der Autotür. Er dachte, es wäre eine Waffe –«

Es war eine Haarbürste.

Seine Lippen zittern. Ich zittere auch. Er hält sich eine Hand vor den Mund, um nicht loszuschluchzen. Ich tue das Gleiche, um nicht zu kotzen.

»Brian ist ein guter Junge«, sagt er unter Tränen. »Er wollte doch nur nach Hause zu seiner Familie. Und jetzt stellen die Leute ihn dar, als wäre er ein Monster.«

Genau das wollten Khalil und ich auch, und du stellst *uns* dar, als wären wir Monster.

Ich kriege kaum noch Luft. Als würde ich in den Tränen ertrinken, die ich mich weigere zu weinen. Aber ich gönne weder Hundertfünfzehn noch seinem Vater die Genugtuung, mich zum Heulen zu bringen. Heute Abend haben sie mich auch getroffen, mehr als einmal, und sie haben einen Teil von mir getötet. Pech für sie, dass es alle Bedenken waren, die ich jemals hatte, mich zu Wort zu melden.

»Wie hat sich das Leben Ihres Sohnes verändert, seit das passiert ist?«, fragt die Reporterin.

»Ehrlich gesagt ist das Leben von uns allen seither die Hölle«, behauptet sein Vater. »Brian geht eigentlich gern unter Leute, aber jetzt fürchtet er sich vor der Öffentlichkeit, selbst davor, mal eben Milch kaufen zu gehen. Er hat Todesdrohungen bekommen, auch gegen seine Familie. Seine Frau musste ihren Job kündigen. Sogar Kollegen bei der Polizei haben ihn attackiert.«

»Verbal oder physisch?«

»Beides.«

Da geht mir ein Licht auf. Onkel Carlos aufgeschürfte Knöchel.

»Das ist ja schlimm«, sagt Hailey. »Die arme Familie.«

Ich blinzle ein paarmal. »Was?«

»Sein Sohn hat alles verloren, nur weil er versucht hat, seinen Job zu machen und sich zu schützen. Sein Leben zählt auch, weißt du?«

Das packe ich nicht. Es geht einfach nicht. Deshalb stehe ich lieber auf, bevor ich noch etwas richtig Dummes sage oder tue. Wie etwa ihr eine runterzuhauen.

»Ich muss dann mal ... also.« Mehr bringe ich nicht raus und gehe auf die Tür zu, aber Maya bekommt einen Zipfel meiner Strickjacke zu fassen.

»He, he. Ihr beiden habt das noch nicht geklärt«, sagt sie.

»Maya« sage ich so ruhig wie nur möglich. »Bitte lass mich. Ich kann nicht mit ihr reden. Hast du nicht gehört, was sie gerade gesagt hat?«

»Ist das jetzt dein Ernst?«, fragt Hailey. »Was ist denn daran falsch zu sagen, dass sein Leben auch zählt?«

»Sein Leben zählt immer mehr!« Meine Stimme klingt schroff und mein Hals fühlt sich an wie zugeschnürt. »Das ist das Problem!«

»Starr! Starr!«, sagt Maya und versucht, meinen Blick auf sich zu ziehen. Ich sehe sie an. »Was ist bloß los? Du bist in letzter Zeit so wütend wie Harry in *Der Orden des Phönix*.«

»Danke!«, mischt Hailey sich ein. »Seit Wochen benimmt sie sich bitchig, will aber mir die Schuld daran in die Schuhe schieben.«

»Wie bitte?«

Da klopft es an der Tür. »Girls, ist alles in Ordnung bei euch?«, fragt Mrs. Yang.

»Alles gut, Mom. Wir machen nur Videospiele.« Maya sieht wieder mich an und senkt ihre Stimme. »Bitte setz dich hin. Bitte?«

Ich setze mich auf ihr Bett. Anstelle von Hundertfünfzehn Senior ist jetzt Werbung zu sehen und füllt die Stille, die sich wie ein Abgrund zwischen uns aufgetan hat.

»Warum folgst du mir nicht mehr auf Tumblr?«, platzt es aus mir heraus.

Hailey dreht sich zu mir. »Was?«

»Du folgst mir nicht mehr auf Tumblr. Warum?«

Ganz kurz wirft sie einen Blick zu Maya, den ich aber mitbekomme, und meint dann: »Keine Ahnung, von was du da redest.«

»Lass den Schwachsinn, Hailey. Du folgst mir nicht mehr. Schon seit Monaten. Warum?«

Sie sagt nichts.

Ich schlucke. »War das wegen dem Foto von Emmett Till?«

»O mein Gott.« Sie steht stöhnend auf. »Da haben wir's wieder. Ich werde mir nicht weiter anhören, wie du mich beschuldigst, Starr –«

»Du schreibst mir keine Nachrichten mehr«, sage ich. »Wegen diesem Bild damals bist du ausgeflippt.«

»Hörst du das?«, sagt Hailey zu Maya. »Schon wieder nennt sie mich rassistisch.«

»Ich nenne dich gar nichts. Ich stelle eine Frage und nenne dir Beispiele.«

»Du unterstellst mir Dinge!«

»Ich habe das Wort ›Rasse‹ noch gar nicht erwähnt.«

Schweigen breitet sich zwischen uns aus.

Hailey schüttelt den Kopf und ihr Mund bildet einen Strich. »Unfassbar.« Dann schnappt sie sich ihre Jacke von Mayas Bett und geht zur Tür. Mit dem Rücken zu mir bleibt sie noch mal stehen. »Willst du wirklich wissen, warum ich dir nicht mehr folge, Starr? Weil ich überhaupt nicht mehr weiß, wer du verdammt noch mal bist.«

Dann schlägt sie die Tür hinter sich zu.

Im Fernsehen laufen jetzt die Nachrichten. Sie zeigen Bildmaterial von Protesten im ganzen Land, nicht nur in Garden Heights. Hoffentlich hat keiner Khalils Tod dafür benutzt, um die Schule oder seinen Job zu schwänzen.

Unvermittelt sagt Maya: »Das ist nicht der Grund.«

Sie starrt mit ein bisschen verkrampften Schultern auf die Tür.

»Hä?«, frage ich.

»Sie lügt«, sagt Maya. »Nicht deswegen hat sie aufgehört, dir zu folgen. Sie hat gesagt, sie will diesen Mist nicht mehr bei ihren Benachrichtigungen sehen.«

Das dachte ich mir. »Das Foto von Emmett Till, stimmt's?«

»Nein. Das ganze ›schwarze Zeug‹, wie sie es genannt hat. Die Petitionen. Die Bilder von den Black Panthers. Den Post über diese vier kleinen Mädchen, die in der Kirche umgebracht wurden. Das Zeug über Marcus Garvey. Das über die Black Panthers, die von Beamten erschossen wurden.«

»Fred Hampton und Bobby Hutton«, sage ich.

»Genau, die beiden.«

Wow. Sie hat echt aufgepasst. »Warum hast du mir das nicht gesagt?«

Sie starrt auf ein Plüschtier am Boden. »Ich hatte gehofft, sie würde ihre Meinung ändern, bevor du es merkst. Dabei hätte ich es eigentlich besser wissen müssen. Es ist ja nicht das erste Mal, dass sie absoluten Mist daherredet.«

»Wie meinst du das?«

Maya schluckt heftig. »Erinnerst du dich noch daran, wie sie mich gefragt hat, ob meine Familie zu Thanksgiving eine Katze gegessen hat?«

»Was? Wann war das denn?«

Ihre Augen kriegen so einen Glanz. »In der neunten. Erste Stunde. Biologie bei Mrs. Edwards. Das war gleich nach den Ferien zu Thanksgiving. Ich hatte euch erzählt, dass meine Großeltern zu Besuch da waren, und wir unterhielten uns darüber, was wir so gemacht hatten. Da fragte Hailey, ob wir eine Katze gegessen hätten. Weil wir doch Chinesen sind.«

Ach. Du. Scheiße. Ich zermartere mir den Kopf. Die Neunte war so kurz nach der Middle School. Sehr gut möglich, dass ich damals auch irgendwas extrem Blödes gesagt oder getan habe. Ich fürchte mich davor, es zu erfahren, frage aber trotzdem: »Und was habe ich gesagt?«

»Nichts. Du hattest nur diesen speziellen Blick drauf, als könntest du nicht glauben, dass sie das gesagt hat. Sie behauptete dann, es sei nur Spaß gewesen, und lachte. Ich lachte mit und du dann auch.« Maya blinzelt. Heftig. »Ich hab nur mitgelacht, weil ich dachte, das müsste ich. Den Rest der Woche fühlte ich mich schrecklich.«

»Oh.«

»Genau.«

Ich fühle mich auch schrecklich. Ich kann nicht glauben, dass ich Hailey so eine Äußerung habe durchgehen lassen. Oder hat sie schon immer solche Witze gemacht und habe ich immer gelacht, weil ich dachte, das müsste ich?

Genau da liegt das Problem. Wir lassen zu, dass Leute solche Dinge sagen, und dann sagen sie die so oft, dass es für sie total okay und für uns normal ist. Wozu hat man eigentlich eine Stimme, wenn man in den entscheidenden Momenten schweigt?

»Maya?«, sage ich.

»Ja?«

»Wir dürfen sie nicht mehr damit durchkommen lassen, dass sie solche Sachen sagt, okay?«

Sie lächelt zaghaft. »Ein Minderheitenbündnis?«

»Ja, verdammt«, sage ich und wir müssen beide lachen.

»Na gut. Abgemacht.«

Ein Spiel mit *NBA 2015* später (bei dem ich Maya ganz schön fertiggemacht habe) laufe ich zurück zu Onkel Carlos' Haus. In der Hand einen mit Alufolie abgedeckten Teller Meeresfrüchte-Lasagne. Mrs. Yang lässt mich niemals mit leeren Händen gehen und bei etwas zu essen sage ich nie Nein.

Schmiedeeiserne Laternen beleuchten den Gehweg und ich kann Onkel Carlos schon ein paar Häuser weit entfernt sehen; er sitzt auf den Stufen vor dem Haus. Er trinkt irgendwas, und als ich näher komme, erkenne ich, dass es eine Dose Heineken ist.

Erst stelle ich meinen Teller auf die Stufen, dann setze ich mich neben ihn.

»Ich hoffe mal, du warst nicht bei deinem li'l Boyfriend zu Hause«, sagt er.

O Mann. Chris ist für ihn immer der »Kleine«, dabei sind die beiden fast gleich groß. »Nein. Ich war bei Maya.« Gähnend strecke ich meine Beine aus. Es war ein echt langer Tag. »Ich kann nicht glauben, dass du was trinkst«, sage ich beim Gähnen.

»Ich trinke auch nicht. Ist nur ein Bier.«

»Ist das nicht Nanas Spruch?«

Er wirft mir einen vielsagenden Blick zu. »Starr.«

»Onkel Carlos«, sage ich ebenso entschlossen.

Wir liefern uns ein Blickduell.

Schließlich stellt er sein Bier hin. Worum es hier geht – Nana ist Alkoholikerin. Es ist nicht mehr so schlimm wie früher, aber es braucht nur einen harten Drink, und schon ist sie die »andere« Nana und noch verrückter als ohnehin schon. Ich habe Geschichten darüber gehört, wie sie sich früher aufgeführt hat, wenn sie betrunken war. Dann gab sie Momma und Onkel Carlos die Schuld daran, dass ihr Daddy zu seiner Frau und den anderen Kindern zurückgegangen war. Sie sperrte sie aus, beschimpfte sie und lauter solche Sachen.

Daher nein. Ein Bier ist für Onkel Carlos nicht bloß ein Bier, denn er war schon immer gegen Alkohol.

»Sorry«, meint er. »Heute ist so ein Abend.«

»Du hast das Interview gesehen, oder?«, frage ich.

»Genau. Und ich hatte gehofft, du nicht.«

»Doch. Hat meine Mom es auch –«

»O ja. Hat sie. Genau wie Pam und deine Grandma. Ich war in meinem ganzen Leben noch nicht mit so vielen angepissten Frauen in einem Raum.« Er sieht mich an. »Wie kommst du damit klar?«

Ich zucke mit den Achseln. Klar bin ich angepisst, aber mal ehrlich? »Ich habe erwartet, dass sein Vater ihn als Opfer darstellt.«

»Ich auch.« Er stützt einen Ellbogen auf sein Knie und legt das Kinn in die Handfläche. Auf den Stufen ist es nicht besonders dunkel, sodass ich seine aufgeschürften Knöchel deutlich sehen kann.

»Ne Pause gebraucht, was?«, sage ich und klopfe auf meine Knie.

Er scheint sich zu fragen, worauf ich hinauswill. »Jaaa?«

Schweigen.

»Hast du dich mit ihm geprügelt, Onkel Carlos?«

Er richtet sich gerade auf. »Nein, ich hatte nur eine Diskussion mit ihm.«

»Du meinst wohl, deine Faust hat sich mit seinem Auge unterhalten. Hat er irgendwas über mich gesagt?«

»Er hat seine Waffe auf dich gerichtet. Das hat mehr als genügt.«

Seine Stimme klingt irgendwie fremd. Und auch wenn es total unpassend ist, lache ich. Und zwar so heftig, dass ich mir den Bauch halten muss.

»Was ist denn derart lustig?«, fragt er laut.

»Onkel Carlos, du hast jemanden verdroschen!«

»Hey, ich bin aus Garden Heights. Ich weiß, wie das geht.«

Jetzt brülle ich fast vor Lachen.

»Das ist nicht witzig!«, sagt er. »Ich hätte die Beherrschung nicht verlieren dürfen. Das war unprofessionell. Außerdem war ich damit ein schlechtes Vorbild für dich.«

»Genau, warst du, Muhammad Ali.«

Ich lache immer noch und inzwischen lacht er mit.

»Pscht«, macht er.

Unser Gelächter erstirbt, und dann ist es richtig still hier draußen. Es gibt nichts anderes zu tun, als in den Himmel und zu all den Sternen hinaufzuschauen. Heute Abend sind so viele davon zu sehen. Möglicherweise bemerke ich sie zu Hause wegen der vielen anderen Sachen nicht. Manchmal kann ich mir aber auch kaum vorstellen, dass Garden Heights und Riverton Hill unter demselben Himmel liegen.

»Weißt du noch, was ich dir früher immer gesagt habe?«, fragt Onkel Carlos.

Ich rutsche näher an ihn ran. »Dass nicht ich nach den Sternen, sondern die Sterne nach mir benannt sind. Du hast dir echt Mühe gegeben, damit ich eingebildet werde, was?«

Er kichert. »Nein. Ich wollte dir nur klarmachen, dass du etwas Besonderes bist.«

»Besonders oder nicht, jedenfalls hättest du deinen Job nicht für mich aufs Spiel setzen sollen. Du magst den doch so gern.«

»Aber dich mag ich noch lieber. Du bist sogar einer der Gründe dafür, warum ich ein Cop geworden bin, Baby Girl. Weil ich dich und all die Leute aus dem Viertel so sehr mag.«

»Ich weiß. Deshalb will ich ja nicht, dass du ihn riskierst. Wir brauchen solche wie dich.«

»Solche wie mich.« Er lacht bitter. »Weißt du, es hat mich angekotzt zu hören, wie der Mann über dich und Khalil geredet hat. Aber ich musste auch daran denken, was ich an jenem Abend in der Küche bei deinen Eltern über Khalil gesagt habe.«

»Was denn?«

»Ich weiß, dass du gelauscht hast, Starr. Also tu nicht so, als wäre das für dich *brand new*.«

Ich muss über Onkel Carlos' Ausdrucksweise grinsen. »Du meinst, als du Khalil einen Drogendealer genannt hast?«

Er nickt. »Selbst wenn er das war. Ich kannte den Jungen. Hab ihn mit dir aufwachsen gesehen. Er war mehr als irgendeine falsche Entscheidung, die er getroffen hat«, sagt er. »Es ärgert mich schrecklich, dass ich versucht habe, seinen Tod irgendwie rational zu erklären. Und außerdem erschießt man jemanden nicht, weil er eine Autotür aufmacht. Und wenn doch, dann sollte man kein Cop sein.«

Tränen treten mir in die Augen. Es ist gut, wenn meine Eltern und Ms. Ofrah so was sagen oder all die Demonstranten es rufen. Aber das von meinem Onkel, dem Cop, zu hören? Ich empfinde es als Erleichterung, auch wenn der Schmerz dadurch noch ein bisschen größer wird.

»Das habe ich auch Brian gesagt«, meint er und schaut auf die Knöchel seiner Hand. »Nachdem ich ihm eine gescheuert hatte. Dem Polizeichef hab ich es auch gesagt. Wahrscheinlich habe ich laut genug gebrüllt, dass es jeder auf dem Revier gehört hat. Eine Wiedergutmachung ist es trotzdem nicht. Denn ich habe Khalil im Stich gelassen.«

»Nein, hast du nicht –«

»Doch, das habe ich«, beharrt er. »Ich kannte ihn und seine Familiensituation. Nachdem er nicht mehr mit dir vorbeikam, geriet er aus meinem Blick, und ich habe einfach nicht mehr an ihn gedacht. Dafür gibt's keine Entschuldigung.«

Für mich gibt es die auch nicht. »Ich glaube, so fühlen wir uns alle«, murmle ich. »Es ist ein Grund dafür, warum Daddy fest entschlossen ist, DeVante zu helfen.«

»Ja«, sagt er. »Das bin ich auch.«

Ich schaue wieder zu den Sternen. Daddy sagt, er habe mich Starr genannt, weil ich sein Licht in der Dunkelheit war. Jetzt gerade brauche ich selbst Licht in meiner eigenen Finsternis.

»Ich hätte Khalil übrigens nicht erschossen«, sagt Onkel Carlos. »Ich weiß nicht viel, aber das weiß ich.«

Meine Augen brennen und mein Hals fühlt sich an wie zugeschnürt. Ich bin so eine verdammte Heulsuse geworden. Dass ich mich noch enger an Onkel Carlos schmiege, drückt hoffentlich all das aus, was ich nicht sagen kann.

Kapitel 15

Erst als sie bemerkt, dass ich den Stapel Pancakes nicht anrühre, sagt Momma: »Na schön, Mümmel. Was ist los?«

Wir sitzen in einer IHOP-Filiale an einem Tisch für uns allein. Es ist noch früh am Morgen und das Lokal fast leer. Außer uns hocken nur ein paar bärtige Trucker mit dicken Bäuchen in einer anderen Nische und stopfen sich voll. Dank ihnen ertönt aus der Jukebox Countrymusik.

Ich stochere mit meiner Gabel in den Pancakes herum. »Bin nicht wirklich hungrig.«

Das ist einerseits gelogen, andererseits auch wieder nicht. Dafür habe ich einen echten Kater, was meine Gefühle angeht. Da war dieses Interview. Onkel Carlos. Hailey. Khalil. DeVante. Meine Eltern.

Momma, Sekani und ich haben im Haus von Onkel Carlos übernachtet, aber ich weiß, das war eher, weil Momma sauer auf Daddy ist und nicht so sehr wegen der Unruhen. In den Nachrichten hieß es sogar, die Nacht wäre die erste halbwegs friedliche in Garden gewesen. Nur Proteste, keine Unruhen. Trotzdem verschossen die Cops Tränengas.

Wenn ich den Streit meiner Eltern anspreche, wird Momma mir erklären: »Misch dich nicht in die Angelegenheiten der Erwachsenen ein.« Man könnte zwar meinen, es wäre auch meine Angelegenheit, da sie ja teilweise wegen mir gestritten haben, aber nein.

»Wer soll dir denn abnehmen, dass du nicht hungrig

bist«, sagt Momma. »Du warst doch schon immer ein Vielfraß.«

Ich verdrehe nur die Augen und gähne. Sie hat mich viel zu früh geweckt und gemeint, wir würden zu IHOP gehen. Nur wir beide, wie wir es früher gemacht haben, bevor Sekani daherkam und alles ruiniert hat. Der hat bei Onkel Carlos eine zweite Schuluniform verstaut und kann gleich mit Daniel zur Schule gehen. Ich hab nur ein paar Sweatshirts und ein Drake-T-Shirt dabei. Nichts Passendes für den Termin bei der Staatsanwaltschaft. Deshalb muss ich zum Umziehen noch mal nach Hause.

»Danke, dass du mit mir hergekommen bist«, sage ich. Angesichts meiner miesen Laune ist es das Mindeste, was ich ihr schulde.

»Jederzeit, Baby. Wir haben schon eine Weile nichts mehr zu zweit unternommen. Jemand fand mich wohl nicht mehr cool genug. Ich finde mich aber immer noch cool, also egal.« Sie nippt an ihrem dampfenden Kaffee. »Hast du Angst davor, mit der Staatsanwältin zu reden?«

»Eigentlich nicht.« Obwohl ich mir gerade ausgerechnet habe, dass es bis zu unserem Termin um 9.30 Uhr nur noch dreieinhalb Stunden sind.

»Ist es dann wegen dieses Mist-Interviews? Diesem Dreckskerl.«

Da sind wir wieder beim Thema. »Momma –«

»Schickt seinen verdammten Daddy ins Fernsehen vor, damit der Lügen verbreitet«, sagt sie. »Wer soll denn bitteschön glauben, dass ein erwachsener Mann dermaßen Schiss vor zwei *Kindern* hatte?«

Im Internet liest man das Gleiche. Bei Black Twitter hieß es über den Vater von Officer Cruise, er müsse wegen seiner schauspielerischen Leistung eigentlich Tom Cruise heißen. Bei Tumblr auch. Ich bin mir sicher, dass es Leute gibt, die ihm trotzdem glauben. Hailey zum Beispiel. Aber Ms. Ofrah hatte recht – es wirkt wie ein Bumerang. Leute, die weder mich noch Khalil kennen, nennen das Blödsinn.

Und auch wenn das Interview mich aufregt, ist es auch wieder nicht *so* schlimm.

»Eigentlich ist es nicht wegen des Interviews«, sage ich. »Eher wegen anderer Sachen.«

»Und zwar?«

»Khalil«, sage ich. »DeVante hat mir Dinge über ihn erzählt, und ich habe ein schlechtes Gewissen.«

»Was für Dinge?«, fragt sie.

»Weswegen er Drogen verkauft hat. Er wollte Ms. Brenda helfen, Schulden bei King zu begleichen.«

Momma macht große Augen. »Was?«

»Ja. Und er war kein King Lord. Khalil hat King abblitzen lassen, und der hat hinterher gelogen und nur 'ne Show abgezogen, um nicht das Gesicht zu verlieren.«

Momma schüttelt den Kopf. »Warum wundert mich das nicht? Das sieht King ähnlich.«

Ich starre auf meine Pancakes. »Ich hätte es besser wissen sollen. Hätte *Khalil* besser kennen sollen.«

»Das konntest du doch nicht wissen, Baby«, sagt sie.

»Darum geht es ja. Wenn ich für ihn da gewesen wäre, hätte ich –«

»Ihn nicht aufhalten können. Khalil war fast so dickköpfig wie du. Ich weiß, dass dir eine Menge an ihm lag, sogar mehr als an einem guten Freund, aber das darfst du dir nicht vorhalten.«

Ich schaue zu ihr hoch. »Was meinst du mit ›mehr als an einem guten Freund‹?«

»Stell dich nicht dumm, Starr. Ihr mochtet einander doch schon lange.«

»Denkst du, er mochte mich auch?«

»Meine Güte!« Momma verdreht die Augen. »Von uns beiden bin ich hier doch die alte –«

»Du hast dich gerade selbst als alt bezeichnet.«

»Die Ältere«, verbessert sie sich und sieht mich strafend an. »Und selbst ich hab es mitbekommen. Wie um alles in der Welt konnte *dir* das entgehen?«

»Keine Ahnung. Er hat einfach immer von anderen Mädchen geredet, nie von mir. Trotzdem ist es irgendwie seltsam. Ich dachte, ich wäre über ihn hinweg, aber manchmal kommen mir Zweifel.«

Momma streicht über den Rand ihres Kaffeebechers. »Mümmel«, sagt sie schließlich seufzend. »Baby, schau mal. Du trauerst um ihn, ja? Das kann sich auf deine Gefühle auswirken, sodass du plötzlich etwas spürst, was du davor lange nicht mehr gespürt hast. Selbst wenn du jetzt etwas für Khalil empfindest, ist daran nichts Schlimmes.«

»Obwohl ich jetzt mit Chris zusammen bin?«

»Ja. Du bist sechzehn. Da darfst du Gefühle für mehr als einen Menschen haben.«

»Willst du damit sagen, ich kann ruhig eine Schlampe sein?«

»Kind!« Sie droht mir mit dem Zeigefinger. »Bring mich nicht dazu, dich unterm Tisch zu treten. Ich will sagen, dass du dich dafür nicht fertigmachen sollst. Trauere um Khalil, so viel du willst. Vermiss ihn, erlaub dir zu vermissen, was hätte sein können, lass deine Gefühle raus. Aber wie schon gesagt, hör deshalb nicht auf, dein Leben zu leben. Klar?«

»Klar.«

»Gut. Das wären zwei Sachen«, sagt sie. »Was ist sonst noch los?«

Alles ist los. Mein Kopf fühlt sich an, als würde mein Hirn überquellen. Ein emotionaler Kater fühlt sich wohl an wie ein echter.

»Hailey«, sage ich nur.

Sie schlürft geräuschvoll ihren Kaffee. »Was hat dieses kleine Biest jetzt wieder gemacht?«

Da haben wir es wieder. »Momma, du mochtest sie noch nie.«

»Nein, ich mochte es noch nie, wie du ihr in allem gefolgt bist, als könntest du nicht selbstständig denken. Das ist ein Unterschied.«

»Ich bin ihr nicht –«

»Lüg nicht! Erinnere dich an das Schlagzeug, das ich dir unbedingt kaufen sollte. Warum wolltest du das, Starr?«

»Hailey wollte eine Band gründen, aber mir gefiel die Idee auch.«

»Moment mal. Hattest du mir nicht gesagt, du wolltest in dieser Band Gitarre spielen, aber Hailey meinte, du sollst Schlagzeug spielen?«

»Schon, aber –«

»Oder diese kleinen Jonas-Jungs«, sagt sie. »Welchen mochtest du am liebsten?«

»Joe.«

»Aber wer hat gesagt, du solltest lieber den mit den Locken nehmen?«

»Hailey, aber Nick war auch total toll, und das war doch alles an der Middle School –«

»M-hm! Letztes Jahr hast du mich angebettelt, dass ich dir erlauben soll, deine Haare lila zu färben. Warum, Starr?«

»Ich wollte –«

»Nein. *Warum*, Starr?«, sagt sie. »Den wahren Grund.«

Verdammt. Da gibt es ja wirklich ein Schema. »Weil Hailey wollte, dass meine, ihre und Mayas Haare zusammenpassen.«

»Verdammt richtig. Baby, ich hab dich wirklich lieb, aber du hast es dir zur Gewohnheit gemacht, deine Wünsche beiseitezuschieben, um zu tun, was immer dieses kleine Biest will. Also verzeih mir, wenn ich sie nicht mag.«

Nachdem sie mir all diese Beispiele aufgezählt hat, sage ich: »Ich kann verstehen, warum.«

»Gut. Selbsterkenntnis ist der erste Schritt. Und was hat sie jetzt gemacht?«

»Wir haben uns gestern gestritten«, sage ich. »Aber eigentlich ist es schon seit einer Weile seltsam zwischen uns. Sie hat aufgehört, mir zu schreiben und folgt mir nicht mehr auf Tumblr.«

Momma angelt sich mit ihrer Gabel ein Stück Pancake

von meinem Teller. »Was ist dieses Tumblr überhaupt? So was wie Facebook?«

»Nein, und du darfst auch nicht beitreten. Eltern verboten. Ihr habt euch ja schon Facebook unter den Nagel gerissen.«

»Du hast meine Freundschaftsanfrage immer noch nicht beantwortet.«

»Ich weiß.«

»Ich brauche Leben für Candy Crush.«

»Deshalb werde ich dir auch nie antworten.«

Sie sieht mich mit ihrem speziellen Blick an. Ist mir aber egal. Es gibt einfach ein paar Dinge, die ich mich absolut weigere zu tun.

»Sie folgt dir also nicht mehr auf diesem Tumblr-Dingsda«, sagt Momma und beweist damit, warum sie selbst nie dort sein wird. »Ist das alles?«

»Nein. Sie hat auch noch was Blödes gesagt und getan.« Ich reibe mir die Augen. Wie schon gesagt, es ist einfach zu früh. »Ich fange an, mich zu fragen, warum wir überhaupt befreundet sind.«

»Tja, Mümmel« – sie klaut sich tatsächlich noch ein Stück von meinen Pancakes – »du musst entscheiden, ob es sich lohnt, die Freundschaft zu retten. Mach eine Liste der guten, dann eine der schlechten Seiten. Wenn die eine überwiegt, weißt du, was du zu tun hast. Glaub mir, mit der Methode bin ich noch nie schlecht gefahren.«

»Hast du das auch bei Daddy gemacht, als Iesha schwanger war?«, frage ich. »Weil, ehrlich gesagt, ich hätte ihn hochkant rausgeschmissen. Nicht bös gemeint, ja?«

»Ist schon okay. Eine Menge Leute haben mich für verrückt erklärt, als ich zu deinem Daddy zurück bin. Wer
weiß, vielleicht tun sie das hinter meinem Rücken immer
noch. Deine Nana würde der Schlag treffen, wenn sie das
wüsste, aber sie ist der eigentliche Grund dafür, warum
ich bei ihm geblieben bin.«

»Ich dachte, Nana hat Daddy gehasst?« Eigentlich glaube
ich, sie hasst ihn immer noch.

Der Blick meiner Momma bekommt etwas Trauriges,
aber dann lächelt sie zaghaft. »Als ich ein Teenager war,
machte und sagte deine Großmutter verletzende Dinge,
wenn sie betrunken war, und entschuldigte sich am
nächsten Morgen dafür. So habe ich früh gelernt, dass
Menschen Fehler machen und man selbst entscheiden
muss, ob ihre Fehler größer sind als die Liebe, die man für
sie empfindet.«

Sie holt tief Luft. »Seven ist kein Fehler. Ich liebe ihn
abgöttisch. Aber Maverick hat sich falsch verhalten. Trotzdem hat all das Gute an ihm und die Liebe, die uns verbindet, mehr Gewicht, als dieser eine Fehler.«

»Obwohl wir deshalb die verrückte Iesha in unserem
Leben haben?«, frage ich.

Momma kichert. »Trotz der verrückten, chaotischen,
nervigen Iesha. Es ist zwar nicht ganz das Gleiche, aber
wenn das Gute schwerer wiegt als das Schlechte, dann behalte Hailey in deinem Leben, Baby.«

Genau da könnte das Problem liegen. Viel von dem
Guten liegt in der Vergangenheit. Die Jonas Brothers,
High School Musical, die uns verbindende Trauer. Unsere

Freundschaft basiert auf Erinnerungen. Was haben wir jetzt noch?

»Und wenn das Gute nicht schwerer wiegt?«, frage ich.

»Dann lässt du sie ziehen«, sagt Momma. »Und wenn sie weiter ein Teil deines Lebens bleibt, aber weiter solchen Mist baut, dann lässt du sie auch ziehen. Denn das kann ich dir versprechen, wenn dein Daddy noch mal so was abgezogen hätte, wäre ich schon längst mit Idris Elba verheiratet und würde sagen: ›Maverick wer, bitte?‹«

Ich pruste vor Lachen.

»Und jetzt iss was«, sagt sie und drückt mir ihre Gabel in die Hand. »Bevor mir nichts anderes übrig bleibt, als diese Pancakes für dich aufzufuttern.«

Ich bin schon so daran gewöhnt, Rauch in Garden Heights zu sehen, dass es mir seltsam vorkommt, als wir zurückkehren und nirgends welcher ist. Wegen eines nächtlichen Gewitters ist es noch grau, aber immerhin können wir mit offenen Fenstern fahren. Obwohl die Unruhen aufgehört haben, kommen wir an ebenso viel gepanzerten wie tiefergelegten Fahrzeugen vorbei.

Zu Hause quillt uns dafür schon an der Haustür Rauch entgegen.

»Maverick!«, schreit Momma und wir laufen in die Küche.

Dort lässt Daddy gerade Wasser in eine Bratpfanne im Waschbecken laufen. Es zischt laut und weißer Dampf steigt auf. Was auch immer er da hat anbrennen lassen – es ist übel verbrannt.

»Halleluja!« Seven, der am Tisch sitzt, reißt die Arme in die Höhe. »Endlich jemand, der wirklich kochen kann.«

»Halt die Klappe«, sagt Daddy.

Momma nimmt ihm die Pfanne aus der Hand. »Was war das? Eier?«

»Schön, dass du zumindest noch den Heimweg findest«, sagt er. An mir marschiert er vorbei, ohne mich auch nur eines Blickes zu würdigen oder Guten Morgen zu sagen. Ist er wohl immer noch sauer wegen Chris?

Momma stochert heftig mit einer Gabel in den verkohlten Resten herum. »Möchtest du was zum Frühstück, Seven Baby?«

Er sieht ihr dabei zu und meint: »Äh, nein. Und übrigens kann die Pfanne nichts dafür, Ma.«

»Da hast du recht«, sagt sie, stochert aber weiter. »Im Ernst, ich kann dir was machen. Eier. Speck.« Sie schaut Richtung Flur und schreit: »*Schweine*fleisch!!« So viel zum Guten, das das Schlechte überwiegt. Seven und ich sehen uns an. Wir hassen es, wenn sie streiten, weil wir dann immer zwischen die Fronten geraten. Das Essen bleibt als Erstes auf der Strecke. Wenn Momma sauer ist und nicht kocht, müssen wir Daddys Not-Futter essen. So was wie Spaghetti mit Ketchup und Hotdogs drin.

»Ich hol mir in der Schule irgendwas.« Seven gibt ihr einen Kuss auf die Wange. »Trotzdem danke.« Mir gibt er im Rausgehen einen Fistbump. Das ist seine Art, mir viel Glück zu wünschen.

Da kommt Daddy wieder, mit nach hinten gedrehter Cap. Er schnappt sich seine Schlüssel und eine Banane.

»Wir müssen um 9.30 Uhr im Büro der Staatsanwältin sein«, sagt Momma. »Kommst du auch?«

»Oh, kann Carlos da nicht? Er kennt doch sonst auch eure ganzen Geheimnisse.«

»Weißt du was, Maverick –«

»Ich werde da sein«, unterbricht er sie und geht.

Daraufhin sticht Momma noch ein bisschen auf die Pfanne ein.

Die Staatsanwältin höchstpersönlich führt uns in ein Besprechungszimmer. Sie heißt Karen Monroe und ist eine Weiße mittleren Alters, die behauptet zu wissen, was ich im Moment durchmache.

Ms. Ofrah ist bereits da, genau wie ein paar Leute aus dem Büro der Staatsanwältin. Ms. Monroe hält erst mal einen langen Vortrag darüber, wie sehr sie Gerechtigkeit für Khalil will, und entschuldigt sich dafür, dass es bis zu unserem Termin heute so lange gedauert hat.

»Zwölf Tage, um genau zu sein«, teilt Daddy ihr mit. »Zu lange, wenn Sie mich fragen.«

Daraufhin schaut Ms. Monroe ein bisschen unbehaglich.

Sie erklärt, wie das mit dem Geschworenengericht funktioniert. Dann fragt sie mich nach dem Abend. Ich erzähle ihr so ziemlich das Gleiche wie den Cops, nur dass sie mir keine bescheuerten Fragen über Khalil stellt. Doch als ich an die Stelle komme, wo ich die Anzahl der Schüsse nennen und beschreiben soll, wie sie Khalil in den Rücken trafen und wie sein Gesichtsausdruck sich veränderte –

Da brodelt es in meinem Magen und ich schmecke Galle

im Mund. Dann muss ich würgen. Momma springt auf und greift nach einem Papierkorb. Sie hält ihn mir schnell genug hin, sodass alles da reingeht.

Ich weine und übergebe mich. Weine und übergebe mich. Das ist alles, was ich tun kann.

Die Staatsanwältin gibt mir was zu trinken und sagt: »Das wäre für heute alles, Kleines. Danke dir.«

Die Leute auf den Fluren starren mich an, bevor Daddy mir in Mommas Auto hilft. Ich wette, sie erkennen an meinem verheulten und verschmierten Gesicht, dass ich die Zeugin bin. Wahrscheinlich habe ich auch schon einen neuen Namen – *Armes Ding*. Wie in »Ach, das arme Ding«. Das macht alles nur noch schlimmer.

Im Auto bin ich vor ihrem Mitleid sicher und lehne den Kopf an die Scheibe. Ich fühle mich total mies.

Momma parkt vor dem Laden, Daddy bleibt direkt hinter uns stehen. Er steigt aus seinem Truck und geht an Mommas Seite des Wagens. Sie lässt ihr Fenster runter.

»Ich fahre jetzt zur Schule«, erklärt sie ihm. »Die müssen ja wissen, was los ist. Kann sie solange bei dir bleiben?«

»Klar, geht in Ordnung. Sie kann sich im Büro ausruhen.«

Noch etwas, das passiert, wenn man kotzt und heult – die Leute reden über dich, als wärst du gar nicht da, und bestimmen einfach über dich. Das *Arme Ding* ist anscheinend auch taub.

»Sicher?«, fragt Momma noch mal. »Oder muss ich sie zu Carlos bringen?«

Daddy seufzt. »Lisa –«

»Maverick, mir ist es echt so was von egal, was für ein Problem du hast, sei einfach nur für deine Tochter da. Ja?«

Daddy kommt auf meine Seite des Autos und macht die Tür auf. »Komm her, Baby.«

Ich steige aus und flenne immer noch wie ein kleines Kind, das sich das Knie aufgeschlagen hat. Daddy zieht mich an seine Brust, streicht mir über den Rücken und küsst mich aufs Haar. Da fährt Momma los.

»Es tut mir leid, Baby«, sagt er.

Das Weinen und Kotzen spielt auf einmal keine Rolle mehr. Mein Daddy kümmert sich um mich.

Wir gehen in den Laden, wo Daddy das Licht anmacht, aber das »Geschlossen«-Schild nicht aus dem Fenster nimmt. Kurz läuft er in sein Büro, kommt dann zurück und hebt mein Kinn an.

»Mund auf«, sagt er. Das mache ich und er verzieht das Gesicht. »Jesus. Da brauchen wir eine ganze Flasche Mundwasser bei dem Atem.«

Ich lache unter Tränen. Wie schon gesagt, Daddy besitzt ein gewisses Talent.

Er wischt mir mit Händen, die sich anfühlen wie Sandpapier, übers Gesicht, aber das bin ich gewöhnt. Dann legt er die Hände an meine Wangen. Ich muss lächeln. »Das ist mein Baby«, sagt er. »Wird schon wieder.«

Ich fühle mich wieder gut genug, um zu sagen: »Jetzt bin ich wieder dein Baby? So hast du dich bisher nicht gerade benommen.«

»Komm mir nicht so!« Er läuft in den Gang mit den Drogerieartikeln. »Klingst ja schon wie deine Momma.«

»Ich meine ja nur. Du warst heute ganz schön fies.«

Er kehrt mit einer Flasche Mundwasser zurück. »Hier. Bevor du meine Ware mit deinem Atem ruinierst.«

»So wie du heute Morgen die Eier?«

»Ach, das waren doch geschwärzte Eier. Davon habt ihr alle keine Ahnung.«

»Davon hat *niemand* eine Ahnung.«

Nach ein paarmal Ausspülen am Waschbecken auf der Toilette ist der Geschmack in meinem Mund wieder normal. Daddy wartet auf der Holzbank vor dem Laden auf mich. Dort sitzen normalerweise unsere älteren Kunden, die nicht mehr besonders gut laufen können, während Daddy, Seven oder ich ihre Einkäufe zusammenstellen.

Daddy klopft neben sich auf die Bank.

Ich setze mich. »Wirst du bald wieder aufmachen?«

»Lass uns noch einen kleinen Augenblick. Was findest du an diesem weißen Jungen?«

Verdammt. Ich habe nicht damit gerechnet, dass er direkt zur Sache kommt. »Abgesehen davon, dass er hinreißend ist –«, sage ich, während Daddy ein würgendes Geräusch von sich gibt, »ist er auch noch smart, witzig und ihm liegt was an mir. Sehr viel sogar.«

»Hast du ein Problem mit schwarzen Jungs?«

»Nein. Ich hatte auch schon schwarze Boyfriends.« Drei, um genau zu sein. Einen in der vierten Klasse, auch wenn das nicht wirklich zählt, und zwei an der Middle School. Und das zählt eigentlich auch nicht, weil an der Middle

School keiner einen Schimmer von Beziehungen hat. Oder von sonst irgendwas.

»Was?«, sagt er. »Von denen hatte ich ja gar keine Ahnung.«

»Weil ich wusste, dass du dann was Verrücktes machen würdest. Einen Killer auf sie ansetzen oder so.«

»Weißt du was, das ist gar keine schlechte Idee.«

»Daddy!« Ich boxe gegen seinen Arm, während er loslacht.

»Wusste Carlos von denen?«, fragt er.

»Nein. Der hätte sonst noch ihren Hintergrund checken lassen oder sie eingesperrt. Nicht cool.«

»Also warum hast du ihm dann von dem weißen Typen erzählt?«

»Hab ich gar nicht«, sage ich. »Er hat's so rausgekriegt. Chris wohnt nur ein paar Häuser die Straße runter, deshalb war es viel schwerer, irgendwas zu verheimlichen. Und seien wir doch mal ehrlich, Daddy. Ich habe gehört, was du von gemischtrassigen Paaren hältst. Da wollte ich nicht, dass du über mich und Chris so redest.«

»Chris«, äfft er mich nach. »Was für ein öder Name ist das überhaupt?«

Er ist so kleinkariert. »Wo wir gerade bei Fragen sind, hast du etwa ein Problem mit Weißen?«

»Eigentlich nicht.«

»*Eigentlich nicht?*«

»Hey, ich bin nur ehrlich. Die Sache ist die: Mädchen daten normalerweise Jungs, die so sind wie ihre Daddys. Und ich will dir nichts vormachen, als ich diesen weißen –

als ich diesen Chris gesehen habe«, korrigiert er sich, und ich muss lächeln, »da hab ich mir Sorgen gemacht. Vielleicht habe ich dich gegen schwarze Männer aufgebracht oder habe einfach kein gutes Vorbild als schwarzer Mann abgegeben. Damit käme ich nicht klar.«

Besänftigend lege ich eine Hand auf seine Schulter. »Nee, Daddy. Du warst kein gutes Vorbild als schwarzer Mann. Du warst ein gutes Vorbild als Mann. Was denn sonst?!«

»Was denn sonst«, echot er und küsst mich auf den Scheitel. »Mein Baby.«

Da hält plötzlich ein grauer BMW vor dem Laden.

Daddy schiebt mich von der Bank. »Los.«

Er zieht mich zum Büro und stößt mich schon fast hinein. Ich sehe gerade noch King aus dem BMW steigen, bevor Daddy mir die Tür vor der Nase zuwirft.

Mit zitternden Händen öffne ich sie wieder einen Spalt breit.

Daddy steht wie ein Wächter am Eingang des Ladens. Seine Hand bewegt sich zur Taille. Zu seiner Pistole.

Drei weitere King Lords springen aus dem Wagen, doch da ruft Daddy: »Nope, wenn du reden willst, dann unter uns.«

King nickt seinen Jungs zu, die daraufhin neben dem Auto stehen bleiben.

Daddy tritt einen Schritt beiseite und King kommt hereingewalzt. Ich schäme mich, das zuzugeben, aber ich frage mich, ob Daddy gegen King überhaupt eine Chance hat. Daddy ist weder mager noch klein, aber im Vergleich zu King, der mit seinen knapp einsneunzig nur aus Fett und Muskeln besteht, sieht er winzig aus. Auch wenn es die reinste Gotteslästerung ist, so was zu denken.

»Wo steckt er?«, fragt King.

»Wo steckt wer?«

»Du weißt, wer. Vante.«

»Woher soll ich das wissen?«, sagt Daddy.

»Er hat hier gearbeitet, oder nicht?«

»Ein, zwei Tage, ja, aber heute hab ich ihn noch nicht gesehen.«

King stolziert auf und ab und deutet mit seiner Zigarre auf Daddy. Auf den Speckrollen in seinem Nacken glitzern Schweißperlen. »Du lügst.«

»Warum sollte ich lügen, King?«

»Nach all dem Scheiß, den ich für dich getan habe«, sagt King. »Und so revanchierst du dich bei mir? Wo steckt er, Big Mav?«

»Ich weiß es nicht.«

»Wo steckt er?«, brüllt King jetzt.

»Ich sagte, ich weiß es nicht! Er hat mich letztens um ein paar Hundert Dollar angepumpt. Da hab ich ihm gesagt, er müsse dafür arbeiten. Das hat er dann gemacht. Ich hatte Mitleid und hab es ihm vorgestreckt, ich Blödmann. Heute sollte er eigentlich wiederkommen, hat er aber nicht gemacht. Ende der Geschichte.«

»Warum braucht er Geld von dir, wenn er mir fünf Riesen gestohlen hat?«

»Woher zum Teufel soll ich das wissen?«, sagt Daddy.

»Wenn ich dahinterkomme, dass du lügst –«

»Da mach dir mal keine Sorgen. Hab selbst genug Probleme.«

»Yeah. Ich kenn deine Probleme«, sagt King und lacht dreckig. »Hab gehört, dass Starr die Zeugin ist, von der in den Nachrichten die Rede war. Hoffe, sie weiß ihre Klappe zu halten, wenn's drauf ankommt.«

»Was zur Hölle soll das denn heißen?«

»Solche Fälle sind echt interessant«, sagt King. »Die graben dann immer nach Informationen. Mann, die versuchen doch, mehr über die Person rauszukriegen, die erschossen wurde, als über den, der sie erschossen hat. Damit es aussieht, als wäre es richtig, dass derjenige tot ist. Es heißt ja schon, dass Khalil Drogen verkauft hat. Das könnte für jeden gefährlich werden, der mit seinen Deals zu tun hatte. Deshalb sollte man auch vorsichtig sein, wenn man mit der Staatsanwaltschaft redet. Wäre schade, wenn man sich in Gefahr bringt, nur weil man nicht die Klappe halten kann.«

»Nee«, sagt Daddy. »Die Typen, die in seine Deals verwickelt waren, sollten lieber ganz vorsichtig damit sein, was sie sagen oder auch nur denken.«

Ein paar quälende Sekunden lang liefern Daddy und King sich ein Blickduell. Daddy hat seine Hand an der Hüfte, als wäre sie dort festgeklebt.

Als King geht, stößt er die Tür so heftig auf, dass sie fast aus den Angeln bricht und die Glocke wie wild läutet. Er steigt wieder in seinen BMW, seine Typen folgen ihm und er rast los. Seine Botschaft war klar und deutlich.

Er wird mich fertigmachen, wenn ich ihn verpfeife.

Daddy lässt sich auf die Bank für die alten Leute fallen. Seine Schultern sacken nach unten und er holt tief Luft.

Den Laden schließen wir heute früher und holen dann Abendessen bei Reuben.

Auf der kurzen Fahrt nach Hause achte ich auf jedes Auto hinter uns, vor allem auf jedes graue.

»Ich werde nicht zulassen, dass er dir irgendwas tut«, sagt Daddy.

Das weiß ich. Dennoch.

Als wir zu Hause ankommen, drischt Momma gerade auf irgendwelche Steaks ein. Zuerst die Pfanne, jetzt das Fleisch. In der Küche ist nichts vor ihr sicher.

Daddy hält die Tüten hoch, damit sie sie sieht. »Ich hab das Abendessen schon mitgebracht, Baby.«

Es hält sie nicht davon ab, weiter auf die Steaks einzuschlagen.

Wir sitzen alle um den Küchentisch, aber es ist das stillste Abendessen in der Geschichte der Familie Carter. Meine Eltern sagen nichts. Seven sagt nichts. Und ich sage ganz bestimmt nichts. Ich esse auch nichts. Nach dem Desaster bei der Staatsanwaltschaft und mit King sehen meine Rippchen mit Baked Beans irgendwie eklig aus. Sekani kann kaum stillsitzen, als würde er alles darum geben, jede Einzelheit seines Tages zu erzählen. Bestimmt merkt er aber, dass keiner in Stimmung dafür ist. Brickz kaut in seiner Ecke auf ein paar Rippchen herum.

Nachdem wir fertig sind, sammelt Momma Teller und Besteck ein. »Na schön, Kinder, macht eure Hausaufgaben fertig. Und keine Sorge, Starr. Deine Lehrer haben mir deine Hausaufgaben mitgegeben.«

Darüber habe ich mir bestimmt keine Sorgen gemacht. »Danke.«

Als sie Daddys Teller nehmen will, berührt er sie am Arm. »Nee. Ich mach das.«

Er nimmt ihr alle Teller ab, verfrachtet sie ins Spülbecken und dreht das Wasser auf.

»Maverick, das musst du nicht machen.«

Er kippt viel zu viel Spülmittel ins Becken. Das tut er immer. »Schon okay. Wann musst du morgen Früh in der Klinik sein?«

»Ich habe morgen noch mal frei. Wegen eines Bewerbungsgesprächs.«

Daddy dreht sich um. »Noch eins?«

Noch eins?

»Ja. Wieder im Markham Memorial.«

»Da arbeitet doch Tante Pam«, sage ich.

»Genau. Ihr Dad sitzt im Vorstand und hat mich empfohlen. Es geht um die Pflegeleitung der Kinderstation. Das ist schon mein zweites Gespräch dafür. Diesmal mit einem von den hohen Tieren.«

»Baby, das ist fantastisch«, sagt Daddy. »Das bedeutet, du bist schon nah dran, den Job zu kriegen?«

»Hoffentlich«, sagt sie. »Pam meint, ich hätte ihn so gut wie sicher.«

»Warum habt ihr uns denn nichts davon erzählt?«, fragt Seven.

»Weil das euch alle nichts angeht«, sagt Daddy.

»Und wir wollten euch keine falschen Hoffnungen machen«, fügt Momma hinzu. »Das ist eine umkämpfte Stelle.«

»Wie viel zahlen die?«, fragt Seven vorlaut.

»Mehr als ich in der Klinik verdiene. Sechsstellig.«

»Sechsstellig?«, fragen Seven und ich im Chor.

»Momma wird Millionärin!«, kräht Sekani.

Er hat echt keinen Schimmer. »Sechsstellig sind die Hunderttausender, Sekani«, sage ich.

»Oh. Das ist aber trotzdem viel.«

»Wann ist dein Gespräch?«, fragt Daddy.

»Um elf.«

»Okay, gut.« Er dreht sich wieder um und spült einen Teller. »Bevor du da hin musst, können wir uns ein paar Häuser ansehen.«

Momma legt sich eine Hand aufs Herz und weicht einen Schritt zurück. »Was?«

Er sieht erst mich, dann sie an. »Wir ziehen aus Garden Heights weg, Baby. Das verspreche ich dir.«

Die Idee ist so verrückt wie ein Vier-Punkte-Wurf beim Basketball. Woanders leben als in Garden Heights? Ja sicher. Wenn Daddy es nicht selbst gesagt hätte, würde ich es niemals glauben. Daddy sagt nämlich nie etwas, was er nicht so meint. Kings Drohung muss ihm ganz schön zugesetzt haben.

Jetzt scheuert er die Pfanne, in der Momma heute Morgen rumgestochert hat.

Sie nimmt sie ihm aus der Hand, stellt sie weg und greift nach seiner Hand. »Lass das mal.«

»Ich hab dir doch schon gesagt, das ist okay. Ich kann den Abwasch machen.«

»Vergiss den Abwasch.«

Dann zieht sie ihn hinter sich her in ihr Schlafzimmer und macht die Tür zu.

Plötzlich ist ihr Fernseher total laut zu hören, außerdem ertönt noch Jodeci aus der Stereoanlage. Wenn diese Frau am Ende noch mal schwanger wird, bin ich wirklich fertig mit der Welt. Fix und fertig.

»Das ist ja krank, Mann«, sagt Seven, der auch weiß, was das bedeutet. »Dafür sind sie echt schon zu alt.«

»Wofür sind sie zu alt?«, fragt Sekani.

»Nichts«, sagen Seven und ich gleichzeitig.

»Aber glaubst du, Daddy hat das ernst gemeint?«, frage ich Seven. »Dass wir umziehen?«

Er zwirbelt eine seiner Dreadlocks am Ansatz und merkt es vermutlich nicht mal. »Klingt so, als würdet ihr das. Vor allem wenn Ma diesen Job kriegt.«

»*Ihr*? Du wirst nicht in Garden Heights bleiben.«

»Ich komme bestimmt mal zu Besuch, aber ich kann meine Momma und meine Schwestern nicht verlassen, Starr. Das weißt du.«

»Deine Momma hat dich rausgeschmissen«, sagt Sekani. »Wo willst du denn wohnen, Dummerchen?«

»Wen nennst du da Dummerchen?« Seven schiebt eine Hand erst unter seine Achsel und reibt dann damit über Sekanis Gesicht. Als er das einmal bei mir gemacht hat, war ich neun. Danach hatte er eine aufgeplatzte Lippe und ich bekam den Hintern versohlt.

»Du wirst sowieso nicht im Haus deiner Momma wohnen«, sage ich, »weil du dann aufs College gehst. Halleluja, Black Jesus sei Dank.«

Seven zieht die Augenbrauen hoch. »Du willst wohl auch eine Achselhand? Und ich werde aufs Central Community College gehen, damit ich im Haus meiner Momma bleiben und auf meine Schwestern aufpassen kann.«

Das tut ein bisschen weh. Ich bin schließlich auch seine Schwester. »Im Haus«, wiederhole ich. »Du nennst es nie Zuhause.«

»Doch, tu ich«, sagt er.

»Nein, tust du nicht.«

»Doch.«

»Ach, halt doch verdammt noch mal die Klappe«, beende ich die Diskussion.

»Ooh!« Sekani streckt mir die Hand hin. »Gib mir meinen Dollar fürs Fluchen!«

»Nein, verdammt«, sage ich. »Der Scheiß läuft bei mir nicht.«

»Drei Dollar!«

»Okay, gut. Ich geb dir nachher einen Drei-Dollar-Schein.«

»Einen Drei-Dollar-Schein hab ich noch nie gesehen«, sagt er.

»Genau. So wie du meine drei Dollar nie sehen wirst.«

Teil 2

FÜNF
WOCHEN SPÄTER

Kapitel 16

Heute hat Ms. Ofrah für mich ein Interview mit einem der landesweit ausgestrahlten Nachrichtensender arrangiert. Genau eine Woche vor meiner Aussage vor dem Großen Geschworenengericht am nächsten Montag.

Gegen sechs Uhr trifft die Limousine ein, die die Leute vom Sender geschickt haben. Meine Familie wird mich begleiten. Ich bezweifle zwar, dass meine Brüder auch interviewt werden, aber Seven möchte mich unterstützen. Sekani behauptet das Gleiche von sich, aber in Wirklichkeit hofft er, irgendwie »entdeckt« zu werden, wenn da überall Kameras sind.

Meine Eltern haben ihm mehr oder weniger alles erzählt. So sehr er mich ansonsten nervt, war es doch süß, dass er mir eine selbst gemachte Karte geschenkt hat, auf der »Sorry« stand. Zumindest bis ich sie aufklappte. Innen war eine Zeichnung von mir, wie ich wegen Khalil weine, allerdings hatte ich Teufelshörner. Sekani meinte, er wollte eben, dass es »echt« aussieht. Kleiner Dreckskerl.

Wir steuern gemeinsam auf die Limo zu. Ein paar Nachbarn beobachten uns neugierig von ihren Veranden oder Vorgärten aus. Momma hat dafür gesorgt, dass wir alle, auch Daddy, rausgeputzt sind, als würden wir die Christ Temple Kirche besuchen. Nicht ganz so feierlich wie für Ostern, aber auch nicht wie zu einem beliebigen Kirchenbesuch. Sie sagte, wir würden doch nicht wol-

len, dass diese Nachrichtenleute uns für »Ghettoratten«
halten.

Als wir zum Auto gehen, schärft sie uns noch mal ein:
»Wenn wir dort ankommen, fasst ihr nichts an und redet
nur, wenn ihr was gefragt werdet. Und dann heißt es: ›Yes,
Ma'am‹ und ›Yes, Sir‹ oder ›No, Ma'am‹ und ›Nein, Sir‹. Habe
ich mich deutlich genug ausgedrückt?«

»Yes, Ma'am«, antworten wir drei im Chor.

»All right now, Starr«, ruft einer unserer Nachbarn. Ich
höre das hier jetzt fast täglich. Es hat sich in Garden
Heights rumgesprochen, dass ich die Zeugin bin. »All right
now« ist mehr als ein Gruß. Die Leute wollen mir damit zu
verstehen geben, dass sie hinter mir stehen.

Und das Beste daran? Es heißt nie, »All right now, Big
Mavs Tochter, die im Laden hilft«. Sondern immer: »Starr«.

Die Limousine fährt los. Ich trommle mit den Fingern
auf meinen Knien, während wir durchs Viertel fahren. Inzwischen habe ich mit den Detectives der Polizei und der
Staatsanwaltschaft gesprochen, nächste Woche kommt
noch das Geschworenengericht dran. Tatsächlich habe ich
den besagten Abend schon so oft geschildert, dass ich alles
im Schlaf wiederholen könnte. Doch diesmal wird die
ganze Welt mithören.

Mein Handy vibriert in der Tasche meines Blazers. Ein
paar Nachrichten von Chris.

> **Meine Mom will wissen, welche Farbe dein Prom-
> Kleid hat. Die Schneiderin muss das angeblich
> ASAP wissen.**

O Mist. Der Schulball für die Elften und Zwölften ist

nächsten Samstag. Ich habe noch kein Kleid besorgt. Wegen der ganzen Sache mit Khalil bin ich mir nicht sicher, ob ich überhaupt hin will. Momma hat gesagt, ich gehe, um mich mal abzulenken. Ich habe Nein gesagt. Da hat sie mich mit ihrem speziellen Blick angesehen.

Also gehe ich eben zu dem verdammten Ball. Sie und ihre Diktatormethode ... Ziemlich uncool. Ich schreibe Chris zurück.

Äh ... Hellblau?

Er antwortet sofort.

Du hast noch kein Kleid?

Ich hab noch viel Zeit. War nur zu beschäftigt.

Das stimmt. Ms. Ofrah hat mich jeden Tag nach der Schule auf dieses Interview vorbereitet. Manchmal waren wir früher fertig, dann half ich noch ein bisschen bei *Just Us for Justice* aus. Machte Telefondienst, verteilte Flugblätter, tat, was gerade anstand. Manchmal hab ich auch bei den Teambesprechungen zugehört, wo es um Ideen für eine Polizeireform ging und darum, wie wichtig es sei, den Leuten klarzumachen, dass sie protestieren, aber nicht randalieren sollten.

Ich hab unseren Direktor Dr. Davis gefragt, ob *Just Us* nicht auch einen Runden Tisch an der Williamson veranstalten könne. So wie an der Highschool von Garden Heights. Aber er meinte, er sähe da keinen Bedarf.

Chris antwortet mir:

Okay, wie du meinst

Btw, Vante lässt fragen, wie es läuft

Werde ihn bei *Madden* umlegen

Er muss aufhören, mich Bieber zu nennen

Nach dem ganzen Gelaber von wegen »weißer Junge, der versucht, schwarz zu sein«, das DeVante über Chris von sich gegeben hat, ist er inzwischen öfter bei Chris zu Hause als ich. Chris hat ihn eingeladen, *Madden* zu spielen, und plötzlich sind die beiden »Bros«. Laut DeVante macht Chris' riesige Videospiel-Sammlung sein Weißsein wett.

Ich habe DeVante eine Gamer-Schlampe geschimpft. Da meinte er nur, ich solle die Klappe halten. Aber eigentlich kommen wir gut klar.

Wir treffen bei einem schicken Hotel in der Innenstadt ein. Ein weißer Typ mit Hoodie erwartet uns unter dem Vordach am Eingang. Er hat ein Klemmbrett in der einen und einen Becher von Starbucks in der anderen Hand.

Trotzdem schafft er es irgendwie, die Tür der Limo zu öffnen und uns, nachdem wir ausgestiegen sind, die Hände zu schütteln. »John, der Produzent. Es freut mich, Sie kennenzulernen.« Mir schüttelt er gleich zweimal die Hand. »Lass mich raten. Du musst Starr sein.«

»Yes, Sir.«

»Ich danke dir sehr dafür, dass du den Mut hast, das hier zu machen.«

Da ist dieses Wort wieder. Mut. Mutigen Menschen zittern bestimmt nicht die Knie. Mutige Menschen haben nicht das Gefühl, gleich kotzen zu müssen. Und mutige Menschen müssen sich bestimmt nicht ermahnen, zu atmen, wenn sie zu sehr an jenen Abend denken. Wäre Mut ein medizinischer Zustand, läge bei mir eine klare Fehldiagnose vor.

John führt uns durch alle möglichen Flure und um mehrere Ecken. Ich bin total froh, dass ich flache Schuhe anhabe. Ununterbrochen redet er davon, wie wichtig das Interview ist und wie sehr sie wollen, dass die Wahrheit ans Licht kommt. Meinen »Mut« vergrößert er damit nicht gerade.

Schließlich bringt er uns in den Innenhof des Hotels, wo einige Kameraleute und andere Mitarbeiter aus dem Fernsehteam alles vorbereiten. Mitten in diesem Chaos wird die Reporterin Diane Carey nachgeschminkt.

Es ist seltsam, sie leibhaftig zu sehen und nicht verpixelt auf einem Fernsehbildschirm. Als ich noch kleiner war und manchmal bei Nana zu Hause übernachtete, sorgte sie jeden Abend dafür, dass ich eins von ihren langen Nachthemden anzog, mindestens fünf Minuten lang betete und mir dann die Nachrichten mit Diane Carey anschaute, damit ich »etwas von der Welt erfahre«.

»Hi!« Mrs. Careys Miene hellt sich auf, als sie uns sieht. Sie kommt zu uns herüber und ich muss die Maskenbildnerin bewundern, weil sie einfach mitgeht und weiterarbeitet. Mrs. Carey schüttelt uns allen die Hand. »Diane. Wie schön, Sie alle kennenzulernen. Und du musst Starr sein«, sagt sie zu mir. »Du brauchst nicht nervös zu sein. Das wird einfach nur ein Gespräch zwischen uns beiden.«

Während sie redet, schießt irgendein Typ die ganze Zeit Fotos von uns. Klar, das wird ein stinknormales Gespräch.

»Starr, wir haben uns überlegt, dass wir Aufnahmen von dir und Diane machen, während ihr durch den Innenhof geht und euch unterhaltet«, meint John. »Dann fahren wir in die Suite rauf und nehmen die Gespräche zwischen dir und Diane, dir, Diane und Ms. Ofrah, und am Ende mit dir und deinen Eltern auf. Danach sind wir auch schon fertig.«

Eine der Produktionsassistentinnen steckt mir ein Mikrofon an, während John mir das Prozedere erklärt. »Das ist nur eine vorläufige Aufnahme«, sagt er. »Simple Sache.«

Ja, von wegen simpel. Beim ersten Mal renne ich praktisch. Beim zweiten Mal schleiche ich wie bei einer Beerdigungsprozession und kann Mrs. Careys Fragen kaum beantworten. Bisher war mir nie bewusst, wie viel Koordination man fürs Gehen und Reden braucht.

Nachdem wir das schließlich hingekriegt haben, fahren wir mit dem Aufzug ins oberste Stockwerk. John führt uns in eine riesige Suite – ehrlich gesagt, sieht die wie ein Penthouse aus – mit Blick über die Innenstadt. Etwa ein Dutzend Leute kümmert sich um Kameras und Beleuchtung. Ms. Ofrah ist auch da, in einem ihrer Khalil-T-Shirts und einem Rock. John sagt, alles wäre bereit für mich.

Ich setze mich auf ein Zweiersofa gegenüber von Mrs. Carey. Aus irgendeinem Grund konnte ich meine Beine noch nie übereinanderschlagen, also kommt das nicht infrage. Sie kontrollieren mein Mikro noch mal und Mrs. Carey meint, ich solle mich entspannen. Kurz danach laufen die Kameras auch schon.

»Millionen Menschen in aller Welt haben den Namen Khalil Harris gehört«, sagt sie, »und sie haben sich ihr eigenes Bild von ihm gemacht. Was hat er dir bedeutet?«

Mehr, als ihm wohl jemals klar war. »Er war einer meiner besten Freunde«, sage ich. »Wir kannten uns, seit wir Babys waren. Wäre er jetzt hier, würde er betonen, dass er fünf Monate, zwei Wochen und drei Tage älter ist als ich.« Wir müssen beide leise lachen. »Aber so ist – war – Khalil eben.«

Verdammt, es tut weh, mich verbessern zu müssen.

»Er war ein lustiger Typ. Selbst wenn Dinge schwer waren, fand er noch etwas Leichtes daran. Und er ...« Meine Stimme bricht.

Ich weiß, dass das kitschig klingt, aber es fühlt sich an, als wäre er hier. Es würde zu seiner rotzig-neugierigen Art passen, sicherzustellen, dass ich das Richtige sage. Wahrscheinlich würde er mich seinen größten Fan nennen oder etwas in der Art, was sich nur Khalil ausdenken kann.

Ich vermisse den Kerl.

»Er hatte ein großes Herz«, sage ich. »Ich weiß, dass manche Leute ihn einen *Thug* nennen. Aber wenn Sie ihn gekannt hätten, wüssten Sie, dass das überhaupt nicht stimmte. Ich will gar nicht behaupten, er wäre ein Engel gewesen oder so, aber er war kein schlechter Mensch. Er war ein ...« Ich zucke mit den Achseln. »Er war ein ganz normaler Jugendlicher.«

Sie nickt. »Ein ganz normaler Jugendlicher.«

»Ja, ein ganz normaler Jugendlicher.«

»Was denkst du über die Leute, die vor allem seine nicht so guten Seiten sehen?«, fragt sie. »Die Tatsache, dass er vielleicht Drogen verkauft hat?«

Ms. Ofrah hat mir mal gesagt, dass ich mit meiner Stimme kämpfen muss.

Also kämpfe ich.

»Ich hasse das«, sage ich. »Wenn die Leute wüssten, warum er Drogen verkauft hat, würden sie nicht so über ihn reden.«

Mrs. Carey setzt sich ein wenig gerader hin. »Warum hat er sie denn verkauft?«

Ich schaue kurz zu Ms. Ofrah, die den Kopf schüttelt. Während all unserer Vorbereitungstreffen hat sie mir immer geraten, nicht ins Detail darüber zu gehen, dass Khalil Drogen verkauft hat. Sie meinte, die Öffentlichkeit müsse darüber nichts erfahren.

Doch dann schaue ich in die Kamera, und mir wird plötzlich klar, dass Millionen Leute das hier in ein paar Tagen sehen werden. King wird vielleicht einer von ihnen sein. Obwohl seine Drohung noch laut in meinem Kopf widerhallt, höre ich sie nicht annähernd so laut wie Kenya damals im Laden. Khalil würde mich verteidigen. Ich sollte ihn genauso verteidigen.

Also hole ich zu einem Schlag aus.

»Khalils Mom ist drogensüchtig«, erkläre ich Mrs. Carey. »Jeder, der ihn kannte, wusste, wie sehr ihm das zu schaffen machte und wie sehr er Drogen hasste. Er hat nur welche verkauft, um ihr bei einem Problem mit dem größten Drogendealer und Gangsterboss des Viertels zu helfen.«

Ms. Ofrah seufzt hörbar. Meine Eltern reißen die Augen auf.

Es ist zwar indirektes Verpfeifen, aber trotzdem noch Verpfeifen. Jeder, der nur irgendeine Ahnung von Garden Heights hat, wird genau wissen, von wem ich rede. Verdammt, wenn die sich Mr. Lewis' Interview ansehen, können sie es sich sofort zusammenreimen.

Aber hey, da King im Viertel Lügen verbreitet und behauptet, Khalil habe zu seiner Gang gehört, kann ich die Welt auch wissen lassen, dass Khalil gezwungen war, Drogen für ihn zu verkaufen. »Das Leben seiner Mom war in Gefahr«, sage ich. »Das ist der einzige Grund, aus dem er jemals so was getan hätte. Außerdem war er kein Gang-Mitglied –«

»War er nicht?«

»Nein, Ma'am. So ein Leben wollte er nie. Aber ich schätze –« Aus irgendeinem Grund muss ich an DeVante denken. »Ich verstehe nicht, wie jeder so tun kann, als sei es okay, dass er erschossen wurde, wenn er ein Drogendealer und ein Gangbanger war.«

Ein rechter Haken.

»Liegt das an den Medien?«, fragt sie.

»Ja, Ma'am. Es kommt mir vor, als würde da immer nur davon geredet, was er gesagt, was er getan oder was er nicht getan haben könnte. Ich wusste gar nicht, dass man einen Toten wegen seiner eigenen Ermordung anklagen kann, verstehen Sie?«

In dem Moment, als ich das sage, weiß ich, dass mein Schlag voll auf die Zähne geht.

Mrs. Carey bittet mich, aus meiner Sicht von dem fraglichen Abend zu berichten. Ich kann ihr nicht viele Einzelheiten schildern – Ms. Ofrah hat mir davon abgeraten –, aber ich erzähle ihr, dass wir alles getan haben, was Hundertfünfzehn verlangt hat, und kein einziges Schimpfwort benutzt haben, wie sein Vater behauptet. Ich erzähle, was für Angst ich hatte und dass Khalil so um mich besorgt war, dass er die Tür aufmachte und fragte, ob ich okay sei ...

»Also hat er das Leben von Officer Cruise nicht bedroht?«, fragt sie nach.

»Nein, Ma'am. Seine genauen Worte waren: ›Starr, bist du okay?‹ Das war das Letzte, was er sagte, und –«

Ich muss ziemlich schlimm weinen, als ich den Moment schildere, als die Schüsse ertönten und Khalil mich ein letztes Mal ansah; wie ich ihn auf der Straße hielt und die Tränen in seinen Augen sah. Ich erzähle ihr auch, dass Hundertfünfzehn auf mich gezielt hat.

»Er hat mit seiner Waffe auf dich gezielt?«, hakt sie noch mal nach.

»Ja, Ma'am. Das tat er so lange, bis die anderen Polizisten eintrafen.«

Hinter den Kameras schlägt Momma die Hand vor den Mund. In Daddys Augen blitzt Wut auf. Ms. Ofrah sieht fassungslos aus.

Ein weiterer Treffer.

Das hatte ich bisher nämlich nur Onkel Carlos erzählt.

Mrs. Carey reicht mir ein Papiertaschentuch und gibt mir etwas Zeit, um meine Fassung wiederzufinden. »Fürchtest du dich seit diesem Vorfall vor Cops?«, fragt sie schließlich.

»Schwer zu sagen«, antworte ich wahrheitsgemäß. »Mein Onkel ist ein Cop und ich weiß, dass nicht alle Cops schlecht sind. Sie riskieren ja auch ihr Leben, nicht wahr? Deshalb habe ich auch immer Angst um meinen Onkel. Aber ich habe es so satt, dass sie einem Sachen unterstellen. Vor allem Schwarzen.«

»Du wünschst dir also, dass weniger Cops voreilig über Schwarze urteilen?«, fasst sie noch mal zusammen.

»Genau. Das alles ist passiert, weil *er*« – ich kann seinen Namen nicht aussprechen – »unterstellt hat, dass wir was Böses im Schilde führen. Weil wir schwarz sind und wegen des Viertels, in dem wir wohnen. Dabei waren wir nur zwei Jugendliche, die mit sich selbst beschäftigt waren, wissen Sie? Seine Unterstellung hat Khalil getötet. Sie hätte auch mich töten können.«

Ein Tritt in die Rippen.

»Wenn Officer Cruise jetzt hier säße«, sagt Mrs. Carey, »was würdest du ihm dann sagen?«

Ich blinzle mehrmals. Spucke sammelt sich in meinem Mund, aber ich schlucke. Kommt nicht infrage, dass ich bei dem Gedanken an diesen Mann losheule oder kotze.

Wenn er hier säße, hätte ich nicht genug von Black Jesus in mir, um ihm zu sagen, dass ich ihm verzeihe. Stattdessen würde ich ihm wahrscheinlich eine reinhauen. Volle Kanne.

Aber Ms. Ofrah sagt, dieses Interview sei meine Chance zu kämpfen. Und wenn du kämpfst, dann wagst du dich aus der Deckung und scherst dich nicht darum, wen du triffst oder ob du selbst getroffen wirst.

Also lande ich noch einen weiteren Treffer. Direkt gegen Hundertfünfzehn.

»Ich würde ihn fragen, ob er sich wünscht, er hätte mich auch erschossen.«

Kapitel 17

Mein Interview wurde gestern in Diane Careys *Frida Night News Special* gesendet. Heute Morgen rief John der Produzent an und meinte, es sei eines der meistgesehenen Interviews in der Geschichte des Senders gewesen.

Ein Millionär, der anonym bleiben will, bot an, meine Collegegebühren zu bezahlen. John sagte, das Angebot sei direkt nach Ausstrahlung des Interviews erfolgt. Ich glaube ja, das war Oprah Winfrey. Aber nur, weil ich mir schon immer vorgestellt habe, sie sei meine gute Fee und werde eines Tages bei mir zu Hause erscheinen und verkünden: »Du bekommst ein Auto!«

Beim Sender sind schon ein Haufen E-Mails von Leuten eingegangen, die mich unterstützen. Bis jetzt habe ich noch keine davon gelesen, aber die beste Nachricht war sowieso eine SMS von Kenya.

Wurde auch Zeit, dass du den Mund aufmachst.

Aber lass dir den Ruhm nicht zu Kopf steigen.

Auch im Internet trendet das Interview. Als ich heute Morgen reinschaute, wurde immer noch darüber diskutiert. Auf Black Twitter und Tumblr stehen die Leute hinter mir. Ein paar Arschlöcher wollen mich tot sehen.

King ist auch nicht gerade glücklich. Kenya hat mir erzählt, dass er kocht, weil ich ihn indirekt angeschwärzt habe.

In den Nachrichtensendungen von Samstagabend wird

das Interview Wort für Wort analysiert, als sei ich der Präsident oder so was. Dieser eine Sender regt sich über meine »Missachtung der Cops« auf. Keine Ahnung, wie sie das aus meinen Worten herausgehört haben wollen. Schließlich hab ich ja nicht wie ein Hip-Hopper von *NWA* oder so »Fuck the Police« geschrien. Ich habe einfach nur gesagt, ich würde den Mann fragen, ob er sich wünscht, er hätte mich auch erschossen.

Mir egal. Ich werde mich nicht für meine Gefühle entschuldigen. Die können sagen, was sie wollen.

Aber jetzt ist Samstag und ich sitze in einem Rolls Royce. Auf dem Weg zum Schulball mit einem Boyfriend, der überhaupt nicht viel zu irgendwas sagt. Chris scheint sich mehr für sein Handy zu interessieren.

»Du siehst gut aus«, meine ich zu ihm. Und das stimmt. Sein schwarzer Smoking mit hellblauer Weste und Krawatte passte zu meinem schulterfreien Kleid in Tea-Length. Seine schwarzen Converse aus Leder sehen auch zu meinen silbernen mit Pailletten gut aus. Der Diktator – auch bekannt unter der Bezeichnung »meine Mom« – hat mein Outfit gekauft, und sie hat einen ziemlich guten Geschmack.

Chris sagt: »Danke. Du auch.« Aber es klingt so robotermäßig, als würde er sagen, was er sagen sollte, und nicht, was er will. Und woher weiß er überhaupt, wie ich aussehe? Seit er mich bei Onkel Carlos abgeholt hat, hat er mich ja kaum angeschaut.

Ich habe keine Ahnung, was mit ihm los ist. Zwischen uns war eigentlich, soweit ich weiß, alles gut. Jetzt wirkt er plötzlich launisch und schweigsam. Am liebsten würde ich den Fahrer bitten, mich wieder zurück zu Onkel Carlos zu bringen, aber ich sehe einfach zu süß aus, um nach Hause zu gehen.

Die Auffahrt zum Countryclub ist mit blauen Lampen und Trauben goldfarbener Luftballons geschmückt. Wir sitzen im einzigen Rolls Royce zwischen lauter Limousinen, deshalb ziehen wir viel Aufmerksamkeit auf uns, als wir vorfahren.

Der Fahrer öffnet uns die Tür, Mr. Schweigsam steigt als Erster aus und hilft mir sogar heraus. Unsere Schulkameraden johlen, jubeln und pfeifen. Chris legt einen Arm um meine Taille und wir lächeln für die Fotos, als sei alles gut. Dann greift Chris nach meiner Hand und führt mich wortlos hinein.

Laute Musik empfängt uns. Der Ballsaal wird von Kronleuchtern und blinkenden Partylichtern erleuchtet. Irgendein Komitee hat entschieden, dass das Thema *Midnight in Paris* sein soll, deshalb steht da ein riesiger Eiffelturm aus Lichterketten. Anscheinend befinden sich fast alle Schüler der Elften und Zwölften von der Williamson auf der Tanzfläche.

Aber eines muss ich sagen: Eine Party in Garden Heights und eine Williamson-Party, das sind zwei sehr unterschiedliche Paar Stiefel. Auf Big D's Party etwa haben die Leute Nae-Nae und Hit the Quan getanzt und getwerkt. Auf diesem Schulball dagegen weiß ich bei manchen echt nicht so recht, was sie da eigentlich machen. Es wird viel gesprungen, Fäuste werden geschüttelt und einige versuchen es mit twerken. Es ist gar nicht schlecht. Nur anders. Ganz anders.

Was trotzdem seltsam ist – hier habe ich nicht so viele Hemmungen, zu tanzen, wie auf Big D's Party. Wie schon gesagt, gelte ich auf der Williamson automatisch als cool, weil ich schwarz bin. Ich kann eine lahmarschige Tanzbewegung machen, die ich mir selbst ausgedacht habe, und jeder hier wird glauben, das sei der neue Trend. Weiße halten nämlich alle Schwarzen für Experten in Sachen Trends und so. Auf einer Party in Garden Heights würde ich das nie im Leben tun. Da macht man sich einmal zum Idioten und das war's. Alle aus dem Viertel wüssten es und würden es auch nie wieder vergessen.

In Garden Heights habe ich gelernt, wie man beim Zuschauen cool wirkt. An der Williamson kann ich diese Coolness dann richtig ausspielen. Ich bin ja gar nicht so besonders cool, aber diese weißen Kids halten mich dafür, und damit kommt man an einer Highschool schon ziemlich weit.

Gerade als ich Chris fragen will, ob er mit mir tanzen möchte, lässt er meine Hand los und steuert auf ein paar seiner Freunde zu.

Warum bin ich eigentlich auf diesen Ball gekommen?

»Starr!«, ruft da jemand. Ich sehe mich um und entdecke Maya, die mich an einen Tisch winkt.

»*Gir-lie!*«, sagt sie, als ich sie erreiche. »Siehst du gut aus! Ich wette, Chris ist ausgeflippt, als er dich gesehen hat.«

Nein. Aber er hat mich fast schon zum Ausflippen gebracht. »Danke«, sage ich nur und mustere sie von oben bis unten. Sie trägt ein pinkfarbenes, knielanges und schulterfreies Kleid. Silbern glitzernde Stilettos lassen sie gute zehn Zentimeter größer sein. Alle Achtung, dass sie es bis jetzt darin ausgehalten hat. Ich selbst hasse Absätze. »Also, wenn irgendwer heute Abend gut aussieht, dann du. Du machst echt was her, Shorty.«

»Nenn mich nicht so. Vor allem weil sie, deren Name nicht genannt werden darf, mir diesen Spitznamen verpasst hat.«

Verdammt. Sie setzt Hailey mit Voldemort gleich. »Maya, du musst doch nicht Partei ergreifen.«

»Wieso nicht? Sie ist schließlich diejenige, die nicht mit uns redet, oder?«

Hailey ist seit dem Vorfall zu Hause bei Maya auf dem »Ich bestrafe dich mit Schweigen«-Trip. Ich meine, hallo? Nur, weil ich sie wegen etwas zur Rede gestellt habe, bin ich automatisch im Unrecht und verdiene die kalte Schulter? Nee, mit Schuldgefühlen wird sie mich nicht kleinkriegen. Nachdem Maya Hailey verraten hat, dass sie mir den Grund genannt hat, warum Hailey mir auf Tumblr nicht mehr folgt, hat Hailey auch aufgehört, mit Maya zu reden. Das will sie jetzt durchziehen, bis wir uns beide bei ihr entschuldigt haben. Sie ist es nicht gewohnt, dass wir uns beide von ihr abwenden.

Mir egal. Sie und Chris können von mir aus einen Club gründen. Die Liga-der-Strafschweiger-für-verzogene-reiche-Gören.

Ich bin ein klitzekleines bisschen aufgebracht. Aber es

gefällt mir überhaupt nicht, dass Maya da mit reingezogen wurde. »Maya, tut mir leid, dass –«

»Braucht es nicht«, unterbricht sie mich. »Ich weiß nicht, ob ich es dir schon erzählt habe, aber ich hab ihr auch das mit der Katze vorgehalten. Nachdem ich ihr das mit Tumblr gesagt hatte.«

»Echt?«

»Ja. Und sie meinte, ich solle mich nicht so haben.« Maya schüttelt den Kopf. »Ich ärgere mich immer noch darüber, dass ich mir das damals überhaupt habe gefallen lassen.«

»Ja, ich ärgere mich auch über mich.«

Wir schweigen eine Weile.

Schließlich stupst Maya mich in die Seite. »Hey, wir Minderheiten müssen zusammenhalten, oder?«

Ich kichere. »Okay, okay. Wo ist Ryan?«

»Holt gerade ein paar Snacks. Er sieht heute Abend richtig gut aus, wenn ich das mal sagen darf. Wo ist denn dein Kerl?«

»Keine Ahnung«, sage ich. Und im Moment ist es mir auch egal.

Was das Schöne an besten Freundinnen ist? Sie merken, wenn du nicht reden willst, und drängen dich nicht. Jetzt hakt Maya sich bei mir unter. »Los komm. Ich hab mich nicht rausgeputzt, um nur rumzustehen.«

Also steuern wir auf die Tanzfläche zu und springen und fausten mit den anderen. Maya zieht ihre High Heels aus und tanzt barfuß. Jess, Britt und ein paar andere Mädchen aus dem Team gesellen sich zu uns und wir bilden unseren eigenen kleinen Kreis. Als meine angeheiratete Cousine Beyoncé ertönt, geraten wir außer uns. (Ich schwöre, dass ich irgendwie mit Jay-Z verwandt bin. Gleicher Nachname – muss so sein.)

Und so singen wir laut mit bei Cousine Bey, bis wir fast heiser sind. Maya und ich lassen es richtig krachen. Zwar habe ich Khalil, Natasha und sogar Hailey nicht mehr, aber ich habe Maya. Das genügt.

Nach sechs Songs marschieren wir Arm in Arm zurück an den Tisch. Ich trage einen von Mayas Schuhen, den anderen hat sie am Handgelenk baumeln.

»Hast du gesehen, wie Mr. Warren den Roboter getanzt hat?«, fragt Maya lachend.

»Und ob. Ich wusste nicht, dass er das drauf hat.«

Plötzlich bleibt Maya stehen. Sie sieht sich um, ohne dabei wirklich den Kopf zu drehen. »Schau nicht hin, aber guck mal nach links«, murmelt sie.

»Was zum Teufel? Wer ist es?«

»Nach links«, zischt sie. »Aber schnell.«

Hailey und Luke posieren Arm in Arm am Eingang für Fotos und das muss ich ihnen lassen: sie in ihrem goldfarbenen und weißen Kleid und er im weißen Smoking geben ein süßes Paar ab. Ich meine, nur weil wir Streit haben, kann ich ihr doch dieses Kompliment machen, oder? Ich bin sogar froh, dass sie endlich mit Luke zusammen ist. Hat ja lang genug gedauert.

Hailey und Luke kommen zwar in unsere Richtung, marschieren dann aber so scharf an uns vorbei, dass zwischen ihren und meinen Schultern nur ein paar Zentimeter sind. Dabei wirft sie uns blitzschnell einen bösen Blick zu. Die Zicke. Wahrscheinlich schaue ich genauso böse zurück. Manchmal tue ich das und merke es gar nicht.

»Ja, richtig so«, sagt Maya zu Haileys Rücken. »Geh du lieber weiter.«

O Gott. Maya kommt ein bisschen zu schnell von null auf hundert. »Lass uns mal was zu trinken besorgen«, sage ich und ziehe sie mit mir. »Bevor du dich noch in Schwierigkeiten bringst.«

Wir holen uns kalten Punsch und gesellen uns dann zu Ryan an unseren Tisch. Der stopft sich gerade mit kleinen Sandwiches und Fleischbällchen voll, wobei Brösel auf seinen Smoking fallen. »Wo wart ihr denn bloß?«, fragt er.

»Tanzen«, sagt Maya und klaut ihm einen Shrimp. »Du hast wohl den ganzen Tag noch nichts gegessen, was?«

»*Nope*. Deshalb war ich auch schon am Verhungern.« Er nickt mir zu. »Was geht, Black Girlfriend?«

Wir scherzen immer über dieses ganze »die zwei einzigen schwarzen Kids im Jahrgang müssten eigentlich zusammen sein«-Ding. »Was geht, Black Boyfriend?«, frage ich zurück und klaue ihm auch einen Shrimp.

Man möchte es kaum glauben, aber Chris erinnert sich plötzlich daran, dass er mit jemand hergekommen ist und spaziert an unseren Tisch. Erst begrüßt er Maya und Ryan, dann fragt er mich: »Willst du Fotos machen lassen oder so?«

Er klingt wieder total robotermäßig. Auf einer Skala von eins bis zehn für »Ich bin fertig mit dir« stehe ich inzwischen bei fünfzig. »Nein danke«, sage ich. »Ich lasse doch keine Bilder mit jemandem machen, der eigentlich gar nicht mit mir hier sein will.«

Er seufzt. »Warum musst du so feindselig sein?«

»Ich? Du zeigst mir doch die kalte Schulter.«

»Verdammt noch mal Starr! Willst du jetzt so ein beschissenes Foto oder nicht?«

Der Zeiger auf der Skala schnellt noch höher. *Wumm!* Jetzt ist das Ding explodiert. »Zur Hölle noch mal, nein. Geh, lass dir eins machen und steck es dir sonst wohin.«

Ich stolziere davon und ignoriere Maya, die mir nachruft. Chris folgt mir. Er versucht, mich am Arm zu packen, aber ich reiße mich los und gehe einfach weiter. Draußen ist es dunkel, aber ich finde den in der Einfahrt geparkten Rolls Royce sofort. Der Chauffeur ist leider nicht da, sonst würde ich ihn bitten, mich nach Hause zu bringen. Ich steige trotzdem hinten ein und verriegle die Türen.

Chris klopft an die Scheibe. »Starr, komm schon.« Er legt seine Hände an die Scheibe, als wären sie ein Fernglas, und versucht auf diese Weise, durch die getönte Scheibe zu sehen. »Können wir reden?«

»Ach, jetzt möchtest du auf einmal mit mir reden?«

»Du bist doch diejenige, die nicht mit mir geredet hat!« Er senkt den Kopf und presst die Stirn gegen das Glas. »Warum hast du mir nicht erzählt, dass du die Zeugin bist, von der immer die Rede war?«

Er fragt es leise, aber seine Worte treffen mich wie ein Schlag in die Magengrube.

Er weiß es.

Ich entriegele die Tür und rutsche beiseite. Chris steigt neben mir ein.

»Wie hast du es rausgefunden?«, frage ich.

»Durch das Interview. Ich hab es mit meinen Eltern gesehen.«

»Dabei war aber mein Gesicht nicht zu sehen.«

»Ich wusste es einfach, Starr. Und dann haben sie dich von hinten gezeigt, wie du neben dieser Frau hergegangen bist, die dich interviewt hat. Ich habe dich schon oft genug weggehen sehen, um zu wissen, wie du von hinten aussiehst, und ... Das klingt jetzt, als wäre ich so ein Perverser, oder?«

»Du hast mich also an meinem Hintern erkannt?«

»Ich ... ja.« Er wird rot. »Aber das war nicht alles. Auf einmal ergab alles einen Sinn. Wie fertig du wegen des Protests warst und wegen Khalil. Nicht, dass man deswegen nicht auch so fertigsein könnte, aber es –« Er seufzt. »Sag doch was, Starr. Ich wusste einfach, dass du das warst. Und du warst es doch, oder?«

Ich nicke.

»Babe, du hättest es mir sagen sollen. Warum hast du mir sowas verheimlicht?«

Ich lege den Kopf schief. »Wow. Ich erlebe, wie jemand erschossen wird, und du führst dich auf, weil ich es dir nicht gesagt habe?«

»So meine ich das nicht.«

»Denk trotzdem mal eine Sekunde lang darüber nach«, sage ich. »Heute Abend hast du kaum zwei Worte mit mir gewechselt, weil ich dir eines der schlimmsten Erlebnisse meines Lebens verschwiegen habe. Hast du schon mal jemanden sterben sehen?«

»Nein.«

»Ich hab es zweimal mitangesehen.«

»Und auch das wusste ich nicht!«, sagt er. »Ich bin dein Freund und hatte von beiden keine Ahnung.« Er sieht mich an, und in seinen Augen erkenne ich die gleiche Kränkung wie damals, als ich mich vor ein paar Wochen von ihm losriss. »Da ist dieser ganze Teil deines Lebens, aus dem du mich komplett raushältst, Starr. Wir sind jetzt seit über einem Jahr zusammen, und du hast Khalil nie erwähnt, der doch angeblich dein bester Freund war. Und auch nicht die andere Person, die du hast sterben sehen. Du hast mir nicht genug vertraut, um es mir zu erzählen.«

Ich schnappe nach Luft. »So – so ist das nicht.«

»Ach wirklich?«, sagt er. »Wie ist es denn dann? Was sind wir? Nur *Prinz von Bel-Air* und Rumgealber?«

»Nein.« Meine Lippen zittern und meine Stimme klingt zaghaft. »Ich ... Ich kann diesen Teil von mir hier nicht preisgeben, Chris.«

»Warum nicht?«

»Na darum«, krächze ich. »Die Leute verwenden das gegen mich. Dann bin ich entweder die arme Starr, die gesehen hat, wie ihre Freundin aus einem fahrenden Auto heraus erschossen wurde, oder Starr, der Sozialfall, die im Ghetto lebt. So benehmen sich die Lehrer dann.«

»Okay, ich verstehe ja, dass du es in der Schule nicht jedem erzählen willst«, sagt er. »Aber ich bin doch nicht die. Ich würde das nie gegen dich verwenden. Du hast mir mal gesagt, ich wäre der einzige Mensch, in dessen Gegenwart du an der Williamson du selbst sein kannst. Aber in Wirklichkeit vertraust du mir immer noch nicht.«

Ich bin kurz davor, hemmungslos loszuheulen. »Du hast recht«, sage ich. »Ich habe dir nicht vertraut. Ich wollte nicht, dass du in mir nur das Mädchen aus dem Ghetto siehst.«

»Du hast mir nicht mal die Chance gegeben, dir das Gegenteil zu beweisen. Ich möchte für dich da sein. Aber dafür musst du mich an dich ranlassen.«

Mein Gott. Zweierlei Menschen zu sein, ist so anstrengend. Ich habe mir angewöhnt, mit zwei verschiedenen Stimmen zu sprechen und unter bestimmten Leuten nur bestimmte Dinge zu sagen. Darin war ich meisterhaft. Eigentlich muss ich nicht entscheiden, welche Starr ich sein will, wenn ich mit Chris zusammen bin, aber unbewusst habe ich es vielleicht doch getan. Ein Teil von mir hat das Gefühl, ich könne unter Leuten wie ihm gar nicht existieren.

Ich werde nicht weinen. Ich werde nicht weinen. Ich werde nicht weinen.

»Bitte!«, sagt er.

Das genügt schon. Alles sprudelt nur so aus mir heraus.

»Ich war zehn. Als meine Freundin starb«, sage ich und starre dabei auf die weißen Spitzen meiner Fingernägel. »Sie war auch zehn.«

»Wie hieß sie?«, fragt er.

»Natasha. Der Schuss kam aus einem vorbeifahrenden Auto. Das war einer der Gründe, warum meine Eltern mich und meine Brüder auf die Williamson schickten. So quasi das Einzige, was sie tun konnten, um uns ein bisschen mehr zu beschützen. Sie reißen sich echt den Arsch auf, damit wir auf diese Schule können.«

Chris sagt nichts. Und das ist auch nicht nötig.

Ich hole zitternd Luft und blicke um mich. »Du hast keine Ahnung, wie verrückt es allein ist, dass ich in diesem Auto sitze«, sage ich. »In einem verdammten Rolls Royce. Früher hab ich in einer Sozialwohnung in einem Apartment mit einem Schlafzimmer gewohnt. Ich hab mir das Zimmer mit meinem Bruder geteilt und meine Eltern schliefen auf einer Ausziehcouch.«

Die Einzelheiten des Lebens von damals sind mir auf einmal wieder ganz präsent. »In der Wohnung roch es die ganze verdammte Zeit nach Zigaretten«, sage ich. »Daddy rauchte. Die Nachbarn über und neben uns rauchten. Ich hatte so viele Asthmaanfälle, dass es echt nicht mehr lustig war. In den Küchenschränken hatten wir wegen der Ratten und Schaben nur Konserven. Im Sommer war es immer zu heiß und im Winter zu kalt. Dann mussten wir drinnen und draußen Anoraks anziehen.

Manchmal verkaufte Daddy Essensmarken, um uns was zum Anziehen zu besorgen«, sage ich. »Ewig lang fand er keinen Job, weil er im Knast gesessen hatte. Nachdem ein Lebensmittelladen ihn doch einstellte, lud er uns zu Taco Bell ein, und wir durften bestellen, was wir wollten. Ich dachte, das wäre das Schönste auf der Welt. Fast noch besser als der Tag, an dem wir aus der Sozialwohnung auszogen.«

Chris lächelt zaghaft. »Taco Bell ist ziemlich toll.«

»Ja.« Ich schaue wieder auf meine Hände. »Er nahm auch Khalil mit zu Taco Bell. Wir hatten zu kämpfen, aber Khalil war unser Sozialfall. Jeder wusste, dass seine Momma cracksüchtig war.«

Ich spüre die Tränen kommen. Fuck, ich bin es so leid. »Damals standen wir uns richtig nahe. Er war der erste Junge, den ich geküsst habe und in den ich verknallt war. Vor seinem Tod waren wir nicht mehr so eng. Ich meine, ich hatte ihn monatelang nicht gesehen und ...« Inzwischen heule ich hemmungslos. »Und es bringt mich fast um, dass er so viel Scheiß am Hals hatte und ich nicht mehr für ihn da war.«

Chris wischt meine Tränen mit dem Daumen ab. »Das darfst du dir nicht vorwerfen.«

»Tu ich aber«, sage ich. »Ich hätte ihn davon abhalten können, Drogen zu verkaufen. Dann würden die Leute ihn nicht *Thug* und so nennen. Und es tut mir ja leid, dass ich es dir nicht gesagt habe. Ich wollte es, aber alle, die wissen, dass ich in dem Auto saß, behandeln mich seither, als wäre ich aus Glas. Du hast mich normal behandelt. Du *warst* mein normal.«

Ich bin total aufgelöst. Chris greift nach meiner Hand und zieht mich rittlings auf seinen Schoß. Ich vergrabe das Gesicht an seiner Schulter und heule wie ein Riesenbaby. Sein Smoking wird nass, mein Make-up ist ruiniert. Schrecklich.

»Es tut mir leid«, sagt er und streichelt meinen Rücken. »Dass ich heute Abend so ein Arsch war.«

»Warst du. Aber du bist mein Arsch.«

»Hab ich dann etwa *mich selbst* von hinten gesehen?«

Ich sehe ihn an und boxe heftig gegen seinen Arm. Er lacht und das bringt mich auch zum Lachen. »Du weißt, wie ich das meine! Du bist mein normal. Und das ist alles, was zählt.«

»Alles, was zählt.« Er lächelt.

Ich lege eine Hand an seine Wange und mache meine Lippen wieder mit seinen vertraut. Die sind weich und perfekt. Und schmecken auch nach Früchtepunsch.

Chris beißt sanft in meine Unterlippe und weicht ein Stückchen zurück. Erst lehnt er seine Stirn an meine, dann sieht er mich an. »Ich liebe dich.«

Da war das »ich«. Meine Antwort kommt wie von selbst. »Ich liebe dich auch.«

Lautes Klopfen an der Scheibe lässt uns beide zusammenzucken. Seven presst sein Gesicht gegen das Glas. »Ihr treibt da hoffentlich nichts miteinander!«

Die beste Methode, um total abgetörnt zu werden? Wenn dein großer Bruder auftaucht.

»Seven, lass sie in Ruhe«, jammert Layla hinter ihm. »Wir wollten doch tanzen, schon vergessen?«

»Das kann warten. Ich muss erst dafür sorgen, dass er sich nicht an meiner Schwester vergreift.«

»Und du wirst dich nicht an mir vergreifen, solange du dich so albern aufführst!«, sagt sie.

»Ist mir egal. Starr, steig aus diesem Wagen! Das meine ich ernst!«

Chris lacht an meiner nackten Schulter. »Hat dein Dad ihm gesagt, dass er auf dich aufpassen soll?«

Wie ich Daddy kenne ... »Wahrscheinlich.«

Er küsst meine Schulter und lässt seine Lippen kurz auf der Haut liegen. »Ist zwischen uns jetzt alles wieder gut?«

Ich drücke einen lauten Kuss auf seine Lippen. »Ist es.«

»Na gut, dann lass uns tanzen.«

Wir steigen aus dem Wagen und Seven schreit noch was von wegen, wir hätten uns rausgeschlichen und er würde es Daddy erzählen. Layla zerrt ihn zurück ins Gebäude, aber er meint noch: »Und wenn sie in neun Monaten einen kleinen Chris kriegt, dann haben wir beide ein Problem, Partna!«

Lächerlich. Vollkommen lächerlich.

Drinnen dröhnt nach wie vor die Musik. Ich bemühe mich, nicht zu lachen, als Chris aus dem Nae-Nae einen No-No macht. Maya und Ryan stoßen auf der Tanzfläche zu uns. Wegen Chris' Tanzstil sehen sie mich fragend an, aber ich zucke nur mit den Schultern und mache einfach mit.

Gegen Ende eines Songs beugt sich Chris zu mir und sagt: »Bin gleich wieder da.«

Dann verschwindet er in der Menge. Ich denke mir noch nichts dabei, bis etwa eine Minute später seine Stimme aus dem Lautsprecher erklingt und er neben dem DJ zu sehen ist.

»Hey, Leute«, sagt er. »Mein Mädchen und ich hatten vorhin einen Streit.«

O Gott. Er plaudert alles über uns aus. Ich schaue auf meine Chucks und schlage die Hände vors Gesicht.

»Und deshalb möchte ich diesen Song, unseren Song

singen, um dir zu zeigen, wie sehr ich dich liebe und wie viel du mir bedeutest, Prinzessin.«

Ein paar Mädchen machen »Oooh!«. Seine Freunde johlen. Ich denke mir noch, bitte, lass ihn nicht singen. Bitte. Aber da ertönt auch schon das vertraute *Boomp … boomp, boomp, boomp.*

»*Now this is a story all about how my life got flipped turned upside down*«, rappt Chris. »*And I'd like to take a minute, just sit right there, I'll tell you how I became the prince of a town called Bel-Air.*«

Ich muss viel zu breit grinsen. *Unser* Song. Ich rappe mit und fast alle fallen mit ein. Sogar die Lehrer. Am Ende juble ich lauter als alle anderen.

Chris kommt wieder runter, wir lachen, umarmen und küssen uns. Dann tanzen wir wieder, machen alberne Selfies und fluten damit das Internet. Als der Ball zu Ende ist, laden wir Maya, Ryan, Jess und noch ein paar andere Freunde ein, mit uns zu IHOP zu fahren. Jeder sitzt bei irgendwem auf dem Schoß. Bei IHOP essen wir viel zu viele Pancakes und tanzen weiter zur Musik aus der Jukebox. Ich denke weder an Khalil noch an Natasha.

Es ist einer der schönsten Abende meines Lebens.

Kapitel 18

Am Sonntag machen meine Eltern mit meinen Brüdern und mir einen Ausflug.

Zuerst denke ich, es wird ein normaler Besuch bei Onkel Carlos, doch wir fahren an seinem Viertel vorbei. Gute fünf Minuten später begrüßt uns ein Schild, umgeben von bunten Blumen, in Brook Falls.

Einstöckige Backsteinhäuser säumen frisch gepflasterte Straßen. Schwarze Kinder, weiße Kinder und alles dazwischen spielen auf den Gehsteigen und in den Gärten. Offene Garagentore erlauben den Blick auf all das Zeug da drin. In den Vorgärten liegen Roller und Fahrräder. Anscheinend macht sich hier keiner Sorgen darüber, dass die Sachen am helllichten Tag gestohlen werden könnten.

Mich erinnert es an die Gegend, wo Onkel Carlos wohnt, aber es ist auch anders. Es gibt schon mal keinen Zaun rundherum, sodass niemand aus- oder eingesperrt wird, aber anscheinend fühlen sich die Leute trotzdem sicher. Die Häuser sind auch kleiner und sehen gemütlicher aus. Und ganz ehrlich? Im Vergleich zu Onkel Carlos' Nachbarschaft gibt es mehr Leute, die so aussehen wie wir.

Daddy biegt in die Einfahrt eines braunen Ziegelhauses am Ende einer Sackgasse. Im Garten stehen Sträucher und kleine Bäume, ein kopfsteingepflasterter Weg führt zur Haustür.

»Na, kommt schon«, sagt Daddy.

Wir steigen aus, strecken uns und gähnen. Diese dreiviertelstündigen Fahrten sind kein Klacks. Aus der benachbarten Einfahrt winkt uns ein dicklicher Schwarzer. Wir winken zurück und folgen unseren Eltern. Durch das Glas der Eingangstür wirkt das Haus leer.

»Wessen Haus ist das?«, fragt Seven.

Daddy schließt die Tür auf. »Hoffentlich unseres.«

Drinnen stehen wir gleich im Wohnzimmer. Es riecht stark nach Farbe und Parkettpolitur. Zwei Flure, einer auf jeder Seite, führen vom Wohnzimmer weg. Die Küche grenzt direkt ans Wohnzimmer, mit weißen Schränken, Granit-Arbeitsplatten und Geräten mit Edelstahlfronten.

»Wir wollten es euch mal zeigen«, sagt Momma. »Schaut euch um.«

Ehrlich, ich traue mich kaum, mich zu bewegen. »Ist das hier *unser* Haus?«

»Wie ich schon sagte, wir hoffen es«, erwidert Daddy. »Wir warten noch darauf, dass die Hypothek genehmigt wird.«

»Können wir uns das denn leisten?«, fragt Seven.

Momma zieht eine Augenbraue hoch. »Ja, können wir.«

»Aber die Anzahlung und so –«

»Seven!«, zische ich. Er muss sich immer in Sachen einmischen, die ihn nichts angehen.

»Wir haben alles im Griff«, sagt Daddy. »Wir vermieten das Haus in Garden, das hilft uns bei den monatlichen Raten. Außerdem ...« Er sieht Momma mit diesem wissenden Grinsen an, das zugegeben hinreißend aussieht.

»Ich habe den Job als Pflegedienstchefin an der Markham bekommen«, sagt sie lächelnd. »In zwei Wochen fange ich an.«

»Echt jetzt?«, sage ich. Seven macht »Whoa« und Sekani schreit: »Momma ist reich!«

»Junge, niemand ist reich«, sagt Daddy. »Krieg dich wieder ein.«

»Aber es hilft«, sagt Momma. »Sehr sogar.«

»Daddy, findest du es okay, wenn wir hier draußen wohnen, wo die Leute alle fake sind?«, fragt Sekani.

»Wo hast du das denn her, Sekani?«, fragt Momma.

»Also, das sagt er doch dauernd. Dass die Leute hier fake sind und nur Garden Heights echt ist.«

»Ja, das sagt er tatsächlich«, bestätigt Seven.

Ich nicke. »Andauernd.«

Momma verschränkt die Arme. »Möchtest du dich vielleicht dazu äußern, Maverick?«

»Soo oft sage ich das nun auch wieder nicht.«

»Doch, tust du«, sagen wir Kinder im Chor.

»Na gut, ist sage es vielleicht oft, und das war vielleicht nicht immer zu hundert Prozent richtig –«

Momma hüstelt, aber ich höre auch ein »Ha!« heraus.

Da funkelt Daddy sie böse an. »Außerdem ist mir klar geworden, dass Echtsein nichts damit zu tun hat, wo du wohnst. Das Echteste, was ich tun kann, ist, meine Familie zu beschützen. Und das bedeutet in diesem Fall, aus Garden Heights wegzuziehen.«

»Was noch?«, fragt Momma, als würde sie ihn vor einer Schulklasse ausfragen.

»Dass in einem Vorort zu wohnen, dich kein bisschen weniger schwarz macht, als wenn du in der Hood lebst.«

»Danke sehr«, sagt sie mit einem zufriedenen Lächeln.

»Wollt ihr euch nicht vielleicht mal umsehen?«, fragt Daddy.

Seven zögert und deshalb zögert auch Sekani. Aber hey, ich will mir als Erste ein Zimmer aussuchen. »Wo sind die Schlafzimmer?«

Momma zeigt auf den Flur links. Anscheinend haben Seven und Sekani begriffen, worauf ich hinauswill. Wir tauschen einen Blick.

Dann stürzen wir los. Sekani rennt voraus und es ist nicht gerade einer meiner fairsten Momente, als ich ihn am Hosenbund packte und beiseite zerre.

»Mommy, sie hat mich geschubst!«, heult er.

Ich schaffe es vor Seven zum ersten Zimmer. Das ist schon mal größer als mein jetziges, aber nicht so groß, wie ich es mir wünsche. Seven ist schon beim zweiten, schaut sich um und anscheinend gefällt es ihm nicht. Demnach muss das dritte am größten sein. Es liegt am Ende des Flurs.

Seven und ich rennen darauf zu, wie Harry Potter und Cedric Diggory auf den Feuerkelch. Ich kriege Sevens Shirt zu fassen und ziehe daran, bis ich genug Stoff in der Hand habe, um ihn zurückzuzerren. So schaffe ich es als Erste und öffne die Tür.

Es ist kleiner als das erste.

»Ich reservier mir das hier!«, schreit Sekani und tänzelt in der Tür des ersten Zimmers, dem größten der drei.

Seven und ich spielen Schere, Stein, Papier um das zweitgrößte. Da er immer Stein oder Papier macht, gewinne ich mit Leichtigkeit.

Daddy geht uns was zum Mittagessen holen, während Momma uns den Rest des Hauses zeigt. Meine Brüder und ich müssen uns wieder ein Bad teilen. Das sollte aber okay sein, da Sekani endlich zielen kann und den richtigen Umgang mit der Klospülung erlernt hat. Das Elternschlafzimmer mit Bad geht vom anderen Flur ab. Außerdem gibt es noch eine Wäschekammer, einen halb fertigen Keller und eine Doppelgarage. Momma meint, wir kriegen einen Baseballkorb auf Rädern. Den können wir in der Garage deponieren und dann zum Spielen entweder vors Haus oder auf die Straße rollen. Ein Holzzaun umgibt den hinteren Garten, wo genug Platz für Daddys Beete und für Brickz ist.

»Brickz kommt doch mit hierher, oder?«, frage ich.

»Natürlich. Wir lassen ihn nicht zurück.«

Als Daddy Burger und Pommes bringt, essen wir in der Küche auf dem Fußboden. Es ist total still hier. Manchmal bellt irgendwo ein Hund, aber Musik, von der die Wände wackeln, oder Schüsse? Gibt's nicht.

»Wir werden in den nächsten paar Wochen hier schon was machen«, erklärt Momma, »aber da das Schuljahr nicht mehr lange dauert, warten wir mit dem Umzug bis zu den Sommerferien.«

»Denn so ein Umzug ist keine Kleinigkeit«, fügt Daddy hinzu.

»Hoffentlich sind wir mit allem fertig, bevor du aufs

College gehst, Seven«, sagt Momma. »Dann hast du dich in deinem Zimmer schon ein bisschen eingelebt, bevor du in den Ferien und im Sommer herkommst.«

Sekani schlürft seinen Milchshake und sagt dann mit dem Mund voller Schaum: »Seven hat gesagt, er geht nicht aufs College.«

Daddy sagt: »Was?«

Seven wirft Sekani einen wütenden Blick zu. »Ich habe nicht gesagt, dass ich nicht aufs College gehe. Ich sagte, ich würde nicht *weggehen*, um aufs College zu gehen. Ich werde aufs Central Community gehen, damit ich für Kenya und Lyric da sein kann.«

»Zum Teufel, nein!«, sagt Daddy.

»Das kann doch nicht dein Ernst sein«, sagt Momma.

Central Community ist das Junior College am Rand von Garden Heights. Manche nennen es Garden Heights 2.0, weil so viele von der Garden High es besuchen und ihr ganzes Theater von dort dahin mitnehmen.

»Da gibt es auch Kurse für Ingenieurwesen«, argumentiert Seven.

»Aber da gibt es nicht die gleichen Chancen wie an den Colleges, für die du dich beworben hast«, sagt Momma. »Ist dir klar, was dir entgehen würde? Stipendien, Praktika –«

»Die Chance für mich, endlich ein Seven-freies Leben zu führen«, füge ich hinzu und schlürfe meinen Milchshake.

»Wer hat dich denn gefragt?«, sagt Seven.

»*Yo Momma*.«

Eine ziemlich bescheidene Antwort, ich weiß, aber wenigstens spontan. Seven wirft mit einer Pommes nach mir. Ich wehre sie ab und will ihm schon den Stinkefinger zeigen, aber Momma warnt mich: »Untersteh dich!« Da lasse ich die Hand wieder sinken.

»Hör mal, du bist nicht verantwortlich für deine Schwestern«, sagt Daddy. »Aber ich bin verantwortlich für dich. Und ich lasse nicht zu, dass dir diese Chance entgeht, damit du tust, was eigentlich zwei verdammt noch mal Erwachsene tun sollten.«

»Ein Dollar, Daddy«, kräht Sekani dazwischen.

»Es gefällt mir, dass du an Kenya und Lyric denkst«, erklärt Daddy, »aber deine Möglichkeiten sind begrenzt. Natürlich kannst du dir jedes beliebige College aussuchen und wärst überall erfolgreich. Aber such es dir bitte aus, weil du da wirklich hinwillst. Und nicht, weil du versuchst, den Job von jemand anderem zu machen. Haben wir uns verstanden?«

»Yeah«, sagt Seven.

Daddy legt den Arm um Sevens Nacken und zieht ihn zu sich. Er gibt ihm einen Kuss auf die Schläfe. »Hab dich lieb. Und ich werde immer auf dich aufpassen.«

Nach dem Mittagessen stellen wir uns im Wohnzimmer in einem Kreis auf, fassen uns bei den Händen und senken die Köpfe.

»Black Jesus, danke für diesen Segen«, sagt Daddy. »Selbst wenn wir von der Idee, umzuziehen, eigentlich nicht so begeistert waren –«

Momma räuspert sich.

»Okay, selbst wenn *ich* von der Idee, umzuziehen, nicht

so begeistert war«, verbessert sich Daddy, »hast du die Dinge geregelt. Danke für Lisas neuen Job. Bitte hilf ihr und sei weiterhin bei ihr, wenn sie Extraschichten an der Klinik macht. Hilf Sekani bei seinen Prüfungen zum Schuljahrsende. Und danke, Herr, dass du Seven geholfen hast, etwas zu leisten, was ich nicht geschafft habe, nämlich einen Highschoolabschluss. Führe ihn bei der Entscheidung für ein College und lass ihn wissen, dass du Kenya und Lyric beschützt.

Herr, morgen ist ein großer Tag für mein Baby Girl, weil sie vor diesem Geschworenengericht aussagen wird. Bitte schenke ihr Frieden und Mut. So gern ich dich bitten möchte, dass diese Sache eine bestimmte Richtung nimmt, weiß ich doch, dass du dafür schon einen Plan hast. Also erbitte ich nur etwas Gnade, Gott. Das ist alles. Hab Erbarmen mit Garden Heights, mit Khalils Familie, mit Starr. Hilf uns allen da durch. In deinem kostbaren Namen –«

»Warte«, sagt Momma.

Ich schiele mit einem Auge zu ihr hin. Daddy tut das Gleiche. Denn Momma unterbricht nie, wirklich nie sein Gebet.

»Äh, Baby«, sagt Daddy, »ich wollte gerade zu Ende beten.«

»Ich habe aber noch was hinzuzufügen. Herr, segne meine Mom und danke, dass sie Geld aus ihrem Pensionsfonds beigesteuert hat, damit wir die Anzahlung leisten konnten. Hilf uns, den Keller so auszubauen, dass sie manchmal hier wohnen kann.«

»Nein, Herr«, sagt Daddy.

»Doch, Herr«, sagt Momma.

»Nein, Herr.«

»Doch.«

»Nein. Amen!«

Wir kommen gerade rechtzeitig nach Hause, um uns noch ein Spiel der Playoffs anzusehen.

Während der Basketballsaison herrscht quasi Krieg in unserem Haus. Ich bin durch und durch LeBron-Fan, egal ob er für Miami oder Cleveland spielt. Daddy steht immer noch zu den Lakers, mag LeBron aber auch. Seven steht total auf die Spurs. Momma hasst niemand so wie LeBron und Sekani ist Fan von jedem, der gewinnt.

Heute Abend spielt Cleveland gegen Chicago. Die Kampflinien sind klar gezogen: Daddy und ich gegen Seven und Momma. Seven hat sich auch auf die Seite der »jeder, nur nicht LeBron«-Hasser geschlagen.

Ich ziehe mir noch schnell mein LeBron-Trikot über. Denn jedes Mal, wenn ich es nicht trage, verliert sein Team. Ungelogen. Ich darf es auch nicht waschen. Momma hat das letzte direkt vor den Finals gewaschen, und prompt verlor Miami gegen die Spurs. Ich glaube, das hat sie absichtlich getan.

Ich nehme meinen Glücksplatz im Fernsehzimmer vor der Couchgarnitur ein. Seven kommt rein, steigt über mich drüber und setzt sich so, dass ich seinen riesigen nackten Fuß quasi im Gesicht habe. Ich schlage ihn weg. »Nimm deinen dreckigen Stinkefuß da weg.«

»Wir werden schon sehen, wer später noch zu Späßen aufgelegt ist. Bist du bereit für eine Tracht Prügel?«

»Du meinst, ob ich bereit bin, dir eine zu verpassen? Na klar!«

Momma steckt den Kopf ins Zimmer. »Mümmel, willst du ein bisschen Eis?«

Ich starre sie nur an. Sie *weiß* doch, dass ich während eines Spiels keine Milchprodukte esse. Davon kriege ich Blähungen, und Blähungen bringen Pech.

Sie grinst. »Wie wär's mit einem Eisbecher? Mit Streuseln, Erdbeersoße und Schlagsahne.«

Ich halte mir die Ohren zu. »Lalala, geh weg, LeBron-Hasser. Lalala.«

Wie schon gesagt, herrscht in der Basketballsaison quasi Krieg, und da kommen in meiner Familie die schmutzigsten Tricks zum Einsatz.

Momma kehrt mit einer großen Schüssel Eis zurück, das sie in sich reinschaufelt. Sie setzt sich auf die Couch und hält mir die Schale unter die Nase. »Sicher, dass du nicht doch was willst, Mümmel? Ist deine Lieblingssorte. Mit Cookie Dough. So lecker!«

Bleib stark, ermahne ich mich, aber verdammt, dieses Eis sieht echt gut aus. Der Erdbeersirup glitzert, ein großer Klecks Schlagsahne thront obendrauf. Ich schließe die Augen. »Eine Meisterschaft ist mir noch lieber.«

»Tja, die wird es sowieso nicht geben, also kannst du dir ruhig ein bisschen Eis gönnen.«

»Ha!«, ruft Seven.

»Was ist denn hier los?«, fragt Daddy im Reinkommen.

Er setzt sich in den Sessel der Polstergarnitur. Das ist sein Glücksplatz. Sekani kommt reingerannt, setzt sich hinter mich und legt seine nackten Füße auf meine Schultern. Das stört mich nicht. Sie sind noch nicht groß und stinkig.

»Ich hab Mümmel nur was von meinem Eisbecher angeboten«, sagt Momma. »Möchtest du auch was, Baby?«

»Nein, verdammt. Du weißt doch, dass ich während eines Spiels keine Milchprodukte esse.«

Was hab ich gesagt? Wir verstehen da keinen Spaß.

»Du und Seven, ihr könnt euch schon mal darauf gefasst machen, dass Cleveland euch eine ordentliche Abreibung verpasst«, sagt Daddy. »Ich meine, das wird zwar keine Kobe-Abreibung, aber trotzdem eine gute.«

»Amen!«, sage ich. Bis auf das mit Kobe spricht er mir aus der Seele.

»Junge, Junge«, meint Momma zu ihm, »du suchst dir jedesmal armselige Teams aus. Erst die Lakers –«

»Hey, ein Triple ist nicht armselig, Baby. Außerdem suche ich mir nicht immer armselige Teams aus.« Er grinst. »Ich hab mir doch auch deins ausgesucht, oder?«

Momma verdreht die Augen, grinst aber dabei. Ich tue es zwar ungern, aber ich muss zugeben, die beiden sind gerade wirklich süß. »Schon«, sagt sie, »da hast du aber auch das einzige Mal die richtige Wahl getroffen.«

»Mhm«, macht Daddy. »Wisst ihr, eure Momma hat im Basketballteam von Saint Mary's gespielt und die hatten ein Spiel gegen meine Schule, die Garden High.«

»Und denen haben wir auch eine Abreibung verpasst«,

sagt Momma und leckt Eis von ihrem Löffel. »Diese li'l Girls hatten gegen uns ja überhaupt keine Chance. Ich mein ja bloß.«

»Egal, jedenfalls wollte ich mir das Spiel von ein paar Kumpels nach dem der Mädchen ansehen«, sagt Daddy und schaut Momma an. Das ist so hinreißend, dass ich es kaum aushalte. »Ich war zu früh da und sah dort das hübscheste Mädchen aller Zeiten, das sich gerade die Seele aus dem Leib spielte.«

»Erzähl ihnen, was du gemacht hast«, sagt Momma, obwohl wir das längst wissen.

»Äh, ich bin –«

»Na los, erzähl, was du gemacht hast«, sagt sie.

»Ich hab versucht, dich auf mich aufmerksam zu machen.«

»Von wegen.« Momma steht auf, drückt mir ihre Eisschüssel in die Hand und stellt sich vor den Fernseher. »Du hast dich an der Seitenlinie aufgestellt und zwar so«, sagt sie, lehnt sich nach rechts, greift sich in den Schritt und leckt sich die Lippen. Ich kann mir total gut vorstellen, dass Daddy das gemacht hat.

»Mitten im Spiel!«, sagt sie. »Hat sich da wie ein Perverser hingestellt und mich angeglotzt.«

»Aber du hast mich bemerkt«, sagt Daddy. »Oder?«

»Weil du wie ein Trottel ausgesehen hast! Dann sitze ich in der Halbzeit auf der Bank und er taucht hinter mir auf. Quatscht mich an.« Sie verstellt ihre Stimme, damit sie tief klingt: »Hey! Hey, Kleine. Wie heißt du? Siehst gut aus da draußen. Kann ich deine Nummer haben?«

»Mann, Pops, du hattest es echt überhaupt nicht drauf«, sagt Seven.

»Klar hatte ich das!«, verteidigt sich Daddy.

»Aber hast du an dem Abend ihre Nummer gekriegt?«, hakt Seven nach.

»Also, ich hab daran gearbeitet –«

»Hast du ihre Nummer gekriegt?«, beharrt Seven.

»Nope«, gibt er zu und wir lachen alle schallend. »Mann, war doch egal. Ihr könnt sagen, was ihr wollt. Letztendlich habe ich was Richtiges getan.«

»Ja«, stimmt Momma ihm zu, während sie mir mit den Fingern durchs Haar fährt. »Das hast du.«

Im zweiten Spielviertel von Cleveland gegen Chicago schreien und toben wir bereits vor dem Fernseher. Als LeBron sich den Ball holt, springe ich auf und Wumm! Er dunkt ihn.

»Da habt ihr's!«, rufe ich Momma und Seven zu. »Da habt ihr's!«

Daddy gibt mir einen High Five und applaudiert. »Na also!«

Momma und Seven verdrehen nur die Augen.

Ich nehme wieder meine Spielposition ein – angezogene Knie, rechter Arm über dem Kopf, sodass er mein linkes Ohr festhält und linker Daumen in den Mund. Klingt verrückt, funktioniert aber. Angriff und Verteidigung von Cleveland sind top. »*Let's go, Cavs!*«

Glas splittert. Danach *peng, peng, peng, peng*. Schüsse.

»Alle runter!«, brüllt Daddy.

Ich bin ja schon unten, aber Sekani lässt sich neben mich fallen, Momma auf uns beide. Außerdem legt sie noch die Arme um uns. Daddys Schritte stampfen zur Vorderseite des Hauses, dann höre ich die Haustür knarrend aufschwingen. Reifen quietschen.

»*Motherf* –« Schüsse schneiden Daddy das Wort ab.

Mein Herz setzt aus. Einen Sekundenbruchteil lang stelle ich mir die Welt ohne meinen Dad vor, und das hat nicht viel mit einer Welt zu tun.

Dann kehren seine Schritte zurück. »Seid ihr okay?«

Das Gewicht löst sich von mir. Momma sagt, sie sei okay. Sekani sagt das auch. Ebenso Seven.

Daddy hat seine Glock noch in der Hand. »Ich hab auf die Idioten geschossen«, keucht er. »Glaube, ich hab einen Reifen getroffen. Aber den Wagen hab ich noch nie gesehen.«

»Haben die ins Haus reingeschossen?«, fragt Momma.

»Ja, ein paarmal durchs vordere Fenster«, sagt er. »Und sie haben irgendwas reingeworfen. Ist im Wohnzimmer gelandet.«

Ich bin schon unterwegs.

»Starr! Komm sofort zurück!«, ruft Momma.

Ich bin zu neugierig und zu stur. Mommas gutes Sofa glitzert unter lauter Scherben und Splittern. Mitten auf dem Fußboden liegt ein Ziegelstein.

Momma ruft Onkel Carlos an. Nach einer halben Stunde ist er da.

Daddy marschiert ununterbrochen im Fernsehzimmer

auf und ab. Seine Glock hat er auch noch nicht aus der Hand gelegt. Seven bringt Sekani ins Bett, während Momma mit mir auf der Couch sitzen bleibt. Sie nimmt den Arm nicht von meinen Schultern.

Einige unserer Nachbarn haben sich gemeldet, etwa Mrs. Pearl und Ms. Jones. Mr. Charles von nebenan kam mit seiner eigenen Waffe rübergelaufen. Keiner hat gesehen, wer das war.

Aber das spielt eigentlich auch keine Rolle. Es war eindeutig eine Botschaft an mich.

Ich fühle mich so elend wie als Kind, wenn mir schlecht war, weil ich viel zu viel Eis gegessen hatte, nachdem ich zu lange in der Sonne gespielt hatte. Ms. Rosalie meinte dann immer, die Hitze hätte meinen Magen »zum Kochen« gebracht und etwas Kühles würde ihn beruhigen. Aber jetzt kann mich nichts beruhigen.

»Habt ihr die Polizei verständigt?«, fragt Onkel Carlos.

»Nein, zum Teufel!«, sagt Daddy. »Woher weiß ich, ob die das nicht selbst waren?«

»Maverick, du hättest sie trotzdem rufen sollen«, sagt Onkel Carlos. »So was muss aufgenommen werden. Außerdem können sie jemanden vorbeischicken, der das Haus bewacht.«

»Oh, ich habe schon wen, der das Haus bewacht. Mach dir da mal keine Sorgen. Das macht jedenfalls keiner von diesen korrupten Bastarden, die uns den ganzen Mist womöglich erst eingebrockt haben.«

»Es könnten auch King Lords gewesen sein!«, sagt Onkel Carlos. »Hast du nicht gesagt, dass King eine verdeckte

Drohung gegenüber Starr wegen der Aussage abgelassen hat?«

»Ich geh da morgen nicht hin«, sage ich, aber bei einem Drake-Konzert hätte ich mehr Chancen, gehört zu werden.

»Das ist ja wohl kein verdammter Zufall, dass jemand versucht, uns an dem Abend, bevor sie vor dem Geschworenengericht aussagt, Angst einzujagen«, sagt Daddy. »Das ist doch genau so ein Bullshit, wie der deinen Kumpels zuzutrauen wäre.«

»Du würdest dich wundern, wie viele von uns in diesem Fall Gerechtigkeit wollen«, sagt Onkel Carlos. »Aber natürlich, typisch Maverick. Jeder Cop ist automatisch ein böser Cop.«

»Ich geh da morgen nicht hin«, wiederhole ich.

»Ich behaupte ja nicht, dass jeder Cop ein böser Cop ist, aber ich bin doch auch nicht so bescheuert zu glauben, einige von denen wären nicht zu miesem Scheiß fähig. Verdammt, die haben mich gezwungen, mich mit dem Gesicht nach unten auf den Gehsteig zu legen. Und warum? Weil sie es konnten!«

»Es können beide Seiten gewesen sein«, sagt Momma. »Zu versuchen, rauszukriegen, wer es war, bringt uns nicht weiter. Die Hauptsache ist, dafür zu sorgen, dass Starr morgen sicher ist –«

»Ich habe gesagt, ich geh da nicht hin!«, schreie ich.

Endlich haben sie mich gehört. Mein Magen brodelt vor Nervosität. »Ja, das könnten King Lords gewesen sein, aber was, wenn es die Cops waren?« Ich sehe Daddy an und muss an den Moment damals vor dem Laden denken. »Ich

dachte eben, die bringen dich um«, krächze ich. »Meinetwegen.«

Er geht vor mir in die Hocke und legt die Glock neben
meine Füße. Dann hebt er mein Kinn an. »Punkt eins des
Zehn-Punkte-Programms. Sag schon.«

Meine Brüder und ich haben das Zehn-Punkte-Programm der Black Panthers aufsagen gelernt wie andere
Kinder den Fahneneid.

»Wir wollen Freiheit«, sage ich. »Wir wollen die Macht,
über das Schicksal unserer schwarzen unterdrückten
Community zu bestimmen.«

»Sag es noch mal.«

»Wir wollen Freiheit. Wir wollen die Macht, über das
Schicksal unserer schwarzen unterdrückten Community
zu bestimmen.«

»Punkt sieben.«

»Wir wollen, dass die Brutalität der Polizei sofort auf-
hört«, sage ich. »Und die Ermordung Schwarzer, anderer
Farbiger und unterdrückter Menschen.«

»Noch mal.«

»Wir wollen, dass die Brutalität der Polizei sofort auf-
hört, und die Ermordung Schwarzer, anderer Farbiger und
unterdrückter Menschen.«

»Und was hat Brother Malcolm gesagt, ist unser Ziel?«

Seven und ich konnten spätestens mit dreizehn Malcolm X zitieren. So weit ist Sekani noch nicht.

»Absolute Freiheit, Gerechtigkeit und Gleichheit«, sage
ich, »egal mit welchen Mitteln.«

»Noch mal.«

»Absolute Freiheit, Gerechtigkeit und Gleichheit, egal mit welchen Mitteln.«

»Also, warum willst du dann schweigen?«, fragt Daddy.

Weil das Zehn-Punkte-Programm schon bei den Panthers nicht funktioniert hat. Huey Newton starb als Drogensüchtiger und die Regierung machte die Panthers einen nach dem anderen fertig. »Egal mit welchen Mitteln« verhinderte nicht, dass Brother Malcolm starb, vielleicht sogar durch die Hand seiner eigenen Leute. Absichten klingen niedergeschrieben immer besser als sie dann in der Realität funktionieren. Und die Realität ist, dass ich es morgen Früh vielleicht nicht bis zum Gericht schaffe.

Lautes Klopfen an der Haustür lässt uns zusammenzucken.

Daddy steht auf, schnappt sich seine Glock und geht, um aufzumachen. Ich höre, wie er jemand mit »*What's up*« begrüßt und dass Handflächen aufeinanderklatschen. Dann sagt eine Männerstimme: »Du weißt, wir sind für dich da, Big Mav.«

Daddy kommt mit ein paar großen breitschultrigen Typen zurück, die alle grau und schwarz gekleidet sind. Aber das ist ein helleres Grau als King und seine Leute tragen. Es braucht schon ein geübtes Auge, um das zu merken und zu unterscheiden. Das hier sind andere King Lords.

»Das hier ist Goon.« Daddy zeigt auf den kleinsten. Er trägt einen Zopf und steht ganz vorn. »Er und seine Jungs werden heute Abend und morgen für unsere Sicherheit sorgen.«

Onkel Carlos verschränkt die Arme und starrt die King

Lords finster an. »Du bittest King Lords, das Haus zu bewachen, obwohl vielleicht King Lords uns in diese Lage gebracht haben?«

»Die haben nichts mit King zu tun«, sagt Daddy. »Das sind King Lords aus Cedar Grove.«

Shit, dann könnten sie genauso gut Garden Disciples sein. Sets machen den Unterschied zwischen den Gangs, nicht ihre Farben. Die King Lords aus Cedar Grove haben schon seit einer Weile Streit mit Kings Set, den West Side King Lords.

»Sollen wir uns zurückziehen, Big Mav?«, fragt Goon.

»Nee, kümmert euch gar nicht um ihn«, sagt Daddy. »Ihr macht einfach das, wofür ihr hergekommen seid.«

»Kein Ding«, sagt Goon und stößt seine Faust an Daddys. Dann verschwinden er und seine Jungs wieder nach draußen.

»Ist das jetzt dein Ernst?«, brüllt Onkel Carlos. »Du glaubst wirklich, dass Gangbanger euch ausreichend beschützen?«

»Sie sind ja schließlich bewaffnet, nicht?«, sagt Daddy.

»Lächerlich!« Onkel Carlos schaut Momma an. »Hör zu, ich gehe morgen mit euch zum Gericht, aber nur, wenn diese Typen nicht mitkommen.«

»Schwächling«, sagt Daddy. »Kannst nicht mal deine Nichte beschützen, weil du Schiss hast, wie das vor deinen Kollegen aussehen würde, wenn du mit Gangbangern zusammen arbeitest.«

»Ach, wirklich, Maverick?«, sagt Onkel Carlos.

»Carlos, beruhig dich.«

»Nein, Lisa. Verstehe ich das richtig? Meint er dieselbe Nichte, um die ich mich gekümmert habe, während er im Knast hockte? Ja? Diejenige, die ich am ersten Schultag begleitet habe, weil er den Kopf für seinen sogenannten Freund hingehalten hat? Die ich getröstet habe, als sie nach ihrem Daddy weinte?«

Er ist sehr laut geworden und Momma hat sich vor ihm aufgebaut, um ihn von Daddy fernzuhalten.

»Du kannst mir so viel Schimpfnamen geben, wie du willst, Maverick, aber sag ja nie mehr, ich würde mich nicht um meine Nichte und meine Neffen kümmern! Ja, ganz recht, Neffen! Auch um Seven. Als du im Knast saßt –«

»Carlos«, sagt Momma nur.

»Nein, er soll das ruhig mal hören. Während du im Knast gehockt hast, da habe ich Lisa jedes Mal ausgeholfen, wenn deine bemitleidenswerte Baby-Momma Seven wochenlang einfach bei ihr abgeladen hat. Ich! Ich habe Klamotten und Essen gekauft und für ein Dach über dem Kopf gesorgt. Ich, der Onkel-Tom-Arsch! Und verdammt noch mal, nein, ich will nicht mit Kriminellen zusammenarbeiten, aber unterstell du mir ja nicht noch mal, ich würde mich nicht um diese Kids kümmern!«

Daddys Mund ist ein Strich. Er schweigt.

Onkel Carlos schnappt sich seine Schlüssel vom Couchtisch, gibt mir zwei Küsse auf die Stirn und geht. Dann hört man die Haustür zuknallen.

Kapitel 19

Der Duft von Hickory-Speck und die Geräusche viel zu vieler Stimmen wecken mich.

Ich blinzle ein paarmal, weil die neonblauen Wände für meine müden Augen einfach noch zu viel sind. Es dauert auch ein paar Minuten, bis ich mich wieder daran erinnere, dass heute der Tag des Geschworenengerichts ist.

Mal sehen, ob ich Khalil im Stich lassen werde oder nicht.

Jetzt schlüpfe ich erstmal in meine Pantoffeln und mache mich auf den Weg in Richtung der fremden Stimmen. Seven und Sekani sind inzwischen bestimmt in der Schule, außerdem klingen ihre Stimmen nicht so tief. Vielleicht sollte ich mir Sorgen darüber machen, dass irgendwelche fremden Kerle mich im Pyjama sehen, aber das ist ja das Schöne daran, wenn man in Tanktop und Basketballshorts schläft – da gibt es nicht viel zu sehen.

In der Küche sind nur noch Stehplätze frei. Typen in schwarzen Hosen, weißen Hemden und Krawatten sind um den Tisch und an der Wand verteilt, während sie allesamt Essen in sich reinschaufeln. Sie haben Tattoos im Gesicht und an den Händen. Ein paar nicken mir flüchtig zu und murmeln mit vollem Mund: »*S'up*«.

Die King Lords aus Cedar Grove. Verdammt, die haben sich aber schick gemacht.

Am Herd hantieren Momma und Tante Pam mit ein

paar Pfannen voller brutzelndem Speck und zischender Eier, unter denen die bläulichen Gasflammen zucken. Nana schenkt Saft und Kaffee aus und schwatzt dabei ununterbrochen.

Momma wirft nur rasch einen Blick über ihre Schulter und sagt: »Morgen, Mümmel. Dein Teller steht in der Mikrowelle. Nimm bitte mal eben die Biscuits für mich aus dem Ofen.«

Dann treten sie und Tante Pam jede ein Stückchen zur Seite, während sie weiter in den Eiern rühren und Speck wenden. Ich schnappe mir ein Geschirrtuch und mache den Backofen auf. Der Duft buttriger Biscuits trifft mich zusammen mit einem Hitzeschwall. Rasch ziehe ich das Blech raus, das aber zu heiß ist, um es selbst mit dem Tuch lange zu halten.

»Hier ist Platz, li'l Momma«, sagt Goon, der am Tisch sitzt.

Ich bin froh, das Blech absetzen zu können. Keine zwei Minuten später sind auch schon alle Biscuits weg. Du meine Güte. Bevor die King Lords auch den noch leer machen, schnappe ich mir den zugedeckten Teller aus der Mikrowelle.

»Starr, nimm auch die beiden Teller für deinen Dad und deinen Onkel mit«, sagt Tante Pam. »Bring sie bitte nach draußen.«

Dann ist Onkel Carlos hier? Ich sage »Yes, Ma'am« zu Tante Pam und stapele die beiden Teller auf meinen. Dann schnappe ich mir noch die scharfe Soße, drei Gabeln und verschwinde gerade rechtzeitig, bevor Nana mit einer ihrer Geschichten von »früher, in meiner Zeit am Theater« loslegt.

Draußen strahlt die Sonne dermaßen hell, dass die Farbe der Wände in meinem Zimmer im Vergleich dazu düster ist. Blinzelnd halte ich nach Daddy oder Onkel Carlos Ausschau. Die Heckklappe von Daddys Tahoe ist geöffnet und die beiden sitzen auf der Ladefläche.

Meine Pantoffeln schlurfen über den Beton, sodass es wie ein Besen klingt. Daddy schaut um die Ecke des Trucks. »Da kommt ja mein Baby.«

Ich reiche ihm und Onkel Carlos jeweils einen Teller und bekomme dafür von Daddy einen Kuss auf die Wange. »Hast du gut geschlafen?«, fragt er.

»Ging so.«

Onkel Carlos nimmt seine Pistole weg, die zwischen den beiden lag, und klopft auf die freie Stelle. »Leiste uns ein bisschen Gesellschaft.«

Ich hüpfe zwischen sie. Als wir die Teller auswickeln, haben wir genügend Biscuits, Speck und Ei für mehrere Personen.

»Ich glaube, das hier ist deiner, Maverick«, sagt Onkel Carlos. »Das ist Putenschinken.«

»Danke, Mann«, sagt Daddy und sie tauschen ihre Teller.

Erst kippe ich scharfe Soße über meine Eier, dann gebe ich die Flasche an Daddy weiter. Onkel Carlos streckt ebenfalls die Hand danach aus.

Grinsend reicht Daddy sie weiter. »Ich hätte gedacht, scharfe Soße auf Eiern wäre dir nicht fein genug.«

»Dir ist aber schon klar, dass ich in diesem Haus aufgewachsen bin, oder?« Dann tränkt Onkel Carlos sein Ei komplett mit Soße, stellt die Flasche weg und leckt sich die Finger. »Verrat Pam nicht, dass ich das alles esse. Sie ermahnt mich immer, ich soll nicht so viel Natrium zu mir nehmen.«

»Ich verrate dich nicht, wenn du mich nicht verrätst«, sagt Daddy. Sie stoßen die Fäuste gegeneinander, um den Deal zu besiegeln.

Entweder bin ich auf einem anderen Planeten oder in einer Parallelwelt aufgewacht. Irgend so was. »Ist jetzt plötzlich alles cool zwischen euch?«

»Wir haben geredet«, sagt Daddy. »Ist alles wieder okay.«

»Yep«, sagt Onkel Carlos. »Manche Dinge sind wichtiger als andere.«

Ich würde gern Einzelheiten erfahren, aber das kann ich vergessen. Aber wenn sie miteinander klarkommen, soll mir das reichen. Und ehrlich gesagt? Es wurde auch langsam Zeit.

»Wo ist DeVante, wenn du und Tante Pam hier seid?«, frage ich Onkel Carlos.

»Endlich mal zu Hause und nicht beim Videospielen mit deinem li'l Boyfriend.«

»Warum ist Chris für dich eigentlich immer ›li'l‹?«, frage ich. »Er ist überhaupt nicht klein.«

»Ich hoffe mal, du redest von seiner Körpergröße«, meint Daddy.

»Amen«, fügt Onkel Carlos hinzu und die beiden stoßen schon wieder die Fäuste gegeneinander.

Da haben sie anscheinend schon was gefunden, worin sie sich einig sind – Chris. Typisch.

In unserer Straße ist es heute Morgen ziemlich ruhig. So wie meistens. Das Drama bringen immer Leute mit, die nicht von hier sind. Zwei Häuser weiter unterhalten sich Mrs. Lynn und Ms. Carol in Mrs. Lynns Vorgarten. Wahrscheinlich tauschen sie den neuesten Klatsch aus. Man darf den beiden nichts erzählen, außer man möchte, dass es sich in Garden Heights ausbreitet wie eine Erkältung. Mrs. Pearl von gegenüber arbeitet in ihrem Blumenbeet. Dabei hilft ihr Fo'ty Ounce. Den nennt jeder so, weil er immer nach Geld fragt, um sich ganz schnell *Fo'ty ounce* im Schnapsladen zu holen. Sein rostiger Einkaufswagen, in dem all sein Hab und Gut liegt, steht in Mrs. Pearls Einfahrt. Davor liegt ein großer Sack mit Mulch. Anscheinend hat er den grünen Daumen. Er lacht gerade über irgendwas, das Mrs. Pearl sagt, und wahrscheinlich hört man sein Gewieher noch zwei Straßen weiter.

»Kann gar nicht glauben, dass der Verrückte noch lebt«, sagt Onkel Carlos. »Hätte gedacht, er hat sich längst totgesoffen.«

»Wer? Fo'ty Ounce?«, frage ich.

»Ja! Der war schon in meiner Jugend hier unterwegs.«

»Nee, der ist immer noch da«, sagt Daddy. »Und behauptet, der Schnaps hält ihn am Leben.«

»Wohnt Mrs. Rooks noch um die Ecke?«, fragt Onkel Carlos.

»Klar«, sage ich. »Und sie backt immer noch den besten Red Velvet Cake, den du je gegessen hast.«

»Wow. Ich hab schon zu Pam gesagt, dass ich noch nie einen Red Velvet Cake gegessen habe, der so gut war wie der von Mrs. Rooks. Und was ist mit ...« Er schnippt mit den Fingern. »Der Mann, der Autos reparieren konnte. Wohnte an der Ecke.«

»Mr. Washington«, sagt Daddy. »Der ist noch dabei und macht nach wie vor bessere Arbeit als jede Autowerkstatt hier in der Gegend. Sein Sohn hilft ihm inzwischen auch schon.«

»Li'l John?«, fragt Onkel Carlos. »Der, der mal Basketball gespielt hat, aber dann von dem Zeug abhängig wurde?«

»Yep«, sagt Daddy. »Seit Kurzem ist er clean.«

»Mann.« Onkel Carlos schiebt das von der Soße rote Ei auf seinem Teller zusammen. »Manchmal vermisse ich es fast, hier zu wohnen.«

Ich sehe Fo'ty Ounce zu, wie er Mrs. Pearl hilft. Die Leute hier haben nicht viel, aber sie helfen einander, so gut sie können. Es ist wie eine seltsame, total gestörte Familie, aber immerhin eine Familie. Das war mir bis vor Kurzem noch gar nicht so klar.

»Starr!«, ruft Nana aus der Haustür. Wahrscheinlich hören auch das die Leute noch zwei Straßen weiter, so wie vorhin Fo'ty Ounce. »Deine Momma sagt, du sollst dich beeilen und fertig machen. Hey, Pearl!«

Mrs. Pearl beschirmt ihre Augen und blickt in unsere Richtung. »Hey, Adele! Hab dich lange nicht gesehen. Geht's dir gut?«

»Ich halte durch, Girl. Dein Blumenbeet sieht aber schön

aus! Ich komme nachher mal vorbei und hol mir ein paar von den Strelitzien.«

»Alles klar.«

»Und zu mir sagst du nicht Hey, Adele?«, fragt Fo'ty Ounces. Dabei nuschelt er alle Silben zusammen, sodass es wie ein einziges langes Wort klingt.

»Nein zum Teufel, du alter Narr«, sagt Nana und knallt die Tür hinter sich zu.

Daddy, Onkel Carlos und ich prusten los.

Die King Lords aus Cedar Grove eskortieren uns in zwei Autos. Onkel Carlos fährt mich und meine Eltern. Auf dem Beifahrersitz hat er noch einen seiner Kollegen dabei, der gerade nicht im Dienst ist. Nana und Tante Pam fahren hinterher.

Aber von all diesen Leuten kann keiner mit mir in den Saal des Geschworenengerichts kommen.

Von Garden Heights braucht man fünfzehn Minuten bis in die Innenstadt. Dort gibt es immer Baustellen, weil irgendein neues Gebäude errichtet wird. In Garden Heights stehen Jungs mit Dope an den Ecken, während Downtown die Leute in ihren Büroklamotten sogar stehen bleiben, bis die Fußgängerampeln auf Grün schalten. Ich frage mich, ob man hier die Schüsse und so was aus meinem Viertel überhaupt hört.

Wir biegen in die Straße, wo sich das Gerichtsgebäude befindet, und ich erlebe ein eigenartiges Déjà-vu. Ich bin drei und Onkel Carlos fährt Seven und mich zum Gericht. Momma weint den ganzen Weg über und ich wünsche mir, Daddy wäre da, weil er es immer schafft, sie zu trösten. Seven und ich gehen an Mommas Hand in den Gerichtssaal. Ein paar Cops führen Daddy in einem orangefarbenen Jumpsuit herein. Er kann uns nicht umarmen, weil er Handschellen trägt. Ich sage zu ihm, dass mir sein Jumpsuit gefällt; Orange ist nämlich eine meiner Lieblingsfarben. Aber er sieht mich nur sehr ernst an und sagt: »So was wirst du nie anziehen, hast du mich verstanden?«

Ich erinnere mich nur noch daran, dass der Richter etwas sagte, Momma schluchzte und Daddy uns zurief, wie lieb er uns habe, bevor die Cops ihn wegzerrten. Danach hasste ich das Gerichtsgebäude drei Jahre lang, weil es uns Daddy weggenommen hatte.

Jetzt bin ich auch nicht gerade erfreut, es zu sehen. Transporter und Trucks von Nachrichtensendern stehen entlang der gegenüberliegenden Straßenseite. Straßensperren der Polizei schotten sie ab. Ich verstehe jetzt, warum die Leute von »Medienzirkus« sprechen. Es sieht wirklich so aus, als würde ein Zirkus sein Quartier in der Stadt aufschlagen.

Zwei Fahrspuren liegen zwischen dem Gericht und den Medienleuten, aber eigentlich trennt sie eine ganze Welt. Auf dem Rasen direkt vor dem Gericht knien Hunderte schweigende Leute. Männer und Frauen in Kirchengewändern stehen mit gesenkten Köpfen vor der Menge.

Um den Clowns mit ihren Kameras zu entgehen, biegt Onkel Carlos in eine Straße neben dem Gericht ein. Wir betreten das Gebäude durch den Hintereingang. Goon und ein anderer King Lord begleiten uns. Sie gehen links

und rechts von mir und lassen sich von den Sicherheits-
leuten bereitwillig auf Waffen durchsuchen.

Ein anderer Wachmann führt uns durchs Gericht. Je
weiter wir kommen, desto weniger Menschen begegnen
wir. Ms. Ofrah wartet neben einer Tür mit einem Messing-
schild. GRAND JURY ROOM steht darauf.

Sie umarmt mich und fragt: »Bereit?«

Ausnahmsweise bin ich das. »Yes, Ma'am.«

»Ich werde die ganze Zeit über hier draußen sein«, sagt
sie. »Falls du mich etwas fragen willst, hast du das Recht
dazu.« Sie mustert meine vielen Begleiter. »Es tut mir leid,
aber nur Starrs Eltern dürfen sich die Übertragung im
Fernsehraum ansehen.«

Onkel Carlos und Tante Pam umarmen mich. Nana tätschelt mir kopfschüttelnd die Schulter. Goon und sein
Kumpel nicken mir kurz zu und verschwinden dann mit
den anderen.

Momma hat Tränen in den Augen. Sie zieht mich für
eine feste Umarmung an sich, und ausgerechnet in diesem
Moment wird mir bewusst, dass ich ein paar Zentimeter
größer bin als sie. Sie bedeckt mein Gesicht mit Küssen
und umarmt mich noch mal. »Ich bin stolz auf dich, Baby.
Du bist so mutig.«

Dieses Wort. Ich hasse es. »Nein. Bin ich nicht.«

»Doch, bist du.« Sie löst sich von mir und streicht eine
Haarsträhne aus meinem Gesicht. Ich kann ihren Blick
nicht beschreiben, aber er gibt mir zu verstehen, dass sie
mich besser kennt als ich mich selbst. Sie umfängt mich
damit und wärmt mich von innen. »Mutig sein bedeutet

nicht, dass du keine Angst hast, Starr«, sagt sie. »Es bedeutet, dass du was tust, *obwohl* du Angst hast. Und genau das machst du.«

Sie stellt sich auf die Zehenspitzen und gibt mir noch einen Kuss auf die Stirn, als würde sie ihre Worte damit besiegeln. Irgendwie ist das für mich auch so.

Daddy legt die Arme um uns beide. »Du schaffst das, Baby Girl.«

Da öffnet sich die Tür zum Raum der Geschworenen, und die Staatsanwältin Ms. Monroe schaut heraus. »Wir sind bereit, wann immer du es bist.«

Ich betrete den Raum allein, aber irgendwie sind meine Eltern trotzdem bei mir.

Die Wände sind mit Holz vertäfelt und es gibt keine Fenster. Etwa zwanzig Frauen und Männer sitzen an einem U-förmigen Tisch. Einige von ihnen sind schwarz. Ihre Blicke folgen uns, während Ms. Monroe mich an einen gegenüber platzierten kleinen Tisch führt, auf dem ein Mikrofon steht.

Einer von Ms. Monroes Kollegen vereidigt mich, und ich schwöre auf die Bibel, dass ich die Wahrheit sagen werde. Insgeheim schwöre ich das auch Khalil.

Hinter mir höre ich Ms. Monroe sagen: »Könntest du dich bitte den Geschworenen vorstellen?«

Ich rutsche näher ans Mikrofon und räuspere mich. »Mein Name –« Ich klinge wie eine Fünfjährige. Also richte ich mich gerade auf und fange noch mal an. »Mein Name ist Starr Carter. Ich bin sechzehn Jahre alt.«

»Das Mikro zeichnet nur deine Aussage auf, aber ver

stärkt deine Stimme nicht«, sagt Ms. Monroe. »Deshalb muss du während unserer Unterhaltung laut genug sprechen, damit jeder dich hört, ja?«

»Ja –« Meine Lippen berühren das Mikro. Zu nah. Ich rutsche ein Stück zurück. »Yes, Ma'am.«

»Gut. Du bist aus freien Stücken hier, richtig?«

»Yes, Ma'am.«

»Du hast eine Anwältin. Ms. April Ofrah, richtig?«

»Yes, Ma'am.«

»Du weißt, dass du das Recht hast, dich mit ihr zu beraten, richtig?«

»Yes, Ma'am.«

»Dir ist bewusst, dass du hier nicht als Angeklagte vor Gericht stehst, richtig?«

Bullshit. Khalil und ich sind seit seinem Tod angeklagt. »Yes, Ma'am.«

»Heute möchten wir aus deinem Mund hören, was mit Khalil Harris passiert ist, einverstanden?«

Ich sehe die Geschworenen an, kann ihre Mienen aber nicht entschlüsseln, um zu erkennen, ob sie meine Worte wirklich hören wollen. Hoffentlich ist das so. »Yes, Ma'am.«

»Nachdem wir das alles geklärt haben, wollen wir jetzt über Khalil sprechen. Du warst mit ihm befreundet, richtig?«

Ich nicke, doch Ms. Monroe sagt: »Antworte bitte in Worten.«

Da beuge ich mich zum Mikro vor und sage: »Yes, Ma'am.«

Mist. Wieder habe ich vergessen, dass es meine Stimme

nicht für die Geschworenen verstärkt, sondern nur aufzeichnet. Keine Ahnung, warum ich dermaßen nervös bin.

»Wie lange kanntest du Khalil schon?«

Die gleiche Story, immer wieder. Ich werde zu einem Roboter, der wiederholt, dass ich Khalil seit meinem dritten Lebensjahr kenne und wir zusammen aufgewachsen sind und was für ein Mensch er war.

Als ich damit fertig bin, sagt Ms. Monroe: »Okay. Wir werden jetzt die Einzelheiten des Abends, an dem geschossen wurde, durchgehen. Ist das für dich okay?«

Der nicht mutige Teil von mir, der den Großteil meines Ichs ausmacht, schreit Nein. Er würde sich am liebsten in eine Ecke verkriechen und so tun, als sei das alles nie passiert. Aber all die Menschen da draußen beten schließlich für mich. Meine Eltern sehen zu. Khalil braucht mich.

Ich richte mich gerade auf und lasse den winzigen mutigen Teil meines Ichs sprechen: »Yes, Ma'am.«

Teil 3

ACHT
WOCHEN SPÄTER

Kapitel 20

Drei Stunden. So lange war ich im Geschworenenraum.
Ms. Monroe hat mir alle erdenklichen Fragen gestellt. In
welchem Winkel Khalil stand, als er erschossen wurde?
Aus was er seinen Führerschein und die Zulassung he-
rausnahm? Wie Officer Cruise ihn aus dem Wagen holte?
Ob Officer Cruise verärgert wirkte? Was er sagte?

Sie wollte jedes Detail erfahren. Ich lieferte ihr, so viel
ich konnte.

Inzwischen ist der Termin vor den Geschworenen schon
zwei Wochen her und wir warten auf ihre Entscheidung.
Das ist ungefähr so, als warte man auf den Einschlag eines
Meteoriten. Man weiß zwar, dass er kommt, aber nicht
genau, wann und wo er einschlagen wird. Und bis dahin
kannst du verdammt noch mal nichts tun, als weiterleben.

Also leben wir weiter.

Heute scheint eigentlich die Sonne, doch dann beginnt
es, in Strömen zu gießen, kaum dass wir den Parkplatz der
Williamson erreicht haben. Wenn es so regnet, während
die Sonne scheint, sagt Nana, der Teufel schlage gerade
seine Frau. Noch dazu ist heute Freitag, der 13., laut Nana
der Teufelstag. Wahrscheinlich hat sie sich im Haus verkrochen, als würde gleich die Welt untergehen.

Seven und ich rennen vom Auto ins Schulgebäude. In
der Eingangshalle herrscht so viel Trubel wie immer:
Leute reden in kleinen Cliquen miteinander oder machen

Unsinn. Das Schuljahr ist fast vorbei, weshalb alle maximal viel Blödsinn anstellen. Und wenn weiße Kids das machen, ist es sowieso eine Sache für sich. Tut mir leid, das sagen zu müssen, aber so ist es. Gestern ist beispielsweise ein Zehntklässler im Mülleimer des Hausmeisters die Treppe runtergerutscht. Das hat diesem Volltrottel einen Schulverweis und eine Gehirnerschütterung eingebracht. Bescheuert.

Ich wackle mit den Zehen. An dem einen Tag, an dem ich Chucks anziehe, muss es plötzlich regnen. Wundersamerweise sind sie trocken geblieben.

»Bist du okay?«, fragt Seven, und ich bezweifle, dass er damit den Regen meint. In letzter Zeit passt er deutlich mehr auf mich auf. Vor allem seit uns zu Ohren kam, dass King immer noch angepisst ist, weil ich den Mund aufgemacht habe. Ich habe gehört, wie Onkel Carlos zu Daddy meinte, das gebe den Cops einen Grund mehr, King genau zu beobachten.

Falls King den Ziegelstein nicht geworfen hat, dann hat er noch nichts getan. *Noch* nicht. Auch deshalb ist Seven immer in Habacht, sogar hier draußen an der Williamson.

»Klar«, sage ich zu ihm. »Mir geht's gut.«

»Na schön.«

Er stößt mit seiner Faust gegen meine und macht sich dann auf den Weg zu seinem Spind.

Ich laufe zu meinem. Hailey und Maya unterhalten sich vor Mayas Spind, der sich in der Nähe befindet. Genau genommen redet hauptsächlich Maya. Hailey hält die Arme verschränkt und verdreht nur ganz viel die Augen. Als sie mich über den Flur kommen sieht, setzt sie diese süffisante Miene auf.

»Wunderbar«, sagt sie, als ich schon ziemlich nah bin. »Da kommt ja die Lügnerin.«

»Wie bitte?« Es ist echt noch zu früh für solchen Mist.

»Warum erzählst du Maya nicht, dass du uns ins Gesicht gelogen hast?«

»Was?«

Hailey reicht mir zwei Fotos. Eines ist Khalils *Thugshot*, wie Daddy es nennt. Das haben sie auch in den Nachrichten gezeigt. Hailey muss es aus dem Internet haben. Khalil grinst darauf, umklammert eine Handvoll Scheine und macht mit der anderen Hand ein schräges Peace-Zeichen.

Auf dem anderen Bild ist er zwölf. Das weiß ich, weil ich darauf auch zwölf bin. Es ist von meiner Geburtstagsparty, als wir downtown Laser-Tag gespielt haben. Khalil steht neben mir und stopft Erdbeertorte in sich rein. Hailey steht auf der anderen Seite und grinst mit mir in die Kamera.

»Ich dachte schon, dass er mir irgendwie bekannt vorkam«, sagt Hailey so selbstgefällig, wie sie schaut. »Er *ist* der Khalil, den du kanntest, stimmt's?«

Ich starre die beiden Khalils an. Die Fotos zeigen nicht viel. Für manche Leute sieht er auf seinem *Thugshot* genau danach aus – nach einem *Thug*. Ich sehe stattdessen jemand, der glücklich ist, endlich mal ein bisschen Geld in der Hand zu haben, verdammt egal, wo es herkommt. Und das Geburtstagsfoto? Ich weiß noch, dass Khalil so viel Kuchen und Pizza aß, dass ihm schlecht davon wurde.

Seine Grandma hatte damals ihren Lohn noch nicht bekommen, und deshalb war das Essen bei ihnen gerade knapp.

Ich kannte den ganzen Khalil. Und für ihn habe ich auch das Wort ergriffen. Ich sollte keinen Teil seiner Persönlichkeit verleugnen. Nicht mal an der Williamson.

Ich gebe Hailey die Bilder zurück. »Yeah, ich kannte ihn. Na und?«

»Findest du nicht, dass du uns eine Erklärung schuldest?«, sagt sie. »Und mir eine Entschuldigung?«

»Äh, was?«

»Du hast ja im Grunde genommen nur Streit mit mir gesucht, weil du fertig warst wegen der Sache, die mit ihm passiert ist«, sagt sie. »Du hast mir sogar vorgeworfen, rassistisch zu sein.«

»Aber du hast ja tatsächlich rassistische Sachen gesagt und getan. Also ...« Maya zuckt mit den Achseln. »Ob Starr nun gelogen hat oder nicht, spielt dabei keine so entscheidende Rolle.«

Das Minderheitenbündnis in Aktion.

»Ach, als ich ihr auf Tumblr entfolgt bin, weil ich keine Bilder mehr von diesem verstümmelten Jungen auf meinem Dashboard sehen wollte –«

»Sein Name war Emmett Till«, insistiert Maya.

»Egal. Aber weil ich diesen ekligen Mist nicht mehr sehen wollte, bin ich also rassistisch?«

»Nein«, sagt Maya. »Aber was du darüber gesagt hast, das war rassistisch. Und dein Scherz zu Thanksgiving war definitiv rassistisch.«

»O mein Gott, darüber regst du dich immer noch auf?«, sagt Hailey. »Das ist doch schon ewig her!«

»Deshalb ist es trotzdem nicht okay«, sage ich. »Und du kannst dich nicht mal dafür entschuldigen.«

»Ich entschuldige mich deshalb nicht, weil es nur ein Witz war!«, schreit sie. »Deshalb bin ich keine Rassistin. Und ich lasse mir von euch kein schlechtes Gewissen machen. Was kommt denn als Nächstes? Wollt ihr, dass ich mich entschuldige, weil meine Vorfahren Sklaventreiber waren oder sonst was Bescheuertes?«

»Jetzt hör mal zu, du Bitch –« Ich hole tief Luft. Es beobachten uns sowieso schon viel zu viele Leute. Ich kann hier nicht zum Angry Black Girl werden. »Dein Witz war verletzend«, sage ich so ruhig, wie ich kann. »Wenn Maya dir auch nur das Geringste bedeutet, entschuldigst du dich dafür und versuchst wenigstens, zu verstehen, warum es sie verletzt hat.«

»Es ist doch nicht meine Schuld, dass sie über einen Witz aus der Neunten nicht hinwegkommt! Genauso wie es nicht meine Schuld ist, dass du nicht drüber wegkommst, was mit Khalil passiert ist.«

»Dann soll ich also über die Tatsache, dass er ermordet wurde, wegkommen?«

»Ja, komm drüber weg! Wahrscheinlich wäre er sowieso als Leiche geendet.«

»Geht's noch?«, fragt Maya.

»Er war ein Drogendealer und ein Gangbanger«, sagt Hailey. »Irgendwer hätte ihn sowieso irgendwann umgelegt.«

»Drüber wegkommen?«, wiederhole ich.

Sie verschränkt die Arme und macht so eine kleine Kopfbewegung. »Äh, ja? Hast du mir nicht zugehört? Dieser Cop hat wahrscheinlich jedem einen Gefallen getan. Ein Drogendealer weniger, der –«

Ich schiebe Maya beiseite und ramme meine Faust seitwärts in Haileys Gesicht. Es tut weh, fühlt sich aber auch verdammt gut an.

Hailey hält sich die Wange, reißt die Augen auf und ein paar Sekunden lang steht ihr Mund offen.

»Bitch!«, kreischt sie dann und fasst mir direkt in die Haare, wie Mädchen das üblicherweise machen. Aber mein Pferdeschwanz ist echt. Sie kann ihn mir nicht ausreißen.

Ich treffe Hailey mit meinen Fäusten und sie zerkratzt mir das Gesicht. Als ich sie wegstoße, geht sie zu Boden. Ihr Rock rutscht hoch und jeder kann ihren pinkfarbenen Slip sehen. Um uns herum wird gelacht. Einige Leute zücken ihre Handys.

Ich bin nicht mehr die Williamson-Starr oder die Starr aus Garden Heights. Ich bin einfach angepisst.

Ich trete und schlage auf Hailey ein und fluche dabei. Um uns herum wird jetzt gejohlt und irgendein Idiot schreit: »Weltstar!«

Shit. Ich mache mich hier noch total zum Ghetto-Klischee.

Da reißt jemand an meinem Arm, und als ich mich umdrehe, steht da Haileys großer Bruder Remy.

»Du verrückte Bi–«

Bevor er das Wort »Bitch« zu Ende sprechen kann, sind fliegende Dreadlocks zwischen uns, und Remy wird zurückgerissen.

»Lass die Finger von meiner Schwester!«, höre ich Seven sagen.

Und dann prügeln sich die beiden. Seven landet Treffer, als wäre das gar nichts. Er verpasst Remys Kopf einige Haken und Stöße. Daddy ist früher mit uns beiden nach der Schule in ein Boxstudio gegangen.

Schon kommen zwei Sicherheitsleute angestürmt. Der Direktor, Dr. Davis, marschiert ebenfalls auf uns zu.

Eine Stunde später sitze ich in Mommas Wagen. Seven folgt uns in seinem Mustang.

Alle vier haben wir drei Tage Schulausschluss gekriegt. Und das trotz der Null-Toleranz-Politik an der Williamson. Der Dad von Hailey und Remy, der auch im Vorstand der Schule sitzt, fand das unglaublich. Er meinte, Seven und ich gehörten von der Schule verwiesen, da wir »angefangen« hätten. Außerdem solle man Seven den Schulabschluss verweigern. Aber Dr. Davis meinte, »in Anbetracht der Umstände« – dabei sah er mich an – »wird die Suspendierung genügen«.

Er weiß, dass ich mit Khalil im Auto saß.

»Das ist genau das, was *Die* von euch erwarten«, sagt Momma. »Zwei Kids aus Garden Heights, die sich aufführen, als hätten sie den Verstand verloren!«

Die mit großem D. Es gibt *Die*, und *Uns*. Manchmal sehen *Die* aus wie *Wir*, und merken gar nicht, dass sie *Wir* sind.

»Aber sie hat sich über ihn ausgelassen und behauptet, Khalil hätte es verdient –«

»Mir ist egal, ob sie behauptet hat, sie hätte ihn am liebsten selbst erschossen. Die Leute werden noch eine Menge behaupten, Starr. Trotzdem darfst du nicht jedes Mal jemanden verprügeln. Manchmal musst du einfach weggehen.«

»Du meinst, weggehen und erschossen werden wie Khalil?«

Sie seufzt. »Baby, ich verstehe ja –«

»Nein, tust du nicht!«, sage ich. »Keiner versteht das! *Ich* habe gesehen, wie er von den Kugeln zerfetzt wurde. *Ich* hab da auf der Straße gehockt, als er seinen letzten Atemzug tat. *Ich* musste mir anhören, wie Leute versucht haben, es so zu drehen, als wäre es okay, dass er umgebracht wurde. Als ob er es verdient hätte. Aber er hat es nicht verdient zu sterben, und ich hab es nicht verdient, das mitansehen zu müssen!«

Die WebMD.com nennt es nur ein Stadium der Trauer – Wut. Aber ich bezweifle, dass ich jemals über dieses Stadium hinauskommen werde. Es zerreißt mich in tausend Stücke. Jedes Mal, wenn ich mich wieder ganz und einigermaßen normal fühle, passiert etwas, das mich von Neuem niederschmettert. Und danach muss ich wieder von vorne anfangen.

Der Regen lässt nach. Anscheinend hat der Teufel aufgehört, seine Frau zu schlagen. Dafür dresche ich auf das Armaturenbrett ein. Wieder und wieder. Taub für den Schmerz. Am liebsten wär ich taub für all den anderen Schmerz.

»Lass es raus, Mümmel.« Meine Mom streicht mir über den Rücken. »Lass es raus.«

Ich ziehe mir mein Poloshirt vor den Mund und schreie, bis ich nicht mehr kann. Wegen Khalil, Natasha und sogar wegen Hailey, denn die habe ich jetzt auch endgültig verloren.

Als wir in unsere Straße einbiegen, bin ich verrotzt und verheult, aber endlich gefühllos.

Ein grauer Pick-up und ein grüner Chrysler 300 parken hinter Daddys Truck in der Einfahrt, sodass Momma und Seven vor dem Haus stehen bleiben.

»Was hat der Mann denn jetzt vor?«, sagt Momma. Dann sieht sie mich an. »Fühlst du dich besser?«

Ich nicke. Welche Wahl habe ich denn schon?

Sie beugt sich zu mir und küsst mich auf die Schläfe. »Wir werden das durchstehen. Versprochen.«

Wir steigen aus und ich bin mir hundertprozentig sicher, dass die Autos in der Einfahrt King Lords und Garden Disciples gehören. In Garden Heights kann man kein Auto fahren, das grau oder grün ist, ohne zu einem Set zu gehören. Als wir reinkommen, erwarte ich, Geschrei und Flüche zu hören, aber da ist nur Daddys Stimme: »Das ergibt keinen Sinn, Mann. Echt jetzt. Keinen Sinn.«

In der Küche kann man nur noch stehen, und wir können nicht mal rein, da ein paar Typen auch im Türrahmen den Weg versperren. Die Hälfte von ihnen hat irgendwas Grünes an. Garden Disciples. Die anderen was Hellgraues. King Lords aus Cedar Grove. Tim, der Neffe von Mr. Reuben, sitzt neben Daddy am Tisch. Das Garden-Disciples-Tattoo in geschwungener Schrift an seinem Arm ist mir bis jetzt noch nie aufgefallen.

»Wir wissen nicht, wann das Geschworenengericht seine Entscheidung fällen wird«, sagt Daddy. »Aber wenn es entscheidet, keine Anklage zu erheben, müsst ihr alle den ganzen Halbstarken sagen, dass sie dieses Viertel nicht niederbrennen sollen.«

»Was erwartest du denn von ihnen«, fragt ein anderer GD am Tisch. »Die Leute sind diesen Bullshit leid, Mav.«

»Ganz recht«, sagt Goon, der King Lord, der auch am Tisch sitzt. Seine langen geflochtenen Zöpfe sind mit Haargummis befestigt, wie ich sie früher auch getragen habe. »Dagegen können wir nichts machen.«

»Das ist Bullshit«, meldet sich Tim zu Wort. »Natürlich können wir was machen.«

»Wir sind uns doch alle darüber einig, dass die Unruhen außer Kontrolle geraten sind, oder?«, sagt Daddy.

Darauf hört man mehrfach »*Yeah*« und »*Right*«.

»Dann können wir auch dafür sorgen, dass es diesmal nicht wieder so weit kommt. Redet mit den Kids. Damit es in ihre Köpfe reingeht. Klar sind sie sauer. Wir sind alle sauer, aber unser Viertel niederzubrennen, wird es nicht besser machen.«

»*Unser* Viertel?«, fragt einer der GDs am Tisch. »*Nigga*, du willst doch wegziehen.«

»In die *Vorstadt*«, ätzt Goon. »Besorgst du dir dann auch einen Minivan, Mav?«

Alle lachen.

Bis auf Daddy. »Ja, ich ziehe weg, na und? Den Laden hier werde ich behalten, und es ist mir immer noch verdammt wichtig, was hier passiert. Wer wird denn davon profitieren, wenn das ganze Viertel abgefackelt wird? Verdammt sicher keiner von uns.«

»Beim nächsten Mal müssen wir einfach besser organisiert sein«, sagt Tim. »Erstens unseren Leuten klarmachen, dass sie keine Läden zerstören dürfen, die Schwarzen gehören. Das bedeutet für uns alle nur Chaos.«

»Und was für eins«, sagt Daddy. »Ich weiß, dass Tim und ich quasi aus dem Spiel sind, aber diese ganzen Streitereien um Territorien müssen irgendwie ausgesetzt werden. Das hier ist wichtiger als irgendwelcher Bullshit auf der Straße. Und mal ehrlich, genau dieser Bullshit auf den Straßen hat dazu geführt, dass diese Cops denken, sie können sich hier alles erlauben.«

»Yeah, das sehe ich genauso«, sagt Goon.

»Ihr müsst euch da irgendwie einigen, Mann«, sagt Daddy. »Zum Wohl von Garden. Das Letzte, womit die rechnen, ist doch, dass hier eine gewisse Einigkeit herrscht. Stimmt's?«

Daddy klatscht Goon und den Garden Disciple ab. Dann klatschen Goon und der Garden Disciple sich ab.

»Wow«, sagt Seven.

Es ist eine Riesensache, dass diese zwei Gangs sich im selben Raum aufhalten. Und mein Daddy steckt dahinter? Verrückt.

Erst jetzt bemerkt er uns an der Tür. »Was wollt ihr denn alle hier?«

Momma schiebt sich in die Küche und blickt um sich. »Die Kinder wurden suspendiert.«

»Suspendiert?«, fragt Daddy. »Wegen was?«

Seven reicht ihm sein Handy.

»Ist es schon online?«, frage ich.

»Ja, irgendjemand hat mich getaggt.«

Daddy tippt aufs Display und schon höre ich Hailey sich über Khalil auslassen. Dann klatscht es laut. Einige der Gangmitglieder spähen über Daddys Schulter. »Verdammt, li'l Momma«, sagt einer, »du hast aber einen Schlag drauf.«

»Du verrückte Bi–«, hört man Remy sagen. Dann folgen eine Menge Klatscher und »Ooohs« ertönen im Raum.

»Seht euch meinen Jungen an!«, ruft Daddy. »Seht ihn euch an!«

»Wusste gar nicht, dass der kleine Nerd das draufhat«, scherzt ein King Lord.

Als Momma sich räuspert, hält Daddy das Video an.

»Na gut, Leute«, sagt er, plötzlich wieder ernst. »Ich muss mich hier um ein paar Familienangelegenheiten kümmern. Wir treffen uns morgen wieder.«

Tim und alle anderen Gangmitglieder verschwinden und von draußen hört man Autos starten. Immer noch keine Schüsse und kein Geschrei. Selbst wenn sie jetzt noch eine Gangsta-Version von *Kumbaya* angestimmt hätten, wäre ich nicht noch verwunderter gewesen.

»Wie hast du die denn alle hier reingekriegt, ohne dass sie das Haus zerlegen?«, fragt Momma.

»Ich hab's einfach drauf.«

Momma küsst ihn auf den Mund. »Das kann man wohl sagen. Mein Mann, der Aktivist.«

»M-hm.« Er erwidert ihren Kuss. »Dein Mann.«

Jetzt räuspert sich Seven. »Wir stehen immer noch hier.«

»Jaja, aber ihr könnt euch auch nicht beschweren«, sagt Daddy. »Hättet ihr euch nicht geprügelt, hättet ihr das hier nicht gesehen.« Er streckt den Arm aus und zwickt mich liebevoll in die Wange. »Bist du okay?«

Meine Augen sind immer noch feucht und ich strahle wohl nicht gerade. Trotzdem murmle ich: »Ja.«

Da zieht Daddy mich auf seinen Schoß. Er wiegt mich ein bisschen, küsst meine Wange und zwickt dann wieder hinein. Dazu wiederholt er mit richtig tiefer Stimme die ganze Zeit: »Was ist los mit dir? Mmmh? Was ist los mit dir?«

Unwillkürlich muss ich kichern.

Daraufhin drückt er mir einen letzten schmatzenden Kuss auf die Wange und lässt mich wieder aufstehen. »Ich wusste doch, dass ich dich zum Lachen bringe. Also, was ist passiert?«

»Du hast es ja auf dem Video gesehen. Hailey hat ihre Klappe aufgerissen, deshalb habe ich ihr eine reingehauen. Ende der Geschichte.«

»Das ist typisch deine Tochter, Maverick«, kommentiert Momma. »Muss jemand verprügeln, weil ihr nicht passt, was der gesagt hat.«

»Typisch meine Tochter? Nope, Baby. Sie ist doch genau wie du.« Er sieht Seven an. »Und warum hast du dich geprügelt?«

»Der Kerl ist auf meine Schwester losgegangen«, sagt Seven. »Das konnte ich nicht zulassen.«

Nachdem er so viel davon redet, Kenya und Lyric zu beschützen, ist es schön, dass er auch auf mich aufpasst.

Daddy spielt das Video noch mal ab, das mit Haileys Bemerkung anfängt: »Wahrscheinlich wäre er sowieso als Leiche geendet.«

»Wow«, sagt Momma. »Die Kleine hat ja vielleicht Nerven.«

»Verwöhnter Balg, hat keinen Schimmer und reißt groß die Klappe auf«, sagt Daddy.

»Was ist jetzt unsere Strafe?«, fragt Seven.

»Geht und macht eure Hausaufgaben«, sagt Momma.

»Das ist alles?«, frage ich.

»Während ihr suspendiert seid, müsst ihr außerdem eurem Dad im Laden helfen.« Damit legt sie von hinten die Arme um Daddy. »Ist das für dich okay, Baby?«

Er küsst sie auf den Arm. »Klingt gut.«

Übersetzt heißt das so viel wie:

Momma: Ich billige nicht, was ihr getan habt, und ich sage nicht, dass es in Ordnung wäre, aber wahrscheinlich hätte ich genauso gehandelt. Wie siehst du das, Baby?

Daddy: Ja, verdammt, ich hätt's genauso gemacht.

Dafür liebe ich die beiden.

Teil 4

ZEHN
WOCHEN SPÄTER

Kapitel 21

Immer noch keine Entscheidung von der Grand Jury, also machen wir einfach weiter wie bisher.

Es ist Samstag und meine Familie ist zum Barbecue am Memorial-Day-Wochenende zu Besuch bei Onkel Carlos. Gleichzeitig feiern wir auch Sevens Geburtstags- und Schulabschluss-Party. Er wird morgen achtzehn und die Zeugnisvergabe an der Highschool war gestern. Ich habe Daddy noch nie so heulen sehen wie in dem Moment, als Dr. Davis Seven sein Highschool-Diplom überreichte.

Im Garten duftet es schon nach Barbecue, und es ist warm genug, sodass Sevens Freunde im Pool schwimmen. Sekani und Daniel rennen in ihren Badehosen rum und stoßen Leute ins Wasser. Gerade haben sie Jess erwischt. Sie lacht und droht ihnen, sich nachher zu revanchieren. Bei Kenya und mir haben sie es nur ein einziges Mal versucht, dann nie wieder. Dafür braucht es nur ein paar gezielte Tritte in den Hintern.

Plötzlich taucht DeVante hinter mir auf und schubst mich rein. Kenya quiekt, als ich untergehe, und meine frisch geflochtenen Cornrows und meine Jordan's gleich mit. Zwar habe ich Surfershorts und einen Tankini an, aber beides ist neu und süß und zum Anschauen, nicht zum Schwimmen gedacht.

Als ich wieder auftauche, schnappe ich nach Luft.

»Starr, alles okay?«, ruft Kenya. Sie ist gleich ein paar Meter vom Pool weggerannt.

»Willst du mir nicht raushelfen?«, sage ich.

»Nope, Girl. Und dabei mein Outfit ruinieren? Du siehst aus, als kämst du alleine klar.«

Sekani und Daniel jubeln und johlen, als sei DeVante der Größte seit Spiderman. Diese Bastarde. Blitzschnell klettere ich aus dem Pool.

»O-oh«, macht DeVante und alle drei rennen in verschiedene Richtungen davon. Kenya jagt DeVante. Ich laufe Sekani nach, denn verdammt, Blut sollte doch dicker sein als Poolwasser.

»Momma!«, quiekt er.

Ich kriege ihn an der Badehose zu fassen und ziehe sie ihm fast bis zum Hals hoch. Er kreischt schrill auf. Dann lasse ich ihn los und auf den Rasen plumpsen. Er sieht jetzt aus, als hätte er einen Tanga an. Geschieht ihm recht.

Kenya führt DeVante zu mir und hält dabei seine Arme wie im Polizeigriff. »Entschuldige dich«, sagt sie.

»Nein!« Da zieht Kenya an seinen Armen. »Okay, okay, tut mir leid!«

Sie lässt ihn los. »Das sollte es auch.«

DeVante reibt sich grinsend die Arme. »Alter, bist du rabiat.«

»Alter, bist du bescheuert«, giftet sie zurück.

Er streckt ihr die Zunge raus.

Darauf sagt sie: »Zieh Leine!«

Ob man es glaubt oder nicht, das ist für die beiden Flirten. Da vergesse ich fast, dass DeVante sich gerade vor ihrem Daddy versteckt. Die beiden benehmen sich so, als hätten sie es auch vergessen.

DeVante holt mir ein Handtuch. Damit trockne ich mein Gesicht ab, während ich mit Kenya zu einer der Liegen am Pool schlendere. DeVante setzt sich direkt neben ihre.

Als Ava mit ihrer Puppe und einem Kamm angehüpft kommt, erwarte ich selbstverständlich, dass sie mir gleich beides in die Hand drücken wird. Sie gibt stattdessen alles DeVante.

»Hier!«, sagt sie nur und ist schon wieder weg.

Er fängt tatsächlich an, der Puppe die Haare zu kämmen. Kenya und ich starren ihn eine ganze Weile sprachlos an.

»Was denn?«, sagt er.

Wir prusten los.

»Sie hat dich schon trainiert!«, sage ich.

»Alter.« Er stöhnt. »Sie ist süß, okay? Ich kann ihr nichts abschlagen.« Er flicht der Puppe die Haare und bewegt seine langen Finger dabei so schnell, dass es aussieht, als müssten sie sich gleich verknoten. »Bei meinen kleinen Schwestern musste ich das andauernd machen.«

Sein Ton wird nachdenklicher, als er sie erwähnt.

»Hast du was von deiner Momma gehört?«, frage ich.

»Ja, so vor einer Woche ungefähr. Sie sind im Haus meiner Cousine. Die wohnt irgendwo am Ende der Welt. Mom war außer sich, weil sie nicht wusste, ob ich okay bin. Sie hat sich dafür entschuldigt, dass sie mich im Stich gelassen hat und wütend war. Sie wollte, dass ich komme und bei ihnen bleibe.«

Kenya runzelt die Stirn. »Du gehst weg?«

»Keine Ahnung. Mr. Carlos und Mrs. Pam haben gesagt, ich kann während meiner Zwölften hier bei ihnen bleiben. Meine Momma meinte, sie wäre damit einverstanden, wenn es bedeutet, dass ich mich nicht in Schwierigkeiten bringe.« Er mustert sein Werk. Die Puppe hat einen perfekten französischen Zopf. »Ich muss mal drüber nachdenken. Eigentlich gefällt es mir hier draußen.«

Aus den Lautsprechern dröhnt *Push It* von Salt-N-Pepa. Dabei ist das ein Song, den Daddy gar nicht spielen soll. Noch schlimmer ist nur *Back That Thang Up*. Wenn der kommt, verliert Momma quasi den Verstand. Man muss echt nur sagen »*Cash Money Records, takin' over for the '99 and the 2000*« und sie verwandelt sich in eine verdammte Furie.

Sie und Tante Pam rufen »Heeey!« und machen diese ganzen alten Tanzbewegungen zu Salt-N-Pepa. Ich mag zwar Serien und Filme aus den Neunzigern, aber ich will nicht mitansehen, wie meine Mom und mein Tantchen dieses Jahrzehnt tanzend nachspielen. Seven und seine Freunde bilden einen Kreis um die beiden und feuern sie an.

Seven schreit am lautesten. »Go, Ma! Go, Tante Pam!«

Daddy stürmt in den Kreis, stellt sich hinter Momma, legt beide Hände an seinen Kopf und lässt die Hüften kreisen.

Seven schiebt Daddy von Momma weg. »Neeeiiin! Stopp!« Aber Daddy tanzt um ihn herum und ist schon wieder hinter ihr.

Kenya lacht. »Das ist ja nicht auszuhalten.«

DeVante beobachtet alles lächelnd. »Du hattest übrigens recht, Starr. Deine Tante und dein Onkel sind gar nicht so schlecht. Und deine Grandma ist auch irgendwie cool.«

»Wer? Du kannst nicht Nana meinen.«

»Doch. Sie hat mitgekriegt, dass ich Spades spiele. Letztens hat sie mich, nachdem sie mir Nachhilfe gegeben hat, zu einem Spiel mitgenommen. Sie hat das vertrauensbildende Maßnahme genannt. Seither läuft es zwischen uns ganz locker.«

Klar.

Chris und Maya kommen in den Garten spaziert und mir wird ganz flau im Magen. Eigentlich sollte ich es inzwischen gewohnt sein, dass meine zwei Welten aufeinanderstoßen, aber ich weiß immer noch nicht, welche Starr ich dann sein soll. Ich kann ein bisschen Slang benutzen, aber auch nicht zu viel, ein bisschen von meinen Ansichten preisgeben, aber auch nicht zu viel, damit ich nicht als freches Black Girl dastehe. Ich muss aufpassen, was ich sage und wie ich es sage, gleichzeitig darf es nicht »weiß« klingen.

Dieser ganze Mist ist so anstrengend.

Chris und sein neuer »Bro« DeVante klatschen sich ab, danach gibt Chris mir einen Kuss auf die Wange. Maya und ich schütteln einander die Hand. DeVante nickt ihr zu. Die beiden haben sich schon vor ein paar Wochen kennengelernt.

Maya setzt sich zu mir auf die Liege. Chris quetscht sich zwischen uns, wobei er uns beide zur Seite schiebt.

Maya wirft ihm einen bösen Blick zu. »Im Ernst, Chris?«

»Hey, sie ist meine Freundin. Da steht es mir zu, neben ihr zu sitzen.«

»Äh, nein? *Besties before testies.*«

Kenya und ich kichern. DeVante sagt nur: »Verdammt.« Meine Anspannung lässt ein bisschen nach.

»Du bist also Chris?«, sagt Kenya. Sie hat Bilder auf meinem Instagram gesehen.

»Yep. Und du bist Kenya?« Er hat auch Bilder auf meinem Instagram gesehen.

»Die einzig wahre.« Kenya sucht meinen Blick und formt lautlos mit den Lippen: *Er ist heiß!* Als ob ich das nicht schon wüsste.

Dann mustern sich Kenya und Maya. Sie sind sich vor fast einem Jahr bei meinem Sweet Sixteen begegnet. Falls man da überhaupt von begegnen sprechen kann. Hailey und Maya saßen an einem Tisch. Kenya, Khalil und Seven an einem anderen. Sie wechselten kein Wort miteinander.

»Maya, stimmt's?«, sagt Kenya.

Maya nickt. »Die einzig wahre.«

Kenya verzieht die Lippen zu einem Lächeln. »Deine Schuhe sind süß.«

»Danke«, sagt Maya und wirft selbst einen Blick darauf. Es sind Nike Air Max 95. »Eigentlich sind das ja Laufschuhe, aber ich laufe nie damit.«

»Ich laufe in meinen auch nicht«, sagt Kenya. »Mein Bruder ist der einzige Mensch, den ich kenne, der wirklich damit läuft.«

Maya lacht.

Okay. Das ist schon mal gut. Kein Grund zur Sorge.

Bis Kenya sagt: »Und wo steckt Blondie?«

Chris schnaubt.

Maya reißt die Augen auf.

»Kenya, das – so heißt sie nicht«, sage ich.

»Aber ihr wusstet sofort, wen ich meine, was?«

»Yep!«, antwortet Maya. »Wahrscheinlich leckt sie sich irgendwo ihre Wunden, nachdem Starr sie dermaßen in den Arsch getreten hat.«

»Was?«, ruft Kenya. »Starr, davon hast du mir ja gar nix gesagt!«

»Ist ja auch schon an die zwei Wochen her«, sage ich. »Lohnte sich nicht zu erzählen. Hab ihr nur eine rein-gehauen.«

»Ihr nur eine reingehauen?«, sagt Maya. »Das war Cat-chen.«

Chris und DeVante lachen.

»Moment, Moment«, ruft Kenya. »Was ist denn genau passiert?«

Also erzähle ich es ihr, aber ohne wirklich darüber nachzudenken, was ich sage oder wie ich klinge. Ich rede einfach. Maya ergänzt einiges, sodass es schlimmer klingt, als es war, und Kenya ist ganz gierig nach Einzelheiten. Wir erzählen ihr, wie Seven Remy ein paar Schläge ver-passte, was Kenya zum Strahlen bringt. »Mit meinem Bruder legt man sich besser nicht an.« Als wäre er nur *ihr* Bruder, aber egal. Maya erzählt sogar von der Bemerkung mit der Katze und Thanksgiving.

»Ich hab Starr gesagt, wir Minderheiten müssen zusam-menhalten«, erklärt Maya.

»Absolut«, sagt Kenya. »Die Weißen halten ja eh immer zusammen.«

»Äh …« Chris wird rot. »Das ist jetzt irgendwie ein bisschen unangenehm.«

»Du wirst schon drüber wegkommen, Herzchen«, sage ich.

Daraufhin prusten Maya und Kenya vor Lachen.

Meine zwei Welten sind soeben aufeinandergeprallt. Aber erstaunlicherweise ist dabei nichts passiert.

Als nächster Song ertönt *Wobble*. Momma kommt angerannt und zieht mich hoch. »Komm schon, Mümmel.«

Ich schaffe es nicht, schnell genug meine Fersen in den Rasen zu stemmen. »Nein, Mommy!«

»Pscht, Girl. Komm schon. Ihr anderen auch!«, ruft sie meinen Freunden zu.

Alle stellen sich um das Rasenstück auf, das als improvisierte Tanzfläche dient. Momma zieht mich ganz nach vorn. »Zeig ihnen, wie's geht, Baby«, sagt sie. »Zeig's ihnen!«

Ich rühre mich absichtlich nicht. Diktatorin hin oder her, sie wird mich nicht zum Tanzen zwingen. Kenya und Maya feuern sie noch an, mich dazu zu bringen. Hätte nicht gedacht, dass die zwei sich mal gegen mich verbünden.

Mist, bevor es mir richtig bewusst wird, wobble ich auch schon. Dazu mache ich auch noch *Duck Lips*, weil es einfach zu meiner momentanen Gefühlslage passt.

Nachdem ich Chris die Schritte erklärt habe, hält er ganz gut mit. Ich liebe ihn dafür, dass er es versucht. Nana gesellt sich auch dazu und tanzt Shimmy mit den Schultern, was zwar kein Wobble ist, aber vermutlich kümmert sie das nicht.

Als Nächstes kommt *Cupid Shuffle*. Dazu führt meine Familie alle anderen in die erste Reihe. Manchmal vergessen wir, ob es nach links oder rechts geht und lachen viel zu laut über uns selbst. Abgesehen von peinlichen Tänzen und dem ganzen Durcheinander ist meine Familie eigentlich gar nicht so schlecht.

Nach dem ganzen Wobble und Shuffle knurrt mein Magen. Ich lasse die anderen beim *Bikers Shuffle* zurück, das noch mal deutlich schwieriger ist und die meisten Partygäste total überfordert.

Auf der Küchentheke stehen lauter Servierschalen aus Aluminium. Ich fülle mir einen Teller mit ein paar Rippchen, Chicken Wings und einem Maiskolben. Irgendwie bringe ich auch noch ein paar Löffel Baked Beans unter. Keinen Kartoffelsalat. Das ist Teufelszeug. Die ganze Mayonnaise. Ist mir egal, ob Momma ihn gemacht hat, ich werde ihn nicht anrühren.

Draußen essen ist nichts für mich. Da könnten mir zu viele Insekten an meinen Teller gehen. Also lasse ich mich auf einen Stuhl am Esstisch fallen und will mich gerade über die leckeren Sachen hermachen, als das verdammte Telefon klingelt.

Weil alle anderen draußen sind, muss ich wohl rangehen. Vorher schiebe ich mir noch einen Chicken Wings in den Mund. »Hallo?«, schmatze ich dem Anrufer ins Ohr. Unhöflich? Absolut. Aber bin ich am Verhungern? Ja, verdammt.

»Hi, hier ist die Security vom Tor. Iesha Robinson möchte zu Ihrem Haus.«

Ich höre auf zu kauen. Bei Sevens Zeugnisverleihung, zu der sie eingeladen gewesen wäre, ist Iesha nicht aufgetaucht. Also warum kreuzt sie jetzt bei einer Party auf, zu der sie nicht eingeladen ist? Wie hat sie überhaupt davon erfahren? Seven hat ihr nichts davon gesagt, und Kenya hat geschworen, sie würde es nicht tun. Sie hat sogar ihre Momma und ihren Daddy belogen und gesagt, sie würde heute mit irgendwelchen anderen Freunden abhängen.

Ich bringe das Telefon nach draußen zu Daddy, weil ich echt nicht weiß, was ich tun soll. Es ist, wie sich rausstellt, sowieso ein guter Zeitpunkt. Er versucht nämlich gerade – vergeblich – Nae-Nae zu tanzen. Ich muss zweimal schreien, bis er diese Grausamkeit sein lässt und zu mir kommt.

Er grinst. »Das wusstest du nicht, was, dass das in deinem Daddy steckt?«

»Ich glaub es immer noch nicht. Hier.« Ich drücke ihm das Telefon in die Hand. »Es ist die Security. Iesha steht am Tor.«

Sein Grinsen verschwindet schlagartig. An ein Ohr drückt er das Telefon, das andere hält er sich zu. »Hallo?«

Der Wachmann sagt anscheinend was. Dann winkt Daddy Seven zur Terrasse. »Bleiben Sie dran.« Er hält den Hörer zu. »Deine Momma ist am Tor. Sie will dich sehen.«

Seven runzelt die Stirn. »Woher wusste sie, dass wir hier sind?«

»Deine Grandma ist auch dabei. Hast du sie nicht eingeladen?«

»Doch, aber Iesha nicht.«

»Schau mal, wenn du möchtest, dass sie kurz herkommt, geht das in Ordnung«, sagt Daddy. »Dann schicke ich DeVante rein, damit sie ihn nicht sieht. Oder was willst du machen?«

»Pops, kannst du ihr sagen –«

»Nope, Mann. Das ist deine Momma. Regel das selbst.«

Seven beißt sich kurz auf die Lippe. Seufzt. »Na schön.«

Iesha hält vor dem Haus. Ich folge Seven, Kenya und meinen Eltern zur Einfahrt. Seven passt immer auf mich auf. Deshalb, denke ich mir, bin ich ihm das jetzt auch schuldig.

Nun sagt er Kenya, sie soll bei uns stehen bleiben, und geht allein auf Ieshas pinkfarbenen BMW zu.

Lyric springt aus dem Wagen. »Sevvie!« Sie rennt auf ihn zu, wobei die dicken Kugeln an ihren Haargummis auf und ab hüpfen. Ich habe diese Dinger ja immer gehasst. Wenn dich eins davon zwischen den Augen trifft, bist du geliefert. Lyric schmeißt sich in Sevens Arme und er wirbelt sie im Kreis herum.

Ich gestehe, dass ich immer ein bisschen eifersüchtig bin, wenn ich Seven mit seinen anderen Schwestern sehe. Auch wenn ich weiß, wie unsinnig das ist. Aber sie haben eben eine gemeinsame Momma und das macht es zwischen ihnen irgendwie anders. Als hätten sie eine engere Verbindung oder so.

Dabei würde ich Momma um nichts in der Welt gegen Iesha eintauschen wollen. Niemals.

Seven behält Lyric auf seiner Hüfte und umarmt seine Grandma mit dem freien Arm.

Auch Iesha steigt aus. Statt falscher Haare bis zum Hintern trägt sie einen Bob. Und sie versucht nicht mal, ihr knallrosa Kleid runterzuziehen, das ihr bei der Fahrt hochgerutscht sein muss. Oder vielleicht ist es auch nicht hochgerutscht und gehört so.

Niemals. Ich würde Momma nie gegen sie tauschen.

»Du machst also eine Party und lädst mich nicht ein, Seven?«, fragt sie. »Eine Geburtstagsparty, ja? Dabei bin ich diejenige, die deinen Arsch auf die Welt gebracht hat!«

Seven blickt um sich. Mindestens einer von Onkel Carlos' Nachbarn schaut schon. »Jetzt nicht.«

»Doch, verdammt, aber hallo jetzt. Ich musste es von meiner Momma erfahren, weil mein eigener Sohn sich nicht die Mühe gemacht hat, mich einzuladen.« Dann richtet sich ihr wütender Blick auf Kenya. »Und dieses kleine freche Ding hat mich angelogen! Ich sollte dir den Arsch versohlen.«

Daraufhin zuckt Kenya zusammen, als hätte Iesha sie schon geschlagen. »Momma –«

»Mach Kenya keinen Vorwurf«, sagt Seven und setzt Lyric auf den Boden. »Ich habe sie gebeten, dir nichts zu sagen, Iesha.«

»Iesha?«, wiederholt sie ganz dicht vor seinem Gesicht. »Wie redest du mit mir? Was glaubst du, wen du vor dir hast, zum Teufel?«

Was als Nächstes passiert, ist ungefähr so, als ob man eine Limodose richtig fest schüttelt. Von außen sieht man nicht, dass irgendwas passiert ist. Aber dann macht man sie auf und sie explodiert.

»Deshalb hab ich dich nicht eingeladen!«, schreit Seven. »Deshalb! Genau deshalb! Du kannst dich einfach nicht benehmen!«

»Ach, dann schämst du dich also für mich, Seven?«

»Da hast du verdammt noch mal recht, ich schäme mich für dich!«

»*Whoa*!«, ruft Daddy. Er stellt sich zwischen die beiden und legt eine Hand an Sevens Brust. »Seven, beruhig dich.«

»Nein, Pops! Lass mich ihr doch sagen, dass ich sie nicht eingeladen habe, weil ich meinen Freunden nicht erklären wollte, dass meine Stiefmutter nicht meine Mom ist, wie sie dachten. Oder dass ich nie jemanden an der Williamson aufgeklärt habe, der das dachte. Zum Teufel noch mal, sie ist ja sowieso nie zu irgendeiner Veranstaltung gekommen, also wozu die Mühe? Du konntest ja nicht mal gestern zu meiner Zeugnisverleihung aufkreuzen!«

»Seven«, fleht Kenya. »Hör auf.«

»Nein, Kenya!«, sagt er und schaut seiner Momma direkt ins Gesicht. »Ich werde ihr noch sagen, warum ich dachte, dass ihr mein Geburtstag scheißegal sein würde, denn rate mal? Das war er ihr immer! ›Du hast mich nicht eingeladen, du hast mich nicht eingeladen‹«, äfft er sie nach. »Nein, verdammt, hab ich nicht. Und warum zum Teufel sollte ich auch?«

Iesha blinzelt ein paarmal und sagt dann mit einer Stimme wie Glasscherben: »Nach allem, was ich für dich getan habe.«

»Nach allem, was du für mich getan hast? Was denn? Mich rausschmeißen? Mir jedes, aber auch wirklich jedes Mal einen Mann vorziehen, sobald du Gelegenheit dazu hattest? Erinnerst du dich noch daran, wie ich versucht habe, King davon abzuhalten, dich zu verprügeln, Iesha? Auf wen warst du da sauer?«

»Seven«, sagt Daddy.

»Auf mich! Du warst sauer auf mich. Hast behauptet, ich wäre schuld, als er gegangen ist. Das nennst du, ›was für mich tun‹? Diese Frau hier« – er zeigt mit ausgestrecktem Arm auf Momma – »hat alles getan, was du hättest tun sollen und mehr als das. Wie kannst du es da wagen, dich hinzustellen und das für dich zu beanspruchen. Alles, was ich dir je getan habe, war, dich lieb zu haben.« Seine Stimme bricht. »Mehr nicht. Und nicht mal das konntest du erwidern.«

Die Musik ist verstummt und Gesichter spähen über den Zaun des Gartens hinter dem Haus.

Sevens Freundin Layla geht zu ihm. Sie hakt sich bei ihm unter und er lässt sich von ihr ins Haus führen. Iesha macht auf dem Absatz kehrt und stolziert zu ihrem Wagen zurück.

»Iesha, jetzt warte mal«, sagt Daddy.

»Da gibt's nichts zu warten.« Sie reißt die Tür auf. »Bist du jetzt glücklich, Maverick? Du und die Schlampe, die du geheiratet hast, ihr habt es endlich geschafft, meinen Sohn gegen mich aufzubringen. Ich kann's gar nicht erwarten, bis King euch alle fertigmacht, weil ihr zugelassen habt, dass dieses Mädchen ihn im Fernsehen verpfeift.«

Mein Magen zieht sich zusammen.

»Du kannst ihm ausrichten, das soll er mal versuchen, dann wird er schon sehen!«, sagt Daddy.

Es ist eine Sache, wenn dir zu Ohren kommt, dass dich jemand »fertigmachen« will. Aber es ist was ganz anderes, wenn du das von jemandem hörst, der tatsächlich mitreden kann.

Aber jetzt kann ich mir keine Gedanken um King machen. Ich muss zu meinem Bruder.

Kenya ist sofort neben mir. Wir finden ihn am Fuß der Treppe sitzend. Er heult wie ein Baby. Layla hat den Kopf an seine Schulter gelehnt.

Als ich ihn so weinen sehe ... ist mir auch gleich zum Weinen. »Seven?«

Er hebt den Kopf und hat so rote, verquollene Augen, wie ich das an meinem Bruder noch nie gesehen habe.

Als Momma auch reinkommt, steht Layla auf, und Momma nimmt ihren Platz auf den Stufen ein.

»Komm her, Baby«, sagt sie, und die beiden umarmen sich.

Daddy stupst mich und Kenya an. »Geht ihr mal alle raus.«

Kenya verzieht das Gesicht, als würde sie auch gleich losheulen. Ich nehme sie am Arm und führe sie in die Küche. Dort setzt sie sich an die Frühstückstheke und vergräbt das Gesicht in den Händen. Ich setze mich auf den Hocker neben ihr und sage nichts. Manchmal ist das auch gar nicht nötig.

Nach ein paar Minuten meint sie: »Tut mir leid, dass mein Daddy sauer auf dich ist.«

Das ist die unangenehmste Situation, die man sich vorstellen kann – der Vater meiner Freundin will mich wahrscheinlich umbringen. »Ist nicht deine Schuld«, murmle ich.

»Ich verstehe, warum mein Bruder meine Momma nicht eingeladen hat, aber ...« Ihre Stimme bricht. »Sie machte eine Menge durch, Starr. Mit ihm.« Kenya wischt sich mit dem Arm übers Gesicht. »Ich wünschte, sie würde ihn verlassen.«

»Vielleicht hat sie Angst davor?«, sage ich. »Schau mich an. Ich hatte Angst, für Khalil den Mund aufzumachen, bis du deshalb auf mich losgegangen bist.«

»Ich bin nicht auf dich losgegangen.«

»Doch, bist du.«

»Glaub mir, das bin ich nicht. Du würdest es merken, wenn ich mal richtig auf dich losgehe.«

»Egal! Ich weiß, es ist nicht das Gleiche, aber trotzdem ...« Gott im Himmel, ich hätte nie gedacht, dass ich das mal sagen würde. »Ich glaube, ich verstehe Iesha. Manchmal ist es hart, für sich selbst einzustehen. Vielleicht braucht sie auch diesen Anstoß.«

»Dann meinst du, ich soll auch auf sie losgehen? Ich kann immer noch nicht glauben, dass du denkst, ich sei auf dich losgegangen. Zimperliese!«

Mir steht vor Staunen der Mund offen. »Weißt du was? Ich überhör das jetzt mal. Nee, ich hab nicht gemeint, du sollst auf sie losgehen, das wäre blöd. Nur ...« Ich seufze. »Ach, keine Ahnung.«

»Ich auch nicht.«

Wir schweigen beide.

Kenya wischt sich noch mal übers Gesicht. »Jetzt geht's wieder.« Sie steht auf. »Jetzt geht's wieder.«

»Sicher?«

»Ja! Hör auf, mich das zu fragen. Komm, lass uns wieder rausgehen, damit sie nicht über meinen Bruder reden. Du weißt, dass sie das sonst tun.«

Sie ist schon bei der Tür, als ich sage: »Unseren Bruder.«

Kenya dreht sich um. »Was?«

»*Unseren* Bruder. Er ist auch meiner.«

Ich habe das echt nicht gemein oder arrogant gesagt. Sie reagiert nicht darauf. Nicht mal mit einem »Okay«. Ich habe ja auch nicht erwartet, dass sie plötzlich sagt: ›Na klar, er ist *unser* Bruder. Es tut mir total leid, dass ich mich so benommen habe, als wäre er nicht auch deiner.‹ Trotzdem erhoffe ich mir irgendwas.

Kenya geht einfach raus.

Seven und Iesha haben unwissentlich die Pausentaste der Party gedrückt. Die Musik ist aus und Sevens Freunde stehen tuschelnd herum.

Chris und Maya kommen auf mich zu. »Ist Seven okay?«, fragt Maya.

»Wer hat denn die Musik ausgemacht?«, frage ich. Chris zuckt mit den Achseln.

Ich nehme mir Daddys iPod vom Terrassentisch. Das ist unser DJ für den Nachmittag und mit der Lautsprecheranlage verbunden. Ich scrolle durch die Playlist und finde diesen Song von Kendrick Lamar, den Seven für mich an dem Tag, nachdem Khalil tot war, gespielt hat. Kendrick rappt darin, dass alles wieder gut wird. Seven meinte, der sei für uns beide.

Ich drücke auf Play und hoffe, er hört es. Der Song soll auch für Kenya sein.

Während er noch läuft, kommen Seven und Layla wieder raus. Seine Augen sind noch geschwollen und rot, aber trocken. Er lächelt zaghaft und nickt mir zu. Ich nicke zurück.

Momma kommt mit Daddy raus. Die beiden tragen spitze Partyhüte und Daddy riesigen Blechkuchen mit brennenden Kerzen drauf.

»*Happy Birthday to ya*!«, singen sie und Momma macht dazu noch dieses nicht ganz so peinliche Wackeln mit den Schultern. »*Happy Birthday to ya! Happy Birth-day*!«

Seven strahlt übers ganze Gesicht. Ich mache die Musik aus.

Daddy stellt den Kuchen auf den Terrassentisch und alle versammeln sich rund herum und um Seven. Unsere Familie, Kenya, DeVante und Layla – praktisch alle, die schwarz sind – singen die Stevie-Wonder-Version von *Happy Birthday*. Maya scheint sie auch zu kennen. Viele von Sevens Freunden sehen etwas verloren aus. Chris auch. Diese kulturellen Unterschiede sind manchmal schon verrückt.

Nana übertreibt es mit dem Song und betont Noten, die eigentlich nicht betont werden müssten. Bis Momma ihr sagt: »Die Kerzen sind gleich runtergebrannt, Momma!«

Sie ist einfach so verdammt theatralisch.

Seven bückt sich schon, um die Kerzen auszublasen, als Daddy ihn unterbricht: »Warte! Mann, du weißt, dass du die Kerzen erst ausblasen darfst, nachdem ich was gesagt habe.«

»Ach, Pops!«

»Er kann dir keine Vorschriften mehr machen, Seven«, kräht Sekani. »Du bist jetzt erwachsen!«

Daraufhin mustert Daddy Sekani nur von oben bis unten. »Boy …« Er wendet sich wieder an Seven: »Ich bin stolz auf dich, Mann. Ich hab dir ja schon gesagt, dass ich nie so ein Zeugnis bekommen habe. Eine Menge junger Brüder kriegen keins. Und da, wo wir herkommen, erleben viele ihren Achtzehnten gar nicht. Einige schaffen das zwar, aber sie haben bis dahin schon einiges verbockt. Du nicht. Du wirst es zweifellos weit bringen. Das war mir immer klar.

Wisst ihr, ich habe meinen Kindern Namen gegeben, die etwas bedeuten. Sekani, das bedeutet Fröhlichkeit und Freude.«

Als ich verächtlich schnaube, wirft Sekani mir einen bösen Blick zu.

»Deine Schwester habe ich Starr genannt, weil sie mein Licht in der Dunkelheit war. Und Seven, das ist eine heilige Zahl. Die für Perfektion steht. Damit will ich nicht sagen, dass du perfekt bist, denn das ist keiner. Aber du bist das perfekte Geschenk, das Gott mir gegeben hat. Ich hab dich lieb, Mann. Happy Birthday und Glückwunsch.«

Daddy umfasst liebevoll Sevens Nacken. Da wird sein Grinsen breiter. »Hab dich auch lieb, Pops.«

Der Kuchen ist ein Red Velvet Cake von Mrs. Rooks. Jeder schwärmt, wie gut er schmeckt. Onkel Carlos stopft sich mindestens drei Stücke davon rein. Danach wird weitergetanzt und -gelacht. Alles in allem ist es ein guter Tag. Nur dauern gute Tage leider nicht ewig.

Teil 5

DREIZEHN WOCHEN SPÄTER – DIE ENTSCHEIDUNG

Kapitel 22

In unserem neuen Viertel kann ich meinen Eltern einfach sagen, »Ich geh eine Runde spazieren« – und losziehen.

Gerade hat Ms. Ofrah angerufen und meinte, das Geschworenengericht würde seine Entscheidung in wenigen Stunden bekanntgeben. Sie behauptet zwar, nur die Geschworenen würden diese schon kennen, aber mich überkommt das deprimierende Gefühl, sie auch schon zu kennen. Denn so wird immer entschieden.

Ich vergrabe die Hände in den Taschen meines ärmellosen Hoodies. Kinder auf Fahrrädern und Rollern rasen an mir vorbei und fahren mich fast über den Haufen. Ich bezweifle, dass sie sich Sorgen über die Entscheidung machen. Sie beeilen sich nicht, nach drinnen zu kommen, wie die Kids zu Hause es jetzt wahrscheinlich schon machen.

Zu Hause.

Wir sind letztes Wochenende in unser neues Haus eingezogen. Fünf Tage später fühlt es sich hier immer noch nicht wie zu Hause an. Das könnte an den vielen unausgepackten Kartons liegen oder an den Straßennamen, die mir fremd sind. Außerdem ist es fast zu still. Kein Fo'ty Ounce mit seinem quietschenden Einkaufswagen oder Mrs. Pearl, die einen Gruß über die Straße ruft.

Ich brauche Normalität.

Deshalb schreibe ich Chris eine Nachricht. Zehn Minuten später holt er mich im Mercedes seines Vaters ab.

Die Bryants sind die Einzigen in ihrer Straße, die neben ihrem Haus noch ein separates für den Butler haben. Mr. Bryant besitzt acht Autos, die meisten davon Oldtimer, und eine Garage, in der sie alle Platz haben.

Chris parkt in einer von zwei Lücken.

»Sind deine Eltern weg?«, frage ich.

»Yep. Kinderfreier Abend im Countryclub.«

Chris' Haus sieht größtenteils zu elegant aus, um darin zu wohnen. Statuen, Ölgemälde, Kronleuchter. Eher ein Museum als ein Zuhause. Chris' Suite im zweiten Stock wirkt schon normaler. In seinem Zimmer steht eine Ledercouch, auf der Klamotten verstreut liegen. Direkt davor stehen ein Flachbildschirm-Fernseher und Zeug zum Videospielen. Der Fußboden ist gestrichen wie ein halbes Basketballfeld. Und er kann richtig spielen, weil an der Wand ein echter Korb hängt.

Sein California King Size Bett ist gemacht. Ein seltener Anblick. Bevor ich ihn kannte, wusste ich gar nicht, dass es überhaupt größere Betten als King Size gibt. Ich schlüpfe aus meinen Timberlands, schnappe mir die Fernbedienung vom Nachttisch und schalte den Fernseher ein, während ich mich aufs Bett fallen lasse.

Chris setzt sich an den Schreibtisch, wo Drum-Pad, Keyboard und Plattenteller an einen Mac angeschlossen sind. »Hör dir das mal an«, sagt er und spielt ein Stück.

Ich stütze mich auf die Ellbogen und nicke im Takt mit dem Kopf. Es klingt ein bisschen old-school, wie etwas, das Dre und Snoop in alten Zeiten gemacht haben könnten. »Hübsch.«

»Danke. Wobei ich denke, ich muss doch noch ein bisschen was von dem Bass wegnehmen.« Er wendet sich ab und macht sich an die Arbeit.

Ich zupfe an einem losen Faden seiner Tagesdecke. »Glaubst du, dass sie ihn anklagen werden?«

»Glaubst du es?«

»Nein.«

Chris dreht sich wieder zu mir. Meine Augen werden feucht und ich lege mich auf die Seite. Er klettert neben mich, sodass wir einander ansehen.

Chris drückt seine Stirn an meine. »Tut mir leid.«

»Du hast doch nichts getan.«

»Aber ich habe das Gefühl, ich müsste mich im Namen aller Weißen entschuldigen.«

»Musst du nicht.«

»Will ich aber.«

Wie ich so auf seinem California King Size Bett in seiner Suite in diesem gigantischen Haus liege, wird mir die Wahrheit bewusst. Ich meine, sie war zwar schon die ganze Zeit über da, aber in diesem Moment blinken auch noch Lichter rundherum. »Wir sollten nicht zusammen sein«, sage ich.

»Warum nicht?«

»Unser altes Haus in Garden Heights würde in euer Haus passen.«

»Na und?«

»Mein Dad war ein Gangbanger.«

»Mein Dad ist spielsüchtig.«

»Ich bin in einer Sozialsiedlung aufgewachsen.«

»Ich bin auch mit einem Dach über dem Kopf aufgewachsen.«

Ich seufze und will mich von ihm wegdrehen.

Er hält mich aber an der Schulter fest. »Red dir so was nicht ein, Starr.«

»Ist dir schon mal aufgefallen, wie die Leute uns ansehen?«

»Was für Leute?«

»Leute eben«, sage ich. »Sie brauchen einen Moment, bis sie kapieren, dass wir zusammen sind.«

»Wen kümmert das schon?«

»Mich.«

»Warum?«

»Weil du mit Hailey zusammen sein solltest.«

Er zuckt zurück. »Warum zum Teufel sollte ich?«

»Nicht unbedingt mit Hailey. Aber du weißt schon. Blond. Reich. Weiß.«

»Ich bevorzuge: Wunderschön. Erstaunlich. Starr.«

Er kapiert es nicht, aber ich will auch nicht weiter darüber reden. Ich will mich so von ihm ablenken lassen, dass die Entscheidung der Grand Jury gar nicht mehr existiert. Ich küsse seine Lippen, die schon immer perfekt waren und es immer sein werden. Er erwidert den Kuss und bald knutschen wir, als wäre es das Einzige, was wir wirklich können.

Es reicht noch nicht. Meine Hände wandern tiefer als seine Brust und da schwillt etwas an. Ich versuche, den Reißverschluss seiner Jeans aufzumachen.

Er packt meine Hand. »*Whoa*. Was machst du?«

»Was glaubst du denn?«

Seine Augen suchen meine. »Starr, ich will ja, wirklich –«

»Das weiß ich. Und es ist die perfekte Gelegenheit.« Ich küsse ihn auf den Hals. Immer einen Kuss auf eine dieser perfekt platzierten Sommersprossen. »Außer uns ist keiner da.«

»Aber es geht nicht«, sagt er mit gepresster Stimme. »So nicht.«

»Warum nicht?« Dabei schiebe ich meine Hand in seine Hose, in Richtung der Wölbung.

»Weil du gerade in keiner guten Verfassung bist.«

Ich höre auf.

Er sieht mich an und ich ihn. Vor meinen Augen verschwimmt alles. Chris legt die Arme um mich und zieht mich enger an sich. Ich presse mein Gesicht gegen sein Shirt. Er riecht wie die perfekte Mischung aus Seife und Old Spice. Sein Herzschlag ist besser als jeder Beat, den er je eingespielt hat. Mein normal. Aus Fleisch und Blut.

Chris legt sein Kinn auf meinen Scheitel. »Starr ...«

Und dann lässt er mich so viel weinen, wie ich weinen muss.

Mein Telefon vibriert an meinem Oberschenkel und weckt mich damit. In Chris' Zimmer ist es schon fast stockdunkel. Nur durchs Fenster fällt ein bisschen Licht vom rot gefärbten Abendhimmel. Er schläft tief und hält mich dabei im Arm, als würde er immer so schlafen.

Mein Telefon vibriert wieder. Ich befreie mich aus Chris' Armen und krabble ans Fußende des Betts. Dort fische ich das Handy aus meiner Tasche. Auf dem Display leuchtet Sevens Gesicht auf.

Ich bemühe mich, nicht zu schläfrig zu klingen. »Hallo?«

»Wo zum Teufel steckst du?«, schnauzt Seven mich an.

»Wurde die Entscheidung bekannt gegeben?«

»Nein. Beantworte meine Frage.«

»Bei Chris zu Hause.«

Seven zieht geräuschvoll Luft ein. »Ich will es gar nicht wissen. Ist DeVante auch da?«

»Nein. Warum?«

»Onkel Carlos sagt, er sei vor einer Weile weggegangen. Seither hat ihn keiner gesehen.«

Mein Magen zieht sich zusammen. »Was?«

»Ja. Und wenn du nicht mit deinem Boyfriend rumgemacht hättest, wüsstest du Bescheid.«

»Willst du mir jetzt auch noch ein schlechtes Gewissen machen?«

Er seufzt. »Ich weiß, dass du im Moment viel durchmachst, aber verdammt, Starr. Du kannst doch nicht einfach so von hier verschwinden. Ma ist unterwegs, um dich zu suchen. Sie ist krank vor Sorge. Und Pops musste weg, um den Laden zu bewachen, falls ... du weißt schon.«

Ich krabble zurück zu Chris und rüttle an seiner Schulter. »Komm uns abholen«, sage ich gleichzeitig zu Seven. »Wir helfen dir, DeVante zu suchen.«

Rasch schicke ich Momma noch eine Nachricht, damit sie weiß, wo ich bin, wo ich hin will und dass ich okay bin.

Um sie anzurufen, fehlt mir der Mut. Damit sie auf mich losgeht? Nope, nein danke.

Seven ist gerade am Telefon, als er in die Einfahrt biegt. Seinem Gesicht nach zu urteilen, muss jemand tot sein.

Ich reiße die Beifahrertür auf. »Was ist passiert?«

»Kenya, beruhig dich«, sagt er gerade. »Was war los?« Seven hört ihr zu und sieht immer entsetzter aus. Dann meint er unvermittelt, »Ich bin schon unterwegs«, und wirft das Telefon auf den Rücksitz. »Es ist DeVante.«

»He, warte.« Ich halte die Tür noch fest, während er den Motor schon wieder anlässt. »Was ist passiert?«

»Ich weiß es nicht. Chris, bring Starr nach Hause –«

»Wir sollen dich allein nach Garden Heights fahren lassen?« Aber Taten sagen mehr als Worte. Also steige ich einfach auf den Beifahrersitz.

»Ich komme auch mit«, sagt Chris. Ich klappe meinen Sitz so weit nach vorn, dass er hinten einsteigen kann.

Glücklicher- oder unglücklicherweise hat Seven keine Zeit zum Diskutieren. So fahren wir los.

Seven schafft die etwa fünfundvierzigminütige Strecke nach Garden Heights in einer halben Stunde. Die ganze Fahrt über feilsche ich mit Gott, dass DeVante nichts passiert ist.

Als wir vom Freeway abbiegen, ist die Sonne untergegangen. Am liebsten würde ich Seven sagen, er soll umdrehen. Es ist das erste Mal, dass Chris in mein Viertel mitkommt.

Aber ich muss ihm einfach vertrauen. Er will einbezogen werden, und mehr davon als das hier geht kaum.

Bei den Sozialbauten von Cedar Grove stehen Graffiti an den Mauern und kaputte Autos vor den Gebäuden. Unter dem Wandbild von Black Jesus an der Klinik wächst Gras aus den Rissen im Gehsteig. Überall liegt Müll im Rinnstein. An einer Ecke zanken sich zwei Junkies lautstark. Eine Menge Rostlauben, die längst auf den Autofriedhof gehören, kurven durch die Gegend. Die Häuser sind alt und klein.

Was auch immer Chris sich denkt, er behält es für sich.

Seven parkt vor Ieshas Haus. Die Farbe blättert ab und vor den Fenstern hängen statt Jalousien oder Vorhängen Bettlaken. Im Garten stehen Ieashas pinkfarbener und Kings grauer BMW in L-Form geparkt. Das Gras ist durch die dort schon seit Jahren abgestellten Autos komplett verschwunden. In der Einfahrt und an der Straße stehen weitere graue Wägen mit passenden Felgen.

Seven macht den Motor aus. »Kenya hat gesagt, sie wären alle im Garten hinterm Haus. Mir sollte da nichts passieren. Ihr beide bleibt hier.«

In Anbetracht der vielen Autos dürften das ungefähr fünfzig King Lords gegen einen Seven sein. Mir ist egal, ob King sauer auf mich ist, ich werde meinen Bruder da nicht alleine reingehen lassen. »Ich komme mit.«

»Nein.«

»Ich hab gesagt, ich komme mit.«

»Starr, ich hab jetzt keine Zeit für –«

Ich verschränke die Arme. »Versuch mal, mich davon abzuhalten.«

Das kann und wird er nicht tun.

Seven seufzt. »Na schön. Chris, bleib du da.«

»Nein, verdammt! Ich bleibe doch nicht allein hier draußen.«

Also steigen wir alle aus. Aus dem Garten dringt Musik, aber auch Geschrei und Gelächter. An der Stromleitung vor dem Haus baumeln graue knöchelhohe Turnschuhe. Für jeden, der den Code kennt, heißt das, dass hier Drogen vertickt werden.

Seven nimmt immer zwei Stufen auf einmal und reißt die Haustür auf. »Kenya!«

Verglichen mit draußen, sieht es drinnen aus wie in einem Fünfsternehotel. Im Wohnzimmer hängt sogar ein verdammter Kronleuchter und die Ledergarnitur sieht nagelneu aus. Ein Flachbildschirm nimmt eine ganze Wand ein und in einem Aquarium an der gegenüberliegenden Wand schwimmen tropische Fische. Es ist die Definition von »Ghetto-reich«.

»Kenya!«, ruft Seven wieder und läuft den Flur entlang.

Von der Haustür aus kann ich durch die Hintertür schauen. Eine ganze Truppe von King Lords tanzt im Garten mit ein paar Frauen. In der Mitte sitzt King in einem Sessel mit hoher Lehne, seinem Thron, und pafft eine Zigarre. Iesha hockt mit einem Becher in der Hand auf einer der Lehnen und wippt im Takt mit den Schultern. Da das Fliegengitter dunkel ist, kann man zwar nach draußen, aber wahrscheinlich von draußen nicht herein sehen.

Jetzt steckt Kenya den Kopf aus einem der Schlafzimmer auf den Flur. »Wir sind hier.«

DeVante liegt zusammengekrümmt vor einem King-Size-Bett auf dem Boden. Der weiße, hochflorige Teppich ist voller Blut, das ihm aus Nase und Mund läuft. Neben ihm liegt ein Handtuch, aber er rührt es nicht an. An einem Auge hat er ein Veilchen. Stöhnend hält er sich die Seite.

Seven sieht Chris an. »Hilf mir, ihn hochzukriegen.«

Chris ist blass geworden. »Vielleicht sollten wir lieber einen Krankenwagen –«

»Chris, Alter, mach schon!«

Chris nähert sich zögernd, dann richten sie DeVante so auf, dass er sich sitzend ans Bett lehnt. Seine Nase ist blau und geschwollen. An der Oberlippe hat er einen üblen Riss.

Chris reicht ihm das Handtuch. »Junge, was ist denn passiert?«

»Ich bin in Kings Faust gelaufen. Alter, was denkst du denn? Die haben mir aufgelauert.«

»Ich konnte sie nicht daran hindern«, sagt Kenya und klingt so, als hätte sie geweint. »Es tut mir so leid, DeVante.«

»Der Scheiß ist doch nicht deine Schuld, Kenya«, sagt DeVante. »Bist du okay?«

Sie schnieft und wischt mit dem Ärmel über ihre Nase. »Ich bin okay. Er hat mich nur geschubst.«

Sevens Augen blitzen. »Wer hat dich geschubst?«

»Sie hat versucht, ihn davon abzuhalten, mich zusammenzuschlagen«, sagt DeVante. »King wurde sauer und hat sie –«

Seven marschiert schon zur Tür. Ich kriege seinen Arm zu fassen und stemme die Fersen in den Teppich, um ihn zurückzuhalten, aber er zieht mich nur mit sich. Kenya hängt sich an seinen anderen Arm. In diesem Moment ist er *unser* Bruder, nicht nur meiner oder ihrer.

»Nein, Seven«, sage ich. Er versucht, sich loszumachen, aber mein und Kenyas Griffe sind stahlhart. »Wenn du da jetzt rausgehst, bist du tot.«

Sein Kiefer ist vorgeschoben, seine Schultern sind angespannt. Aus schmalen Augen starrt er auf die Türschwelle.

»Lasst. Mich. Los.«

»Seven, ich bin okay, glaub mir«, sagt Kenya. »Aber Starr hat recht. Wir müssen DeVante fortschaffen, bevor sie ihn umbringen. Die warten doch nur darauf, bis es richtig dunkel ist.«

»Er hat dich angefasst«, knurrt Seven. »Ich habe gesagt, ich würde das nicht noch mal geschehen lassen.«

»Das wissen wir«, sage ich. »Aber bitte, geh da nicht raus.«

Ich hasse es, ihn aufzuhalten, denn mir wäre nichts lieber, als dass sich jemand King mal so richtig vornimmt. Aber nicht Seven. Das ist verdammt noch mal ausgeschlossen. Ich kann ihn nicht auch noch verlieren. Dann würde ich nie mehr normal.

Er reißt sich von uns los und der Stich, den mir diese Geste normalerweise versetzen würde, kommt nicht. Ich verstehe seinen Frust, als wäre es mein eigener.

Da quietscht die Hintertür und schlägt wieder zu.

Shit.

Wir erstarren. Stampfende Schritte kommen näher. Dann erscheint Iesha in der Tür.

Keiner sagt ein Wort.

Sie starrt uns an und nippt an einem roten Plastikbecher. Ein Lächeln umspielt ihre Lippen, und sie lässt sich reichlich Zeit, bevor sie etwas sagt, als würde sie unsere Furcht genießen.

Einen Eiswürfel kauend, sieht sie Chris an und meint: »Wer ist denn dieser li'l white Boy, den ihr da einfach in mein Haus geschleppt habt?«

Sie grinst und sieht mich an. »Ich wette, der gehört dir, was? So was passiert eben, wenn man auf eine Schule der Weißen geht.« Sie lehnt sich gegen den Türrahmen und ihre goldenen Armreifen klirren, als sie den Becher wieder an die Lippen hebt. »Ich hätte ja Geld dafür bezahlt, um Mavericks Gesicht zu sehen, als du den mit nach Hause gebracht hast. Shit, es wundert mich richtig, dass Seven eine schwarze Freundin hat.«

Die Erwähnung seines Namens reißt Seven aus der Trance. »Kannst du uns helfen?«

»Euch helfen?«, fragt sie lachend zurück. »Womit? Mit DeVante? Seh ich etwa so aus, als wollte ich ihm helfen?«

»Momma –«

»Jetzt bin ich wieder ›Momma‹?«, sagt sie. »Was ist denn mit dem Iesha-Scheiß von letztens? Hm, Seven? Weißt du, Baby, du kapierst einfach nicht, wie das Spiel funktioniert. Lass dir das mal von Momma erklären, ja? Als DeVante King bestohlen hat, da hat er sich eine Tracht Prügel verdient. Und die hat er bekommen. Jeder der ihm hilft, verdient das Gleiche. Und damit sollte er dann besser auch klarkommen.« Sie sieht mich an. »Und das gilt auch für Verräter.«

Alles, was sie tun müsste, ist, laut nach King rufen ...

Ihr Blick geht rasch zur Hintertür. Musik und Gelächter erschallen. »Ich sag euch mal was«, meint sie, wieder an uns gewandt. »Ihr schafft jetzt besser diesen armseligen DeVante aus meinem Schlafzimmer. Blut auf meinem Teppich und solcher Scheiß. Und ihr wagt es auch noch, eins von meinen verdammten Handtüchern zu nehmen? Also, schafft ihn und diese Verräterin aus meinem Haus.«

Seven sagt: »Was?«

»Bist du auch noch taub oder was?«, sagt sie. »Ich hab gesagt, schaff sie aus meinem Haus. Und nimm deine Schwestern gleich mit.«

»Warum soll ich die denn mitnehmen?«, fragt Seven.

»Weil ich es sage! Bring sie zu deiner Grandma oder sonst wohin, mir egal. Schaff sie mir aus den Augen. Ich versuche, hier meine Party zu feiern, Scheiße noch mal.« Als keiner von uns sich rührt, sagt sie: »Verschwindet!«

»Ich hole Lyric«, sagt Kenya und geht.

Chris und Seven nehmen DeVante bei den Händen und ziehen ihn hoch. Er zuckt zusammen und flucht. Nachdem er auf den Füßen ist, beugt er sich vor und hält sich die Seite. Ganz langsam richtet er sich auf und atmet wieder gleichmäßig. Er nickt. »Bin okay, es tut nur weh.«

»Beeilt euch«, sagt Iesha. »Verdammt, ich will euch alle nicht mehr sehen müssen.«

Sevens Blick drückt aus, was er nicht sagt.

DeVante besteht darauf, allein gehen zu können, aber Seven und Chris bringen ihn trotzdem dazu, sich auf ihre Schultern zu stützen. Kenya ist mit Lyric auf dem Arm schon an der Haustür. Ich halte den anderen die Tür auf und schaue nach hinten in den Garten.

Shit. King erhebt sich gerade von seinem Thron.

Iesha verlässt das Haus durch die Hintertür und beugt sich dicht über ihn, bevor er ganz aufstehen kann. Sie fasst ihn bei den Schultern und drückt ihn wieder zurück, während sie ihm etwas ins Ohr flüstert. Da grinst er und lehnt sich zurück. Sie dreht ihm den Rücken zu, sodass er den Anblick kriegt, den er will, und fängt an zu tanzen. Er klatscht ihr auf den Hintern. Sie schaut in meine Richtung.

Ich bezweifle, dass sie mich sehen kann, aber ich gehöre wohl sowieso nicht zu den Leuten, die sie sehen will. Die anderen sind inzwischen beim Wagen.

Plötzlich kapiere ich es.

»Starr, komm schon«, ruft Seven.

Ich springe die Veranda hinunter. Seven hat den Sitz vorgeklappt, damit ich und Chris hinten zu seinen Schwestern einsteigen können. Dann fährt er los.

»Wir müssen dich ins Krankenhaus bringen, Vante«, sagt er.

DeVante presst sich das Handtuch an die Nase und schaut dann auf die Blutflecken darauf. »Das wird schon wieder«, sagt er, als hätte dieser Anblick ihm verraten, was ein Arzt nicht sehen kann. »Wir hatten Glück, dass Iesha uns geholfen hat, Alter. Aber echt.«

Seven schnaubt. »Sie hat uns nicht geholfen. Da könnte einer verbluten und sie würde sich nur um ihren Teppich und ihre Party Sorgen machen.«

Mein Bruder ist klug. So klug, dass er dumm ist. Seine Momma hat ihn so verletzt, dass er blind dafür ist, wenn sie auch mal etwas richtig macht. »Seven, sie hat uns geholfen«, sage ich. »Überleg doch mal. Warum hat sie dir wohl gesagt, du sollst deine Schwestern auch mitnehmen?«

»Weil sie sich um nichts kümmern wollte. Wie immer.«

»Nein. Sie weiß, dass King explodieren wird, wenn er merkt, dass DeVante weg ist«, erkläre ich. »Wenn Kenya nicht da ist und Lyric auch nicht, an wem, glaubst du, wird er es auslassen?«

Erst sagt er nichts.

Dann: »Shit.«

Das Auto bremst abrupt, sodass wir erst alle nach vorn fallen und dann zur Seite, weil Seven einen großen U-Turn macht. Er gibt Vollgas und die Häuser am Straßenrand verschwimmen.

»Seven, nein!«, ruft Kenya. »Wir können nicht noch mal zurück!«

»Ich muss sie beschützen!«

»Nein, musst du nicht!«, sage ich. »Sie sollte dich beschützen, und genau das versucht sie gerade.«

Das Auto wird langsamer. Ein paar Häuser vor Ieshas bleibt es ganz stehen.

»Wenn er –« Seven schluckt. »Wenn sie – er wird sie umbringen.«

»Wird er nicht«, sagt Kenya. »Sie kriegt das schon so lange hin. Lass sie es regeln, Seven.«

Als wir alle schweigen, hört man aus dem Radio einen Song von Tupac. Er rappt darüber, dass wir etwas verändern müssen. Khalil hatte recht. Pac hat uns immer noch was zu sagen.

»Na gut«, sagt Seven und wendet wieder um 180 Grad. »Na gut.«

Der Song verklingt. »*This is the hottest station in the nation, Hot 105*«, sagt der DJ. »Falls ihr gerade erst eingeschaltet habt – das Geschworenengericht hat entschieden, Officer Brian Cruise Junior wegen des Tods von Khalil Harris nicht anzuklagen. Unsere Gedanken und Gebete sind bei der Familie Harris. Passt auf euch auf, ihr alle da draußen.«

Kapitel 23

Auf der Fahrt zum Haus von Sevens Grandma sind wir alle sehr still.

Ich habe die Wahrheit gesagt. Ich habe alles getan, was ich konnte, aber es hat einen Scheiß gebracht. Khalils Tod war nicht schrecklich genug, um als Verbrechen zu gelten.

Aber verdammt, was ist mit seinem Leben? Er war ein Mensch, der rumlief und redete. Er hatte Familie. Hatte Freunde. Er hatte Träume. Nichts davon war relevant. Er war einfach nur ein *Thug*, der es verdiente zu sterben.

Um uns herum hupen Autos. Fahrer schreien die Entscheidung in die Nachbarschaft hinaus. Ein paar Jugendliche, ungefähr in meinem Alter, stehen auf dem Dach eines Wagens und schreien: »Gerechtigkeit für Khalil!«

Seven kurvt um sie herum und parkt in der Einfahrt seiner Grandma. Zuerst schweigt er und rührt sich nicht. Plötzlich schlägt er mit der Faust aufs Lenkrad. »Fuck!«

DeVante schüttelt den Kopf. »Was für ein Bullshit.«

»Fuck!«, krächzt Seven. Er schlägt die Hände vors Gesicht und schaukelt vor und zurück. »Fuck, fuck, fuck!«

Ich möchte auch am liebsten weinen, aber es geht nicht.

»Ich versteh das nicht«, sagt Chris. »Er hat Khalil getötet. Dafür sollte er ins Gefängnis.«

»Das passiert nie«, murmelt Kenya.

Seven wischt sich hastig übers Gesicht. »Scheiß drauf.

Starr, was immer du tun willst, ich bin dabei. Wenn du was abfackeln willst, dann fackeln wir was ab. Du bestimmst.«

»Alter, spinnst du?«, sagt Chris.

Seven dreht sich um. »Du kapierst das nicht, also halt die Klappe. Starr, was willst du machen?«

Irgendwas. *Alles*. Schreien. Heulen. Kotzen. Jemanden schlagen. Was anzünden. Irgendwas werfen.

Sie haben mir Hass gegeben, und jetzt will ich mich mit allen anlegen, auch wenn ich nicht weiß, wie.

»Ich will irgendwas machen«, sage ich. »Demonstrieren, randalieren, mir egal –«

»Randalieren?«, echot Chris.

»Ja, verdammt!« DeVante stößt mit der Faust gegen meine. »Genau das!«

»Starr, überleg doch mal«, sagt Chris. »Damit erreichst du doch gar nichts.«

»Und mit Reden hab ich auch nichts erreicht!«, gifte ich ihn an. »Ich habe alles richtig gemacht, und es hat einen Scheiß gebracht. Ich habe Todesdrohungen bekommen, Cops haben meine Familie schikaniert, jemand hat in mein Haus geschossen, lauter solcher Bullshit. Und wofür? Eine Gerechtigkeit, die Khalil nicht bekommt? Die scheren sich doch einen Dreck um uns. Also schön, dann kümmert es mich auch einen Dreck.«

»Aber –«

»Chris, du musst mir nicht zustimmen«, sage ich und mein Hals wird irgendwie eng. »Versuch einfach nur zu verstehen, wie ich das empfinde. Bitte?«

Er macht den Mund ein paarmal auf und zu, sagt aber nichts mehr.

Seven steigt aus und klappt seinen Sitz nach vorn. »Komm, Lyric. Kenya, bleibst du hier oder kommst du mit uns mit?«

»Ich bleibe«, sagt sie mit immer noch feuchten Augen. »Für den Fall, dass Momma auftaucht.«

Seven nickt grimmig. »Gute Idee. Sie wird jemanden brauchen.«

Lyric klettert von Kenyas Schoß und rennt die Einfahrt hinauf. Kenya zögert. Dann schaut sie noch mal zu mir zurück. »Es tut mir leid, Starr«, sagt sie. »Das ist nicht richtig.«

Danach folgt sie Lyric zur Haustür, wo ihre Grandma die beiden reinlässt.

Seven steigt wieder ein. »Chris, soll ich dich nach Hause fahren?«

»Ich bleibe.« Chris nickt, als hätte er das gerade mit sich abgemacht. »Ja. Ich bleibe.«

»Traust du dir das wirklich zu?«, fragt DeVante. »Es wird ziemlich wild zugehen.«

»Ich traue es mir zu.« Seine Augen suchen meine. »Ich möchte, dass alle wissen, was für ein Bullshit diese Entscheidung ist.«

Er legt eine Hand mit der Handfläche nach oben auf den Sitz. Ich lege meine Hand darauf.

Seven lässt den Motor an und rollt rückwärts aus der Einfahrt. »Schaut mal jemand bei Twitter, wo was los ist?«

»Hab ich schon.« DeVante hält sein Handy hoch. »Die

Leute ziehen zur Magnolia Street. Da ist beim letzten Mal eine Menge Scheiß –« Er zuckt zusammen und hält sich die Seite.

»Traust *du* dir das zu, Vante?«, fragt Chris.

DeVante richtet sich wieder auf. »Yeah. Als sie mich in die Gang aufgenommen haben, wurde ich übler zusammengeschlagen.«

»Wie haben die dich überhaupt erwischt?«, frage ich.

»Genau. Onkel Carlos meinte, du seist spazieren gegangen«, sagt Seven. »Das war aber ein echt langer Spaziergang.«

»Alter«, stöhnt DeVante auf seine typische Art. »Ich wollte Dalvin besuchen, okay? Hab den Bus zum Friedhof genommen. Dachte mir, wie mies das ist, er ganz allein in Garden. Wollte nicht, dass er einsam ist, wenn ihr versteht.«

Ich versuche, nicht daran zu denken, dass auch Khalil jetzt allein in Garden Heights zurückbleibt. Jetzt, wo Ms. Rosalie und Cameron zu Ms. Tammy nach New York ziehen und ich auch weg bin. »Doch, verstehe ich.«

DeVante drückt wieder das Handtuch gegen Nase und Lippe. Es blutet nicht mehr so stark. »Bevor ich in den Bus zurück steigen konnte, haben King's Jungs mich abgefangen. Ich dachte nicht, dass ich das überlebe. Echt jetzt.«

»Tja, ich bin froh, dass du überlebt hast«, sagt Chris. »Dann habe ich mehr Zeit, dich bei Madden zu schlagen.«

DeVante grinst. »Du bist echt ein verrückter weißer Kerl, wenn du glaubst, dass es mal so weit kommt.«

Auf der Magnolia fahren Autos auf und ab, als wäre es Samstagmorgen und die Dealer würden mit ihren Schlitten angeben. Musik dröhnt rauf und runter, Hupen quäken, Leute hängen aus Autofenstern und stehen auf Motorhauben. Die Gehsteige sind gerammelt voll. Die Luft ist diesig und in der Ferne schlagen Flammen zum Himmel.

Ich sage Seven, er soll bei *Just Us for Justice* parken. Die Fenster dort sind mit Brettern verrammelt und jemand hat BLACK OWNED drauf gesprüht. Ms. Ofrah meinte, sie würden die Demo anführen, falls die Geschworenen nicht anklagen.

Wir gehen zu Fuß weiter, einfach so, ohne ein bestimmtes Ziel. Es ist voller, als mir im Auto bewusst war. Ungefähr die Hälfte der Bewohner ist auf den Beinen. Ich ziehe mir die Kapuze meines Hoodies über die Haare und senke den Kopf. Egal wie das Gericht entschieden hat, ich bin immer noch »Starr, die bei Khalil war«, und ich will heute Abend nicht gesehen werden, nur gehört.

Ein paar Leute starren Chris an, als wollten sie sagen, »was zur Hölle will denn der white Boy hier draußen«. Er schiebt die Hände tief in seine Hosentaschen.

»Ich falle wohl ziemlich auf, was?«, sagt er.

»Bist du dir noch sicher, dass du hier sein willst?«, frage ich.

»Das ist ein bisschen so wie für dich und Seven an der Williamson, stimmt's?«

»Sehr sogar«, sagt Seven.

»Dann halte ich das auch aus.«

Es wird zu eng. Wir steigen bei einer Bushaltestelle auf die Bank, um besser zu sehen, wo alle hinwollen. King Lords mit grauen Bandanas und Garden Disciples mit grünen stehen auf einem Streifenwagen mitten auf der Straße und skandieren »Gerechtigkeit für Khalil!«. Von den Leuten, die sich rundherum versammelt haben, zücken einige ihre Handys und filmen, andere werfen Steine auf die Scheiben.

»Scheiß auf diesen Cop, Bro«, sagt ein Typ mit Baseballschläger. »Hat ihn wegen nix erschossen!«

Dann knallt er den Schläger ins Fenster der Fahrertür. Glas splittert.

Es geht los.

Die King Lords und GDs treten die Frontscheibe ein. Dann brüllt jemand: »Dreht den Mothafucka um!«

Die Gangbanger springen vom Streifenwagen. Auf einer Seite des Autos stellen sich Leute auf. Ich starre auf die Warnlichter am Dach. Es erinnert mich an das, das hinter mir und Khalil aufblitzte. Dann verschwindet es, als der Wagen einmal umgedreht wird.

Jemand schreit: »Achtung!«

Ein Molotowcocktail fliegt auf den Streifenwagen. Dann geht er – *wusch!* – in Flammen auf.

Die Menge jubelt.

Man sagt, Elend zieht Elend an, aber das gilt wohl ebenso für Wut. Ich bin hier nicht die Einzige, die angepisst ist – alle um mich rum sind es auch. Man muss dafür nicht auf dem Beifahrersitz gesessen sein, als es passierte. Meine Wut ist ihre Wut, und ihre ist meine.

Aus der Stereoanlage eines Autos ertönt der Sound von Platten-Scratching, dann hört man Ice Cube sagen: »*Fuck the police, coming straight from the underground. A young nigga got it bad 'cause I'm brown.*«

So wie die Leute mitrappen und im Rhythmus springen, könnte man meinen, wir wären auf einem Konzert. DeVante und Seven schreien den Text mit. Chris nickt im Takt und murmelt mit. Jedes Mal, wenn Cube das Wort *Nigga* benutzt, schweigt er. Das sollte er auch.

Bei der Hookline donnert die Menge im Chor »*Fuck the police*«, sodass man es wahrscheinlich bis zum Himmel hört.

Ich schreie auch mit. Ein Teil von mir fragt zwar, »Und was ist mit Onkel Carlos?«, aber hier geht es ja nicht um ihn oder seine Kollegen, die ihren Job richtig machen. Hier geht's um Hundertfünfzehn, diese Detectives mit ihren Scheißfragen und die Cops, die meinen Daddy gezwungen haben, sich auf den Boden zu legen. *Fuck them.*

Glas splittert. Ich höre auf zu rappen.

Einen Block entfernt schmeißen Leute Steine und Mülltonnen in die Scheiben einer McDonald's-Filiale und der benachbarten Apotheke.

Einmal hatte ich einen wirklich üblen Asthmaanfall, wegen dem ich sogar in die Ambulanz musste. Meine Eltern und ich kamen erst so gegen drei Uhr morgens wieder aus dem Krankenhaus und waren total ausgehungert. Momma und ich holten Hamburger bei diesem McDonald's, die wir aßen, während Daddy mein Rezept in der Apotheke einlöste.

Die Glastüren der Apotheke zerbersten. Leute stürmen hinein und kommen voll beladen wieder raus.

»Stopp!«, rufe ich, genau wie ein paar andere, aber die Plünderer machen einfach weiter. Drinnen explodiert ein orangefarbenes Licht, dann rennen alle aus dem Laden.

»Holy Shit«, sagt Chris.

In null Komma nichts steht das Gebäude in Flammen.

»Ja, verdammt!«, sagt DeVante. »Brennt den Scheiß nieder!«

Da muss ich an Daddys Gesichtsausdruck an dem Tag denken, als Mr. Wyatt ihm die Schlüssel für den Laden überreichte. An Mr. Reuben und all die Fotos an den Wänden seines Ladens, auf denen die ganzen Jahre zu sehen sind, in denen er diese Legende aufgebaut hat. Oder an Ms. Yvette, wie sie jeden Morgen gähnend ihr Geschäft betritt. Sogar an Mr. Lewis mit seinen spitzenmäßigen Haarschnitten muss ich denken.

Beim Pfandhaus im Nachbarblock splittert ebenfalls Glas. Als Nächstes in der Drogerie daneben.

Aus beiden Geschäften schlagen Flammen und die Leute johlen. Ein neuer Kampfschrei ertönt:

The roof, the roof, the roof is on fire! We don't need no water, let that mothafucka burn!

Ich bin genauso wütend wie alle anderen, aber das hier ... das ist es nicht. Nicht für mich.

DeVante ist voll dabei und schreit den neuen Refrain mit. Ich halte ihn am Arm fest.

»Was ist?«, sagt er.

Chris stupst mich an. »Leute ...«

Ein paar Blocks entfernt marschiert eine Kolonne von Cops in Kampfmontur die Straße runter, dicht gefolgt von zwei Panzerfahrzeugen mit grellen Scheinwerfern.

»Das hier ist keine friedliche Versammlung«, tönt es aus einem Polizeilautsprecher. »Gehen Sie auseinander, sonst ist das ein Grund zur Verhaftung.«

Da brandet der frühere Kampfschrei wieder auf: »*Fuck the police! Fuck the police!*«

Leute schleudern Steine und Glasflaschen auf die Cops.

»Yo!«, ruft Seven.

»Hören Sie auf, mit Gegenständen auf Ordnungskräfte zu werfen«, sagt der Polizist über Lautsprecher. »Verlassen Sie sofort die Straße oder Sie werden festgenommen.«

Es fliegen weiter Steine und Flaschen.

Seven springt von der Bank. »Los«, sagt er, während Chris und ich auch runterklettern. »Wir sollten von hier verschwinden.«

»*Fuck the police! Fuck the police!*«, schreit DeVante weiter.

»Vante, Alter, komm schon!«, sagt Seven.

»Ich hab vor denen keine Angst! *Fuck the police!*«

Man hört ein lautes Ploppen. Irgendwas segelt durch die Luft und landet mitten auf der Straße, wo es in einem Feuerball explodiert.

»O Shit!«, ruft DeVante.

Jetzt springt auch er von der Bank und wir rennen los. Auf dem Gehsteig herrscht schon fast Massenpanik. Autos rasen davon. Hinter uns klingt es wie am 4. Juli – ein Knall nach dem anderen.

Die Luft füllt sich mit Rauch. Man hört noch mehr Glas

zerspringen. Das Knallen kommt immer näher, der Rauch verdichtet sich.

Jetzt steht auch die Filiale von *Cash Advance* in Flammen. *Just Us for Justice* bleibt dagegen unbehelligt. Genauso wie die Autowaschanlage daneben. Auch hier hat jemand BLACK OWNED auf die Mauer gesprüht.

Wir springen in Sevens Mustang. Er rast durch die hintere Ausfahrt des alten Taco-Bell-Parkplatzes und auch gleich noch über die nächste Querstraße.

»Was zum Teufel war das gerade?«, sagt er.

Chris sackt auf seinem Platz zusammen. »Keine Ahnung. Ich will aber nicht, dass es noch mal passiert.«

»*Niggas* haben die Nase voll von dem Scheiß«, meint DeVante schwer atmend. »Wie Starr gesagt hat, die scheren sich einen Dreck um uns, also scheren wir uns auch einen Dreck um sie. Soll das doch ruhig alles niederbrennen.«

»Aber die leben ja gar nicht hier!«, sagt Seven. »Deshalb ist es denen doch scheißegal, was in diesem Viertel passiert.«

»Was sollen wir denn sonst machen?«, erwidert DeVante gereizt. »Dieser friedliche Mist mit Kumbaya hat ja offensichtlich nicht funktioniert. Die hören nicht mal hin, bis wir nicht irgendwas kaputtmachen.«

»Aber diese Geschäfte«, sage ich.

»Was ist mit denen?«, fragt DeVante. »Meine Momma hat mal bei McDonald's gearbeitet und die haben ihr kaum was bezahlt. Das Pfandhaus hat uns verdammt noch mal oft genug geknebelt. Nee, die sind mir echt alle scheißegal.«

Ich versteh das schon. Daddy hat fast mal seinen Ehering an das Pfandhaus verloren. Damals hat er tatsächlich gedroht, den Laden niederzubrennen. Irgendwie komisch, dass er jetzt wirklich brennt.

Aber falls die Plünderer sich irgendwann nicht mehr um die Aufschrift BLACK OWNED kümmern, dann könnte es auch unseren Laden treffen. »Wir müssen Daddy helfen.«

»Was?«, sagt Seven.

»Wir müssen zu Daddy fahren und ihm helfen, den Laden zu bewachen! Für den Fall, dass dort Plünderer aufkreuzen.«

Seven wischt sich übers Gesicht. »Shit, wahrscheinlich hast du recht.«

»Big Mav wird keiner anrühren«, sagt DeVante.

»Das kann niemand garantieren«, sage ich. »Die Leute sind angepisst, DeVante. Die denken das nicht zu Ende. Die machen einfach irgendwelchen Bullshit.«

DeVante nickt zögernd. »Na gut. Fahren wir also Big Mav helfen.«

»Meint ihr, es ist ihm recht, wenn ich auch mithelfe?«, fragt Chris. »Beim letzten Mal schien er mich nicht besonders zu mögen.«

»Schien?«, echot DeVante. »Wenn Blicke töten könnten. Ich war dabei. Das hab ich nicht vergessen.«

Seven kichert. Ich gebe DeVante einen Klaps und mache »Pscht«.

»Was denn? Stimmt doch. Der war doch total sauer, weil Chris weiß ist. Aber hey? Wenn du so NWA-Zeugs von dir gibst wie vorhin, dann findet er dich vielleicht doch okay.«

»Was? Überrascht es dich etwa, dass ein Weißer NWA kennt?«, zieht Chris ihn auf.

»Alter, du bist doch nicht weiß. Du bist hellhäutig.«

»Genau!«, sage ich.

»Moment, Moment«, ruft Seven über unser Gelächter hinweg, »wir müssen ihn testen, um zu sehen, ob er wirklich schwarz ist. Chris, isst du Auflauf aus grünen Bohnen?«

»Nein, verdammt. Das ist doch ekliges Zeug.«

Wir müssen alle lachen. »Er ist schwarz, er ist schwarz!«

»Wartet, eine noch«, sage ich. »Makkaroni mit Käse. Hauptgericht oder Beilage?«

»Äh ...« Chris schaut uns verunsichert an.

DeVante brummt die Titelmelodie der Rateshow *Jeopardy*.

Seven äfft die Stimme des Moderators nach: »Wirst du dir die schwarze Karte verdienen, Alex?«

Schließlich sagt Chris: »Hauptmahlzeit.«

»Aaah!«, stöhnen wir im Chor.

»Pomm-pomm-pomm!«, macht DeVante.

»Leute, das stimmt doch! Überlegt mal. Da drin ist Protein, Kalzium –«

»Fleisch ist Protein«, sagt DeVante. »Kein verdammter Käse. Ich wünschte, jemand würde mir Makkaroni vorsetzen und das dann eine Mahlzeit nennen.«

»Das ist doch das einfachste, schnellste Essen überhaupt«, sagt Chris. »Eine Packung und du –«

»Da haben wir schon das Problem«, sage ich. »Echte

Makkaroni und Käse kommen nicht aus einer Packung, Babe. Die kommen aus einem Ofen mit blubbernder Kruste obendrauf.«

»Amen.« Seven hält mir seine Faust hin und ich stoße mit meiner dagegen.

»Oh«, meint Chris, »du meinst so mit Semmelbröseln?«

»Was?«, schreit DeVante. Und Seven echot: »Mit Semmelbröseln?«

»Nope«, sage ich. »Ich meine eine Käsekruste obendrauf. Wir müssen dich unbedingt mal in ein Restaurant mitnehmen, wo es echtes Soulfood gibt, Babe.«

»Dieser Irre hat gesagt Semmelbrösel.« DeVante klingt ehrlich gekränkt. »Semmelbrösel!«

Der Wagen hält. Vor uns blockiert ein »STRASSE GESPERRT«-Schild, vor dem auch noch ein Streifenwagen steht, die Durchfahrt.

»Verdammt«, sagt Seven, setzt zurück und wendet. »Dann müssen wir wohl einen anderen Weg zum Laden finden.«

»Wahrscheinlich haben die heute Abend im Viertel jede Menge Straßensperren errichtet«, vermute ich.

»Scheiß Semmelbrösel.« DeVante ist immer noch nicht drüber weg. »Echt, aus diesen Weißen werde ich nicht schlau. Semmelbrösel auf Makkaroni, Hunde auf die Schnauze küssen –«

»Und ihre Hunde behandeln, als wären es ihre Kinder«, füge ich hinzu.

»Genau!«, ruft DeVante. »Absichtlich Sachen machen, die einen umbringen können, wie Bungee-Jumping.«

»Target ›Tarr-dscheii‹ aussprechen, als ob es dadurch schicker würde«, sagt Seven.

»Fuck«, murmelt Chris, »so spricht meine Mom es auch aus.«

Seven und ich brechen in Gelächter aus.

»Dämlichen Mist zu ihren Eltern sagen«, macht DeVante weiter. »Sich in Situationen trennen, wo sie eindeutig zusammenbleiben sollten.«

Chris macht: »Hä?«

»Du weißt schon, Babe«, sage ich. »Weiße wollen sich immer aufteilen, und wenn sie es machen, passiert was Schlimmes.«

»Aber doch nur in Horrorstreifen«, sagt er.

»Nee! So was kommt doch immer in den Nachrichten«, sagt DeVante. »Die gehen auf eine Wanderung, trennen sich und dann murkst ein Bär den einen ab.«

»Autopanne, man trennt sich, um Hilfe zu holen, und ein Serienmörder legt den einen um«, fügt Seven hinzu.

»Als hättet ihr noch nie was von zahlenmäßiger Über- legenheit gehört«, sagt DeVante. »Also echt.«

»Okay, schön«, sagt Chris. »Aber wenn ihr so über die Weißen redet, kann ich dann auch eine Frage über die Schwarzen stellen?«

Man hört quasi die Nadel über die Platte kratzen. Unge- logen, wir drei drehen uns alle zu ihm. Selbst Seven. Der Wagen schlingert an den Straßenrand und schrammt am Bordstein entlang. Seven lenkt ihn fluchend wieder auf die Spur.

»Ich meine, das wäre ja nur fair«, murmelt Chris.

»Leute, er hat recht«, sage ich. »Er sollte auch was fragen dürfen.«

»Schön«, sagt Seven. »Schieß los, Chris.«

»Okay. Warum geben manche Schwarze ihren Kids so seltsame Namen? Ich meine, seht euch doch mal eure an, Leute. Die sind doch nicht normal.«

»Ey, mein Name ist völlig normal«, behauptet DeVante ganz aufgebracht. »Weiß gar nicht, wovon du redest.«

»Alter, du bist nach einem Typen von Jodeci benannt«, sagt Seven.

»Und du nach einer Zahl! Wie heißt du mit zweitem Vornamen? Acht?«

»Egal, Chris«, sagt Seven. »DeVante hat schon recht. Was macht seinen oder unsere Namen weniger normal als deinen? Wer oder was definiert für dich ›normal‹? Wäre mein Pops hier, würde er sagen, du bist in die Falle des ›weißen Standards‹ getappt.‹

Chris wird im Gesicht und am Hals rot. »So habe ich es nicht gemeint – okay, vielleicht ist ›normal‹ nicht das richtige Wort.«

»Absolut«, sage ich.

»Ich schätze, ungewöhnlich trifft es eher, oder?«, fragt er. »Ihr habt alle *ungewöhnliche* Namen.«

»Ich kenne aber noch drei andere DeVantes im Viertel«, sagt DeVante.

»Stimmt. Es geht um den Standpunkt«, sagt Seven. »Außerdem haben die meisten Namen, die Weißen ungewöhnlich vorkommen, in verschiedenen afrikanischen Sprachen tatsächlich eine Bedeutung.«

»Und seien wir mal ehrlich, manche weiße Leute geben ihren Kids auch ›ungewöhnliche‹ Namen«, sage ich. »Das beschränkt sich nicht auf Schwarze. Bloß weil sie kein *De-* oder *La-* vorne stehen haben, ist das auch nicht besser.«

Chris nickt. »Stimmt.«

»Warum musst du ausgerechnet *De-* als Beispiel nehmen?«, fragt DeVante.

Wir halten wieder. Noch eine Straßensperre.

»Shit«, zischt Seven. »Ich muss den langen Weg nehmen. Durch die East Side.«

»East Side?«, fragt DeVante. »Das ist Territorium der GDs!«

»Und da sind beim letzten Mal die meisten Unruhen gewesen«, erinnere ich die anderen.

Chris schüttelt den Kopf. »Dann können wir da nicht hin.«

»Heute Abend denkt keiner an Gangs«, sagt Seven. »Und solange ich die Hauptstraßen umgehen kann, wird das schon.«

In der Nähe – ein bisschen zu nah – wird geschossen, so dass wir alle zusammenzucken. Chris schreit sogar auf.

Seven schluckt. »Ja. Das wird schon.«

Kapitel 24

Weil Seven gesagt hat, das wird schon, geht alles schief.

Die meisten Straßen durch die East Side sind von der Polizei gesperrt worden, und so braucht Seven ewig, bis er eine freie Straße findet. Etwa auf halbem Weg zum Laden gibt das Auto ein grunzendes Geräusch von sich und wird immer langsamer.

»Komm schon«, sagt Seven. Er klopft aufs Armaturenbrett und tritt aufs Gaspedal. »Komm schon, Baby.«

Sein Baby sagt quasi: »Du kannst mich mal« und bleibt einfach stehen.

»Shit!« Seven legt die Stirn ans Lenkrad. »Wir haben keinen Sprit mehr.«

»Das ist jetzt ein Scherz, oder?«, fragt Chris.

»Ich wünschte, es wäre so, Alter. Ich hatte nur noch ganz wenig Sprit, als wir bei dir zu Hause losgefahren sind, aber ich dachte, ich könnte mit dem Tanken noch warten. Schließlich kenne ich meinen Wagen.«

»Anscheinend kennst du ihn einen Scheiß«, sage ich.

Wir stehen in der Nähe von ein paar Doppelhäusern. Keine Ahnung, was für eine Straße das hier ist. Ich kenne die East Side nicht so genau. Man hört irgendwo Sirenen heulen und die Luft ist trüb und verraucht wie überall in der Gegend.

»Es ist nicht so weit bis zur nächsten Tankstelle«, sagt Seven. »Chris, kannst du mir schieben helfen?«

451

»Du meinst echt, den Schutz dieses Wagens verlassen und ihn anschieben?«, fragt Chris.

»Genau das. Das wird schon.« Seven springt aus dem Auto.

»Das hast du vorhin auch gesagt«, murmelt Chris, steigt aber mit aus.

DeVante meint: »Ich kann auch schieben.«

»Nee, Mann. Du musst dich ausruhen«, sagt Seven. »Bleib einfach sitzen. Starr, du übernimmst das Steuer.«

Es ist das erste Mal, dass er überhaupt jemand anderen sein »Baby« fahren lässt. Er erklärt mir, ich solle in den Leerlauf gehen und lenken. Er schiebt direkt neben mir. Chris schiebt auf der Beifahrerseite. Dabei schaut er die ganze Zeit über seine Schulter.

Die Sirenen werden lauter und der Rauch dichter. Seven und Chris husten und ziehen sich ihre Shirts über die Nasen. Ein Pick-up voll mit Matratzen und Leuten rast an uns vorbei.

Als wir einen kleinen Hügel erreichen, müssen Seven und Chris joggen, um noch Schritt zu halten.

»Langsam, langsam!«, schreit Seven. Ich bremse und bringe das Auto am Fuß des Hügels zum Stehen.

Seven hustet in sein Shirt. »Wartet. Ich brauch mal eine Minute.«

Ich stelle die Automatik auf Parken. Chris beugt sich vor und schnappt nach Luft. »Dieser Rauch ist echt mörderisch«, sagt er.

Seven richtet sich auf und atmet langsam aus. »Shit. Wir sind schneller bei der Tankstelle, wenn wir den Wagen stehen lassen. Wir beide können ihn nicht bis dorthin schieben.«

Was zur Hölle? Ich sitze doch auch hier. »Ich kann mitschieben.«

»Das weiß ich, Starr. Selbst wenn du das machst, sind wir ohne Auto schneller. Aber, verdammt ich will ihn eigentlich nicht hierlassen.«

»Wie wär's, wenn wir uns aufteilen?«, sagt Chris. »Zwei von uns bleiben hier, zwei holen Benzin ... und das ist genau die Art Schwachsinn, den Weiße immer machen, richtig?«

»Ja«, antworten wir im Chor.

»Sag ich doch«, meint DeVante.

Seven verschränkt die Finger und legt sie auf seine Dreadlocks. »Fuck, fuck, fuck. Wir müssen ihn stehen lassen.«

Ich ziehe den Schlüssel ab und Seven schnappt sich einen Kanister aus dem Kofferraum. Er streichelt das Auto und flüstert ihm irgendetwas zu. Wahrscheinlich sagt er ihm, wie lieb er es hat, und verspricht, wiederzukommen. O Gott.

Dann marschieren wir zu viert und mit über Mund und Nase hochgezogenen Shirts den Gehsteig runter. DeVante humpelt, beteuert aber, es ginge ihm gut.

In der Ferne hört man eine Stimme, die ich aber nicht verstehen kann. Es folgt die donnernde Erwiderung einer Menschenmenge.

Chris und ich laufen hinter den anderen beiden her. Er lässt einen Arm hängen und berührt damit meinen. Das ist sein verstohlener Versuch, meine Hand zu nehmen. Ich lasse es zu.

»Hier hast du also mal gewohnt?«, fragt er.

Ich habe wieder vergessen, dass dies sein erstes Mal in Garden Heights ist. »Ja, aber nicht auf dieser Seite des Viertels. Ich bin von der West Side.«

»*West Siiiide!*«, tönt Seven, während DeVante mit seinen Fingern ein *W* macht. »*The best siiiide!*«

»Sagt meine Momma auch!«, mischt DeVante sich ein.

Ich verdrehe die Augen. Meiner Ansicht nach machen die Leute viel zu viel Getue darum, von welcher Seite des Viertel jemand kommt. »Hast du die großen Wohnblocks gesehen, an denen wir vorbeigefahren sind? Das sind die Sozialwohnungsbauten, wo ich gewohnt habe, als ich noch klein war.«

Chris nickt. »Da, wo wir geparkt haben – war das der Taco Bell, wo dein Dad mit dir und Seven war?«

»Genau. Vor ein paar Jahren haben sie einen neuen aufgemacht. Näher am Freeway.«

»Vielleicht können wir da irgendwann mal hingehen«, sagt er.

»Bro«, meldet DeVante sich zu Wort. »Bitte sag mir, dass du nicht vorhast, dein Mädchen zu einem Date bei Taco Bell einzuladen. *Taco Bell?*«

Seven lacht laut auf.

»Entschuldigt mal, hat euch irgendwer gefragt?«, frage ich.

»Hey, du bist eine Freundin von mir, da versuche ich doch nur zu helfen«, sagt DeVante. »Dein Typ hat's nicht drauf.«

»Und ob ich's draufhabe!«, sagt Chris. »Ich will mein Mädchen nur wissen lassen, dass ich mit ihr überall hingehe, egal in welches Viertel. Solange sie dabei ist, passt es für mich.«

Er lächelt mich mit geschlossenen Lippen an. Ich ihn auch.

»Pah! Trotzdem ist es Taco Bell«, sagt DeVante. »Nach dem Date wird das dann eher Taco Hell mit schwerer Magenverstimmung.«

Die Stimme ist jetzt schon lauter geworden, aber immer noch nicht zu verstehen. Ein Mann und eine Frau rennen an uns vorbei. Sie schieben jeder einen Einkaufswagen, in denen Flachbildschirm-Fernseher liegen.

»Hier sind sie schon beim *wilding*«, sagt DeVante mit einem Glucksen, hält sich aber gleich darauf die Seite.

»King hat dich getreten, oder?«, sagt Seven. »Mit diesen fetten Timberlands, was?«

DeVante atmet pfeifend aus. Er nickt.

»Ja, das hat er mit meiner Momma auch mal gemacht. Und ihr dabei fast alle Rippen gebrochen.«

Ein Rottweiler an einer Kette in einem Hinterhof bellt und würde wohl gern auf uns losgehen. Ich stampfe vor ihm mit dem Fuß auf. Da springt er jaulend zurück.

»Sie ist okay«, sagt Seven, als würde er vor allem sich selbst davon überzeugen wollen. »Yeah. Ihr geht's gut.«

Einen Block entfernt stehen Leute auf einer Kreuzung und schauen alle auf etwas in einer der vier Straßen.

»Sie müssen die Straße räumen«, verkündet eine Lautsprecherstimme. »Sie blockieren widerrechtlich den Verkehr.«

»Eine Haarbürste ist keine Waffe! Eine Haarbürste ist keine Waffe!«, ertönt eine Stimme aus einem anderen Lautsprecher. Die Menge greift den Satz auf.

Jetzt sind auch wir bei der Kreuzung angelangt. Ein rot-grün-gelb bemalter Schulbus parkt rechts von uns. An der Seite ist JUST US FOR JUSTICE draufgeschrieben. In der Straße links von uns steht eine große Menschenmenge. Viele Leute recken schwarze Haarbürsten in die Luft.

Die Demonstranten sind auf der Carnation Street. Dort, wo es passiert ist.

Ich war seit dem Abend nicht mehr hier. Zu wissen, dass Khalil hier … Ich starre vor mich hin, da verschwindet die Menge und ich sehe ihn auf der Straße liegen. Alles spielt sich wieder wie ein Horrorfilm auf Dauerschleife vor meinen Augen ab. Er sieht mich zum letzten Mal an und –

»Eine Haarbürste ist keine Waffe!«

Die Stimme reißt mich aus meiner Benommenheit.

Vor der Menge steht eine Frau mit Twist-Frisur auf einem Streifenwagen. In der Hand hält sie ein Megafon. Als sie sich zu uns dreht, hebt sie die Faust – das Zeichen für Black Power. Vorn auf ihrem T-Shirt lächelt Khalil.

»Ist das nicht deine Anwältin, Starr?«, fragt Seven.

»Yeah.« Ich wusste zwar, dass Ms. Ofrah ein ziemlich radikales Leben führt, aber wenn man an eine Anwältin denkt, fällt einem nicht unbedingt eine Person ein, die mit Megafon auf einem Polizeiauto steht, oder?

»Gehen Sie sofort auseinander«, wiederholt der Polizist. Wegen der vielen Leute kann ich ihn nicht sehen.

Ms. Ofrah feuert die Menge noch mal an. »Eine Haarbürste ist keine Waffe! Eine Haarbürste ist keine Waffe!«

Das wirkt ansteckend und schallt jetzt von allen Seiten. Seven, DeVante und Chris rufen auch mit.

»Eine Haarbürste ist keine Waffe«, murmle ich.

Khalil lässt sie ins Fach an der Innenseite der Fahrertür fallen.

»Eine Haarbürste ist keine Waffe.«

Er öffnet die Tür, um zu fragen, ob ich okay bin.

Dann: Peng-Peng –

»Eine Haarbürste ist keine Waffe!«, schreie ich so laut ich kann, recke eine Faust in den Himmel und habe Tränen in den Augen.

»Ich lade Sister Freeman ein, hier raufzukommen und ein paar Worte zu dem Unrecht zu sagen, das heute Abend stattgefunden hat«, sagt Ms. Ofrah.

Dann übergibt sie das Megafon einer Frau, die auch ein Khalil-T-Shirt trägt, und springt selbst vom Streifenwagen. Die Menge lässt sie durch und Ms. Ofrah geht auf einen anderen Mitarbeiter zu, der neben dem Bus an der Kreuzung steht. Dabei entdeckt sie mich und schaut zweimal hin.

»Starr?«, sagt sie und kommt auf mich zu. »Was machst du denn hier draußen?«

»Wir ... ich ... als sie die Entscheidung bekannt gegeben haben, wollte ich irgendwas tun. Deshalb sind wir ins Viertel gefahren.«

Da erblickt sie den lädierten DeVante. »O mein Gott, ist das bei den Unruhen passiert?«

DeVante legt eine Hand an sein Gesicht. »Verdammt, sehe ich so schlimm aus?«

»Er sieht nicht deshalb so übel aus«, erkläre ich. »Aber wir sind in die Unruhen an der Magnolia geraten. Es wurde schlimm dort. Die Plünderer haben die Oberhand gewonnen.«

Ms. Ofrah verzieht den Mund. »Ja. Das haben wir auch gehört.«

»Das *Just Us for Justice*-Gebäude war noch okay, als wir weg sind«, sagt Seven.

»Selbst wenn nicht, macht das nichts«, sagt Ms. Ofrah. »Man kann Holz und Mauern zerstören, aber keine Bewegung. Starr, weiß deine Mutter, dass du hier bist?«

»Jaaa.« Das klingt nicht mal in meinen eigenen Ohren überzeugend.

»Wirklich?«

»Okay, nein. Aber bitte sagen Sie es ihr nicht.«

»Das muss ich aber«, sagt sie. »Als deine Anwältin muss ich tun, was zu deinem Besten ist. Und es ist zu deinem Besten, wenn deine Mom weiß, dass du hier draußen bist.«

Nein, ist es nicht, weil sie mich dann umbringen wird. »Aber Sie sind *meine* Anwältin. Nicht ihre. Können wir das nicht unter Schweigepflicht laufen lassen?«

»Starr –«

»Bitte! Während der anderen Proteste habe ich immer nur zugesehen. Und geredet. Jetzt will ich aber was *tun*.«

»Wer hat behauptet, dass Reden nicht auch Tun ist?«,

sagt sie. »Jedenfalls produktiver als Schweigen. Erinnerst du dich noch daran, was ich dir über deine Stimme gesagt habe?«

»Sie haben gesagt, dass sie meine stärkste Waffe ist.«

»Und das habe ich auch gemeint.« Sie sieht mich eine Sekunde lang eindringlich an und seufzt dann. »Willst du heute Abend das System bekämpfen?«

Ich nicke.

»Dann komm.«

Ms. Ofrah nimmt mich bei der Hand und führt mich durch die Menge.

»Feuer mich«, sagt sie.

»Hä?«

»Sag, dass ich dich nicht mehr vertreten soll.«

»Sie sollen mich nicht mehr vertreten?«, frage ich.

»Gut. Ab sofort bin ich nicht mehr deine Anwältin. Wenn also deine Eltern hiervon erfahren, dann habe ich nicht als deine Anwältin, sondern als Aktivistin gehandelt. Hast du den Bus bei der Kreuzung gesehen?«

»Klar.«

»Wenn die Polizei anrückt, rennst du direkt da hin. Verstanden?«

»Aber was –«

Sie bringt mich zu dem Streifenwagen und winkt ihrer Kollegin. Die klettert herunter und gibt Ms. Ofrah das Megafon. Die reicht es an mich weiter.

»Benutz deine Waffe«, sagt sie.

Ein anderer ihrer Mitarbeiter hebt mich auf das Dach des Streifenwagens.

Vielleicht zehn Schritte entfernt ist mitten auf der Straße eine Gedenkstätte für Khalil. Dort brennen Kerzen, liegen Teddybären, stehen gerahmte Bilder und oben drüber schweben Luftballons. Dahinter ist ein Trupp Polizisten in Kampfmontur aufmarschiert. Es sind längst nicht so viele wie auf der Magnolia, aber trotzdem ... es sind Cops.

Ich drehe mich zu den Demonstranten, die mich erwartungsvoll anschauen.

Das Megafon ist so schwer wie eine Pistole. Was für eine Ironie, wo Ms. Ofrah doch gesagt hat, ich soll meine Waffe benutzen. Shit, ich habe keine Ahnung, was ich sagen soll. Trotzdem halte ich es nah an meinen Mund und drücke den Knopf.

»Mein –« Das Geräusch ist ohrenbetäubend laut.

»Hab keine Angst!«, schreit jemand aus der Menge. »Rede!«

»Räumen Sie unverzüglich die Straße«, tönt der Polizist. Weißt du was? *Fuck it.*

»Mein Name ist Starr. Ich bin diejenige, die gesehen hat, was mit Khalil passiert ist«, sage ich ins Megafon. »Und das war Unrecht.«

Ein paar Leute rufen »Yeah« oder »Amen«.

»Wir haben nicht Falsches getan. Officer Cruise hat nicht nur unterstellt, dass wir Böses vorhatten, er hat uns auch unterstellt, Kriminelle zu sein. Dabei ist Officer Cruise der Kriminelle.«

Die Menge jubelt und applaudiert. Ms. Ofrah sagt: »Red weiter!«

Das spornt mich an.

Ich drehe mich zu den Cops um. »Ich hab das alles so satt! Wenn ihr uns wegen ein paar Leuten abstempelt, dann machen wir eben das Gleiche mit euch. Bis ihr uns einen Grund gebt, anders über euch zu denken, werden wir weiter protestieren.«

Der Jubel nimmt zu und stachelt mich, ehrlich gesagt, weiter an. Ich bin wohl nicht der schieß-, sondern der sprechwütige Typ.

»Alle reden immer nur davon, wie Khalil gestorben ist«, sage ich. »Dabei geht es hier nicht darum, wie er gestorben ist, sondern um die Tatsache, dass er gelebt hat. Sein Leben war von Bedeutung. Khalil hat gelebt!« Ich schaue wieder zu den Cops. »Hört ihr mich? Khalil hat gelebt!«

»Sie haben noch drei Sekunden, um diese Versammlung aufzulösen«, sagt der Polizist über Lautsprecher.

»Khalil hat gelebt!«, skandieren wir.

»Eins.«

»Khalil hat gelebt!«

»Zwei.«

»Khalil hat gelebt!«

»Drei.«

»Khalil hat gelebt!«

Aus den Reihen der Cops kommt eine Kartusche mit Tränengas geflogen und landet neben dem Streifenwagen.

Ich springe vom Dach und schnappe sie mir. Aus einem Ende quillt Rauch. Sie kann jede Sekunde explodieren.

In der Hoffnung, dass Khalil mich hört, schreie ich, so laut ich kann, und schleudere sie zurück zu den Cops. Dort explodiert sie und hüllt die Polizisten in eine Wolke aus Tränengas.

Dann bricht die Hölle los.

Die Cops trampeln über Khalils Gedenkstätte hinweg und die Menge rennt los. Jemand packt mich am Arm. Ms. Ofrah.

»Lauf zum Bus!«, ruft sie.

Ich bin schon fast dort, als Chris und Seven mich einholen.

»Komm!«, sagt Seven und die beiden ziehen mich mit sich.

Ich versuche, ihnen das mit dem Bus zu sagen, aber schon gibt es weitere Explosionen und dicker weißer Rauch verschluckt uns. Meine Nase und mein Hals brennen, als hätte ich Feuer geschluckt. Meine Augen fühlen sich an, als würden Flammen daran lecken.

Über unseren Köpfen pfeift irgendwas, dann explodiert was genau vor uns. Noch mehr Rauch.

»DeVante!«, krächzt Chris und schaut um sich. »DeVante!«

Wir finden ihn an eine flackernde Straßenlaterne gelehnt. Er hustet und keucht. Seven lässt mich los und packt ihn am Arm.

»Shit, Mann! Meine Augen! Ich krieg keine Luft.«

Wir rennen. Chris hält meine Hand genauso fest umklammert wie ich seine. Aus jeder Richtung hört man Schreie und Knallen. Wegen des Rauchs kann ich nichts sehen, nicht mal mehr den Bus von *Just Us*.

»Ich kann nicht laufen. Meine Rippen!«, sagt DeVante. »Shit!«

»Komm schon, Alter«, sagt Seven und zieht ihn mit sich. »Komm weiter!«

Aus dem Rauch tauchen Scheinwerfer auf. Ein grauer Pick-up-Truck mit Monsterreifen. Er hält neben uns, das Fenster wird runtergelassen und mein Herz setzt kurz aus, weil ich erwarte, in die Waffe eines King Lords zu blicken.

Doch vom Fahrersitz sieht uns Goon an, der King Lord aus Cedar Grove mit dem Pferdeschwanz. Über Nase und Mund hat er eine graue Bandana. »Steigt hinten auf!«, sagt er.

Zwei Jungs und ein Mädchen, alle ungefähr in unserem Alter und mit weißen Bandanas vor dem Gesicht, helfen uns hinten auf den Truck. Dieser Einladung kommen gleich noch mehr Leute nach: ein Weißer mit Hemd und Krawatte sowie ein Latino mit einer Videokamera auf der Schulter. Der weiße Mann kommt mir seltsam bekannt vor. Dann fährt Goon los.

DeVante liegt auf der Ladefläche des Trucks. Er hält sich die Augen zu und rollt sich vor Schmerz zusammen. »Shit, Mann! Shit!«

»Bri, gib ihm was von der Milch«, sagt Goon durch das hintere Fenster.

Milch?

»Wir haben keine mehr, Onkel«, sagt das Mädchen.

»Fuck!«, zischt Goon. »Halt durch, Vante.«

Tränen und Rotz laufen mir übers Gesicht. Meine Augen fühlen sich vor lauter Brennen schon wie betäubt an.

Der Truck wird langsamer. »Sammelt den kleinen Homie ein«, sagt Goon.

Die zwei Jungs mit den Bandanas packen einen Teenager bei den Armen und ziehen ihn auf den Truck. Der Junge sieht aus wie dreizehn. Sein Shirt ist voller Ruß; er hustet und keucht.

Ich kriege einen Hustenanfall. Wenn ich Luft hole, fühlt sich das an wie heiße Kohlen im Hals. Der Mann mit Hemd und Krawatte reicht mir ein nasses Stofftaschentuch.

»Das hilft ein bisschen«, sagt er. »Halt dir das an die Nase und atme da durch.«

Ich kriege ein bisschen saubere Luft. Ich gebe es an Chris weiter, der es benutzt und an Seven weiterreicht. Seven macht es genauso und gibt es weiter.

»Wie du sehen kannst, Jim«, sagt der Mann jetzt zu jemandem, den keiner von uns sieht, »protestieren hier draußen heute Abend viele Jugendliche, schwarze und weiße.«

»Ich bin der Alibi-Weiße, was?«, flüstert Chris mir zu, bevor er wieder husten muss. Ich würde loslachen, wenn es nicht wehtäte.

»Und dann gibt es hier Leute wie diesen Gentleman, die durchs Viertel fahren und helfen, wo sie können«, sagt der Weiße. »Sie am Steuer, wie heißen Sie?«

Der Latino richtet die Kamera auf Goon.

»*Nunya*«, sagt Goon.

»Danke, Nunya, dass Sie uns mitnehmen.«

Wooow! Jetzt wird mir klar, warum er mir so bekannt vorkam. Das ist Brian Sowieso, Reporter bei einem der landesweiten TV-Sender.

»Diese junge Dame hier hat vorhin ein starkes Statement abgeliefert«, sagt er und die Kamera richtet sich auf mich. »Sind Sie tatsächlich die Zeugin?«

Ich nicke. Wäre sowieso sinnlos, das noch verheimlichen zu wollen.

»Wir haben mitgeschnitten, was Sie da vorhin gesagt haben. Möchten Sie für unsere Zuschauer dem noch irgendwas hinzufügen?«

»Yeah. Dass das alles überhaupt keinen Sinn ergibt.«

Ich muss wieder husten, da lässt er mich in Ruhe.

Wenn ich die Augen nicht gerade zukneife, sehe ich, wie mein altes Viertel jetzt aussieht. Noch mehr gepanzerte Fahrzeuge, Cops in Kampfmontur und noch mehr Rauch. Geplünderte Geschäfte. Die Straßenlaternen sind aus, und nur lodernde Feuer verhindern, dass es stockdunkel ist. Leute rennen aus dem Walmart, die Arme voll beladen. Das sieht irgendwie aus wie Ameisen auf einem Ameisenhügel. Die unangetasteten Geschäfte haben alle die Fenster mit Brettern vernagelt und ein aufgespraytes »BLACK OWNED« drauf.

Endlich biegen wir in die Marigold Avenue, und obwohl es in meinen Lungen brennt, hole ich tief Luft. Unser Laden ist noch heil. Die Fenster sind zugenagelt und mit dem Schriftzug BLACK OWNED versehen worden, als wäre es Blut eines Opferlamms, das vor der Pest schützt. Die Straße ist ziemlich ruhig. *Top Shelf Wine and Spirits* ist das einzige Geschäft mit zerbrochenen Schaufenstern. Aber es steht eben auch nirgends BLACK OWNED dran.

Goon hält vor unserem Laden. Er springt raus, kommt

zur Ladefläche und hilft allen runter. »Starr, Sev, hat einer von euch einen Schlüssel?«

Ich taste meine Taschen nach Sevens Schlüsselbund ab und werfe ihn Goon zu. Er probiert alle Schlüssel durch, bis sich die Tür endlich öffnet. »Rein mit euch allen«, sagt er.

Alle, auch der Reporter und der Kameramann, stolpern nach drinnen. Goon und einer der Jungs mit Bandana packen DeVante und tragen ihn rein. Von Daddy keine Spur.

Ich stürze auf die Knie und lasse mich dann auf den Bauch fallen. Dabei blinzle ich hektisch. Meine brennenden Augen füllen sich mit Tränen.

Goon lädt DeVante auf die Bank für alte Leute ab und rennt dann zum Kühlschrank.

Mit einer Gallone Milch kommt er zurück und kippt sie ihm ins Gesicht. Von der Milch ist DeVante einen Moment lang weiß, dann hustet und spuckt er. Goon gießt ungerührt weiter.

»Stopp!«, ruft DeVante. »Du ertränkst mich noch.«

»Aber ich wette, deine Augen brennen jetzt nicht mehr«, sagt Goon.

Halb kriechend schleppe ich mich so schnell ich kann zum Kühlschrank und hole mir auch eine Gallone. Als ich mir Milch ins Gesicht schütte, wird es sofort besser.

Auch die anderen gießen sich Milch übers Gesicht, während der Kameramann alles filmt. Eine ältere Dame trinkt direkt aus dem Karton. Auf dem Boden bilden sich Milchpfützen. Ein Typ, ungefähr im College-Alter, liegt mit dem Gesicht nach unten und ringt nach Luft.

Sobald es den Leuten besser geht, verschwinden sie wieder. Goon schnappt sich ein paar Milchkartons und fragt: »Hey, können wir die mitnehmen, falls jemand auf der Straße sie braucht?«

Seven nickt und trinkt selbst aus einem Karton.

»Danke, li'l Homie. Sollte ich euren Pops noch mal treffen, sage ich ihm, dass ihr alle hier seid.«

»Du hast –« Ich muss husten und nehme einen Schluck Milch, um das Feuer in meinen Lungen zu löschen. »Du hast unsern Dad gesehen?«

»Ja, ist aber schon bisschen her. Er hat euch alle gesucht.«

O Shit.

»Sir«, sagt der Reporter zu Goon, »können wir mitfahren? Wir würden gern noch mehr von der Gegend sehen.«

»Keine große Sache, Homie. Springt hinten rauf.« Dann dreht er sich zur Kamera und formt mit den Fingern ein K und ein L. »Cedar Grove Kings, Baby! Kronen auf! Addi-o!« Er verkündet auch noch den Schlachtruf der King Lords. Klar muss der jetzt noch Gangzeichen live vor der Kamera machen.

So bleiben wir im Laden zurück. Seven, Chris und ich hocken mit angezogenen Knien in einem Milchsee. DeVante liegt auf der Bank für die alten Leute, seine Beine hängen runter. Ab und an schüttet er Milch in sich rein.

Seven zieht sein Handy aus der Tasche. »Mist, das Ding ist tot. Starr, hast du deins da?«

»Ja.« Und darauf ist eine Flut von Sprachnachrichten und SMS, die meisten von Momma.

Zuerst spiele ich die Sprachnachrichten ab. Sie fangen noch relativ harmlos an. Momma sagt: »*Starr, Baby, ruf mich an, sobald du das hörst, ja?*«

Aber bald klingt es so: »*Starr Amara, ich weiß, dass du diese Nachrichten kriegst. Ruf mich an. Das meine ich ernst.*«

Und weiter geht es mit: »*Du treibst es zu weit. Jetzt ziehen Carlos und ich los und du kannst zu Gott beten, dass wir dich nicht finden!*«

In ihrer letzten Nachricht vor ein paar Minuten, sagt Momma: »*Ach, du kannst mich also nicht zurückrufen, aber Demos anführen, was? Momma hat mir gesagt, dass sie dich live im Fernsehen gesehen hat, wo du Reden gehalten und Tränengas auf Cops geworfen hast! Ich schwör dir, ich dreh dir den Hals um, wenn du mich nicht anrufst!*«

»Wir sitzen tief in der Scheiße, Leute«, sagt DeVante. »Ganz tief.«

Seven schaut auf seine Uhr. »Verdammt. Wir sind schon seit vier Stunden weg.«

»Ganz tief«, wiederholt DeVante.

»Vielleicht könnten wir uns zu viert nach Mexiko absetzen?«, schlägt Chris vor.

Ich schüttle den Kopf. »Ist für unsere Mom nicht weit genug weg.«

Seven zupft an seinem Gesicht rum. Die Milch beginnt zu trocknen und klebrig zu werden. »Na gut, wir müssen sie anrufen. Und wenn wir sie vom Telefon im Büro aus anrufen, dann sieht Ma die übertragene Nummer und weiß, dass wir nicht lügen und wirklich hier sind. Das bringt uns bestimmt was, oder?«

»Wir sind mindestens drei Stunden über den Zeitpunkt, wo uns noch irgendwas genützt hätte«, sage ich.

Seven steht auf und zieht mich und Chris vom Boden hoch. Dann hilft er DeVante von der Bank auf die Beine. »Kommt. Und alle schön reumütig klingen, okay?«

Wir wollen in Daddys Büro.

Da knarzt die Eingangstür. Irgendwas knallt auf den Boden.

Ich drehe mich um. Eine Glasflasche mit einem brennenden Stofffetzen.

Wumm! Auf einen Schlag ist der Laden grellorange erleuchtet. Hitze, als wäre die Sonne reingefallen, breitet sich aus. Flammen schlagen bis zur Decke hinauf und blockieren die Tür.

Kapitel 25

Eine ganze Regalreihe steht schon in Flammen.

»Die Hintertür«, keucht Seven. »Die Hintertür!«

Chris und DeVante folgen uns durch den schmalen Gang, vorbei an Daddys Büro. Er führt zur Toilette und zur Hintertür, wo sonst Ware angeliefert wird. Auch hier ist schon alles voller Rauch.

Seven wirft sich gegen die Tür, aber die rührt sich nicht. Er und Chris rammen abwechselnd ihre Schultern dagegen, aber sie ist kugelsicher, schultersicher, gegen alles gesichert. Die Eisenstangen zum Schutz vor Einbrechern hindern uns am Entkommen.

»Starr, meine Schlüssel«, krächzt Seven.

Ich schüttle den Kopf. Die habe ich Goon gegeben und zuletzt in der Vordertür stecken gesehen.

DeVante hustet. Wegen des ganzen Rauchs fällt uns allen das Atmen immer schwerer. »Mann, wir können hier doch nicht krepieren. Ich will nicht sterben.«

»Halt die Klappe!«, sagt Chris. »Wir werden nicht sterben.«

Ich huste in meine Armbeuge. »Daddy hat vielleicht noch einen Ersatzschlüssel«, sage ich mit dünner Stimme. »In seinem Büro.«

Wir rennen den Flur zurück, aber das Büro ist auch abgeschlossen.

»Fuck!«, schreit Seven.

Wir laufen wieder in den Laden, da sehen wir durch eine Lücke zwischen den Brettern Mr. Lewis mitten über die Straße humpeln. Mit jeder Hand hält er einen Baseballschläger umklammert. Er blickt sich um, als versuche er zu erkennen, wo der Rauch herkommt. Wegen der Bretter vor den Fenstern kann er das Inferno im Laden nur sehen, wenn er durch die Vordertür schaut.

»Mr. Lewis!«, kreische ich, so laut ich kann.

Die Jungs fallen mit ein, aber der Rauch nimmt uns die Stimme. Die Flammen tanzen noch ein paar Schritte von uns entfernt, aber es fühlt sich an, als stünde ich mittendrin.

Jetzt tappt Mr. Lewis mit halb zusammengekniffenen Augen auf den Laden zu. Als er durch die Tür schaut und uns jenseits der Flammen stehen sieht, reißt er sie weit auf. »O Lord!«

Schneller, als ich ihn je habe laufen sehen, humpelt er auf die Straße zurück. »Hilfe! Die Kids sitzen da drin fest! Hilfe!«

Rechts von uns kracht es laut. Das Feuer hat sich ein weiteres Regal einverleibt.

Mr. Reubens Neffe Tim kommt rübergerannt und reißt die Tür auf, aber die Flammen sind zu massiv.

»Lauft zur Hintertür!«, ruft er uns zu.

Tim ist selbst fast so schnell dort wie wir. Er reißt so heftig daran, dass das Glas klirrt. So wie sich das anhört, wird die Tür am Ende nachgeben. Fragt sich nur, ob uns so viel Zeit bleibt.

Da quietschen draußen Reifen.

Augenblicke später kommt Daddy zur Hintertür gelaufen.

»Achtung!«, sagt er zu Tim und schiebt ihn beiseite.

Daddy hantiert hastig mit seinen Schlüsseln und steckt nacheinander verschiedene ins Schloss, während er die ganze Zeit murmelt: »Bitte, lieber Gott, bitte, bitte.«

Wegen des ganzen Rauchs kann ich Seven, Chris und DeVante kaum noch sehen. Ich höre sie nur neben mir husten und keuchen.

Ein Klicken. Der Türknauf dreht sich. Die Tür fliegt auf. Wir stürzen nach draußen. Frische Luft füllt meine Lungen.

Daddy zieht mich und Seven den kleinen Weg entlang um die Ecke und über die Straße zu Reuben's. Tim hilft DeVante und Chris. Wir setzen uns alle auf den Gehsteig.

Wieder quietschende Reifen und schon hört man Momma: »O mein Gott!«

Sie kommt angerannt, Onkel Carlos ist ihr dicht auf den Fersen. Dann nimmt sie mich bei den Schultern und drückt mich zum Liegen runter.

»Atmen, Baby«, sagt sie, »schön atmen.«

Aber ich muss was sehen und setze mich wieder auf.

Daddy versucht, wegen Gott weiß was, in den Laden zu gelangen. Aber die Flammen zwingen ihn zurück. Tim kommt mit einem Eimer Wasser aus dem Restaurant seines Onkels. Damit rennt er zu unserem Laden und kippt es ins Feuer, aber er muss sofort zurückspringen.

Leute kommen auf die Straße und schleppen weitere schwappende Eimer zum Laden. Ms. Yvette taucht mit einem Eimer aus ihrem Schönheitssalon auf. Tim schleudert ihn aufs Feuer. Inzwischen haben die Flammen das Dach erreicht und aus den Fenstern des Friseurgeschäfts nebenan quillt auch schon Rauch.

»Mein Laden!«, schreit Mr. Lewis. Mr. Reuben hindert ihn daran, hinzulaufen. »Mein Laden!«

Daddy steht schwer atmend mitten auf der Straße und sieht hilflos aus. Inzwischen hat sich eine Menschenmenge versammelt und die Leute schauen mit vor Schreck auf die Münder gepressten Händen zu.

Auf einmal dröhnende Bässe. Daddy dreht sich langsam um.

Ein grauer BMW parkt auf der Kreuzung neben dem Spirituosenladen. King lehnt daran. Ein paar andere King Lords stehen neben ihm oder sitzen auf der Motorhaube. Sie lachen und zeigen mit den Fingern.

King starrt Daddy an und holt sein Feuerzeug raus. Er lässt es aufflammen.

Iesha hat gesagt, King würde es *uns* heimzahlen, weil ich ihn indirekt verraten habe. Das bedeutete, meiner ganzen Familie. Genau das ist jetzt passiert.

»Du Hurensohn!« Daddy marschiert auf King zu, woraufhin Kings Jungs sich auf Daddy zu bewegen. Onkel Carlos hält ihn auf. Die King Lords greifen nach ihren Waffen und fordern Daddy auf, es ruhig zu versuchen. King lacht, als wäre das hier eine Comedy Show.

»Du denkst wohl, das ist lustig?«, brüllt Daddy. »Du Dreckskerl versteckst dich doch immer hinter deinen Jungs!«

King hört auf zu lachen.

»Du hast ganz richtig gehört! Ich hab keine Angst vor dir! Doch nicht vor so einem Stück Scheiße wie dir! Jemand, der versucht, ein paar Kids zu verbrennen, du verdammter Feigling!«

»Genau!« Jetzt steuert auch Momma auf King zu und Onkel Carlos kann sie nur mit Mühe ebenfalls zurückhalten.

»Er hat Mavericks Laden niedergebrannt!«, verkündet Mr. Lewis so laut, dass es jeder hören kann. »King hat Mavericks Laden niedergebrannt!«

In der Menge brodelt es und finstere Blicke richten sich auf King.

Jetzt geruhen endlich die Cops und das Feuerwehrauto aufzutauchen. Na klar. So läuft das nämlich immer in Garden Heights.

Onkel Carlos hat meine Eltern endlich so weit, dass sie sich wieder zurückziehen. King hält eine Zigarre an seine Lippen. Ich sehe seine Augen glitzern und würde mir am liebsten einen von Mr. Lewis Baseballschlägern schnappen und ihm damit eins über den Schädel ziehen.

Die Feuerwehrleute machen sich an die Arbeit, während die Cops die Menge zurückdrängen. King und seine Jungs wirken richtig amüsiert. Shit, das ist ja gerade so, als ob die Cops ihnen helfen würden.

»Ihr müsst die festnehmen!«, ruft Mr. Lewis. »Die haben den Brand gelegt!«

»Der alte Mann weiß ja nicht, wovon er spricht«, behauptet King. »Der ganze Rauch hat ihn anscheinend benebelt.«

Da will Mr. Lewis auf King losgehen und ein Polizist hindert ihn daran. »Ich bin nicht verrückt! Du warst das! Das weiß jeder!«

Es zuckt in Kings Gesicht. »Pass lieber auf, was du sagst, bevor du hier Leute beschuldigst.«

Daddy dreht sich kurz zu mir um, und da sehe ich einen Ausdruck in seinem Gesicht, den ich bisher nicht kannte. Dann wendet er sich an den Cop, der Mr. Lewis zurückhält: »Er sagt die Wahrheit. Das war King, Officer.«

Ho-ly shit.

Daddy hat ihn verpfiffen.

»Das ist mein Laden«, erklärt er. »Ich weiß, dass er das Feuer gelegt hat.«

»Haben Sie ihn dabei beobachtet?«, fragt der Cop.

Nein. Und das ist das Problem. Wir wissen alle, dass King es war, aber wenn keiner ihn gesehen hat …

»Ich hab ihn gesehen«, sagt jetzt Mr. Reuben. »Er war's.«

»Ich hab ihn auch gesehen«, sagt Tim.

»Ich auch«, meldet sich Ms. Yvette.

Und Shit, aus der Menge kommt es wie lauter Echos. Finger zeigen auf King und seine Jungs. Sie alle verpfeifen ihn. Die Regeln gelten verdammt noch mal nicht mehr.

King greift nach dem Türgriff seines Wagens, aber ein paar der Cops ziehen sofort ihre Waffen und befehlen ihm und seinen Jungs, sich auf den Boden zu legen.

Ein Krankenwagen trifft ein. Momma berichtet den Sanitätern vom Rauch, den wir eingeatmet haben. Ich verrate, was DeVante noch passiert ist, auch wenn sein inzwischen schwarz verfärbtes Auge schon ganz von selbst zeigt, dass er Hilfe braucht. Sie lassen uns vier erst mal auf dem Bordstein sitzen und geben uns nur Sauerstoffmasken. Ich dachte, so schlecht ginge es mir inzwischen gar nicht mehr, aber anscheinend hatte ich vergessen, wie gut frische Luft tut. Seit unserer Ankunft in Garden Heights habe ich nur verrauchte Luft geatmet.

Sie schauen sich DeVantes Seite an. Sie ist lila verfärbt und sie wollen ihn sofort zum Röntgen mitnehmen. Er möchte aber nicht in den Krankenwagen steigen, deshalb versichert Momma den Sanitätern, dass sie ihn selbst hinbringen wird.

Ich lehne den Kopf an Chris' Schulter, während wir mit unseren Sauerstoffmasken dasitzen und Händchen halten. Ich würde nie behaupten, der heutige Abend wäre besser gelaufen, weil er dabei war – offen gestanden war das ein besonders beschissener Abend, den nichts besser machen könnte –, aber es schadet auch nichts, dass wir ihn gemeinsam durchlitten haben.

Meine Eltern kommen auf uns zu. Daddys Lippen werden zu einem Strich und er murmelt etwas, das nur Momma hört. Sie stößt ihn mit dem Ellbogen an und sagt: »Sei nett.«

Sie setzt sich zwischen Chris und Seven, während Daddy vor mir und Chris stehen bleibt, als erwarte er, dass wir für ihn auseinanderrücken.

»Maverick«, sagt Momma.

»Schon gut, schon gut.« Dann setzt er sich auf die andere Seite neben mich.

Wir sehen den Feuerwehrleuten beim Löschen zu, obwohl das nicht mehr viel bringen wird. Sie können nur die Außenmauern des Ladens retten.

Daddy seufzt und streicht sich über seinen kahlen Kopf. »Verdammt, Mann.«

Mir tut es im Herzen weh. Man kann sagen, wir haben gerade ein Familienmitglied verloren. Schließlich habe ich den Großteil meines Lebens in diesem Laden verbracht. Ich hebe den Kopf von Chris' Schulter und lege ihn auf Daddys. Er nimmt mich in den Arm und küsst mich aufs Haar. Sein triumphierender Gesichtsausdruck entgeht mir dabei nicht. Er ist so was von kleinlich.

»Moment mal.« Er löst sich von mir. »Wo zur Hölle wart ihr eigentlich alle?«

»Das würde ich auch gern wissen«, sagt Momma. »Tut einfach so, als könntet ihr meine Nachrichten nicht beantworten!«

Ist das ihr Ernst? Seven und ich sind fast bei einem Brand gestorben, und jetzt ärgern sie sich, weil wir sie nicht zurückgerufen haben? Ich hebe meine Sauerstoffmaske ein Stück an. »War ein langer Abend.«

»Ja, allerdings«, sagt Momma. »Da haben wir uns eine kleine Revoluzzerin herangezogen, Maverick. Taucht in den Nachrichten auf, wie sie Tränengas auf Cops schmeißt.«

»Nachdem die es zuerst auf uns geschmissen haben«, stelle ich klar.

»Waaas?«, fragt Daddy, klingt dabei aber ziemlich beeindruckt. Momma sieht ihn scharf an, worauf er in strengerem Ton meint: »Ich meine, was? Was hast du dir dabei gedacht?«

»Ich war wütend.« Mit verschränkten Armen starre ich auf meine Schuhspitzen. »Diese Entscheidung war nicht gerecht.«

Daddy legt wieder den Arm um mich und lehnt seinen Kopf an meinen. Typisches Daddy-Kuscheln. »Nope«, sagt er. »War sie nicht.«

»Hey«, sagt Momma, damit ich sie ansehe. »Die Entscheidung war vielleicht nicht gerecht, aber das ist nicht dein Fehler. Erinnerst du dich daran, was ich dir gesagt habe? Manchmal laufen Dinge falsch –«

»Aber entscheidend ist, dass man trotzdem weiter das Richtige tut.« Mein Blick wandert wieder zu meinen Schuhen. »Khalil hat trotzdem was Besseres verdient.«

»Yeah.« Ihre Stimme klingt belegt. »Das hat er.«

Daddy schaut an mir vorbei und meinen Boyfriend an. »Also ... Chris, du Langweiler.«

Seven schnaubt. DeVante kichert. Momma sagt: »Maverick!« Und ich sage: »Daddy!«

»Immerhin nicht mehr ›white Boy‹«, sagt Chris.

»Genau«, meint Daddy. »Das ist schon ein Schritt weiter. Du musst dir meine Toleranz schrittweise verdienen, falls du meine Tochter daten willst.«

»Ach Gott.« Momma verdreht die Augen. »Chris, Baby, warst du etwa den ganzen Abend *hier draußen*?«

So, wie sie das sagt, bringt es mich zum Lachen. Sie fragt ihn quasi, ob ihm klar ist, dass er sich hier in der Hood befindet.

»Ja, Ma'am«, sagt Chris. »Den ganzen Abend über.«

Daddy grunzt. »Vielleicht hast du doch ein paar Eier.«

Mir fällt die Kinnlade runter. Momma ruft: »Maverick Carter!« Seven und DeVante brechen in Gelächter aus.

Aber Chris? Der sagt nur: »Ja, Sir, das glaube ich schon.«

»Wooow«, stößt Seven hervor. Er streckt den Arm aus, um mit der Faust gegen Chris' zu stoßen. Aber weil Daddy ihm einen strengen Blick zuwirft, zieht er die Hand schnell wieder zurück.

»Na gut, Langweiler-Chris«, sagt Daddy. »Boxstudio, nächsten Samstag, du und ich.«

Chris reißt sich schnell die Sauerstoffmaske vom Gesicht. »Tut mir leid, ich hätte das nicht sagen –«

»Krieg dich wieder ein, ich will dich ja nicht zusammenschlagen«, sagt Daddy. »Wir werden gemeinsam trainieren. Einander kennenlernen. Du bist ja schon ein Weilchen mit meiner Tochter zusammen. Ich will wissen, wer du bist, und in einem Boxstudio kann man 'ne Menge über einen Mann lernen.«

»Ah ...« Chris' Schultern entspannen sich. »Okay.« Er setzt die Sauerstoffmaske wieder auf.

Daddy grinst. Wenn auch für meinen Geschmack ein bisschen zu boshaft. Er wird meinen armen Boyfriend fertigmachen.

Gerade verladen die Cops King und seine Jungs in mehrere Streifenwagen. Die Menge quittiert das mit Applaus und Jubel. Wenigstens etwas, das man heute Abend feiern kann.

Onkel Carlos kommt zu uns geschlendert. Er trägt nur Unterhemd und Shorts, was überhaupt nicht nach ihm aussieht, trotzdem hat er irgendwie eine Detective-Ausstrahlung. Und zwar seit seine Kollegen hier eingetroffen sind.

Als er sich neben DeVante auf den Bordstein sinken lässt, gibt Onkel Carlos so ein Alte-Männer-Grunzen von sich. Dann packt er DeVante am Genick, wie Daddy das immer mit Seven macht. Männerumarmung nenne ich das.

»Bin froh, dass dir nichts passiert ist, Kid«, sagt er. »Auch wenn du aussiehst, als wärst du zweimal von einem Truck überrollt worden.«

»Bist du nicht sauer, weil ich weg bin, ohne euch Bescheid zu sagen?«

»Na klar bin ich sauer. Ich bin sogar ziemlich angepisst. Aber noch mehr freue ich mich, weil dir sonst nichts passiert ist. Mit meiner Mom und Pam sieht das natürlich ganz anders aus. Vor deren Zorn kann ich dich nicht beschützen.«

»Schmeißt ihr mich jetzt raus?«

»Nein. Du kriegst Hausarrest. Wahrscheinlich bis an dein Lebensende, aber nur, weil wir dich so gern haben.«

Da lächelt DeVante vorsichtig.

Onkel Carlos klopft sich auf die Knie. »Alsooo ... dank der vielen Zeugen sollten wir King wegen Brandstiftung drankriegen.«

»Ach, echt jetzt?«, sagt Daddy.

»Yep. Das ist mal ein Anfang, auch wenn es natürlich nicht reicht. Ende der Woche wird er wieder draußen sein.«

Und den gleichen Bullshit machen wie vorher. Diesmal wird er gleich mehrere Leute ins Visier nehmen.

»Wenn ihr aber wüsstet, wo er sein Zeug versteckt hat«, meint DeVante, »würde das was nützen?«

Onkel Carlos sagt: »Wahrscheinlich schon.«

»Und wenn jemand bereit wäre, gegen ihn auszusagen, würde das was nützen?«

Jetzt dreht sich Onkel Carlos ganz zu ihm. »Willst du damit sagen, du möchtest eine offizielle Zeugenaussage machen?«

»Ich meine ...« DeVante schweigt kurz. »Würde das Kenya, ihrer Momma und ihrer Schwester helfen?«

»Wenn King in den Knast wandern würde?«, sagt Seven. »Klar. Und wie.«

»Ehrlich gesagt würde es dem ganzen Viertel nützen«, sagt Daddy.

»Und würde ich geschützt?«, fragt DeVante Onkel Carlos.

»Definitiv. Das verspreche ich dir.«

»Und Onkel Carlos hält seine Versprechen immer«, sage ich.

DeVante nickt. »Dann denke ich, werde ich eine offizielle Zeugenaussage machen.«

Ho-ly shit, kann ich da nur noch mal sagen. »Bist du dir echt sicher?«, frage ich.

»Yeah. Nachdem ich gesehen habe, wie du diesen ganzen Cops gegenüber aufgetreten bist. Ich weiß auch nicht. Aber das hat bei mir irgendwas ausgelöst«, sagt er. »Und diese Lady hat doch gesagt, unsere Stimmen sind eine Waffe. Dann sollte ich meine vielleicht auch benutzen, oder nicht?«

»Dann bist du also bereit, ein Verräter zu werden«, sagt Chris.

»Nur was King betrifft«, fügt Seven hinzu.

DeVante zuckt mit den Achseln. »*Snitches get stitches*, heißt es doch. Und zusammengeflickt werden muss ich sowieso, da kann ich auch den Verräter machen.«

Kapitel 26

Es ist gegen elf Uhr am nächsten Morgen und ich liege noch im Bett. Nach dem längsten Abend aller Zeiten musste ich mich wirklich erst wieder so richtig mit meinem Kopfkissen vertraut machen.

Momma knipst das Licht in meinem neuen Zimmer an. Du lieber Himmel, hier drin gibt's wirklich zu viele Lampen. »Starr, deine Komplizin ist am Telefon«, sagt sie.

»Wer?«, nuschle ich.

»Deine Komplizin bei der Demo. Momma hat im Fernsehen gesehen, wie sie dir das Megafon in die Hand gedrückt hat. Wie konnte sie dich nur so in Gefahr bringen?«

»Aber sie wollte mich gar nicht in –«

»Oh, keine Sorge, meine Meinung dazu kennt sie schon. Hier. Sie will sich bei dir entschuldigen.«

Ms. Ofrah entschuldigt sich dann tatsächlich dafür, mich in eine gefährliche Lage gebracht zu haben, und dafür, wie die Sache mit Khalil ausgegangen ist, aber sie sagt auch, dass sie stolz auf mich ist.

Außerdem meint sie, ich hätte ihrer Ansicht nach eine Zukunft in der Bürgerrechtsbewegung.

Nachdem Momma das Telefon wieder mitgenommen hat, drehe ich mich auf die Seite. Grinsend sieht Tupac mich von einem Poster herab an. Das Tattoo THUG LIFE auf seinem Bauch zeichnet sich irgendwie deutlicher ab, als alles andere auf dem Foto. Es war das Erste, was ich in meinem neuen Zimmer aufgehängt habe. Ein bisschen ist das so, als hätte ich Khalil mitgebracht.

Er hatte mir erklärt, *Thug Life* stünde für »*The Hate U Give Little Infants Fucks Everybody*«. Gestern Abend haben wir all diese Dinge getan, weil wir angepisst waren, und das hat uns alle kaputtgemacht. Jetzt müssen wir uns irgendwie wieder aufrichten.

Ich setze mich auf und greife nach dem Handy auf meinem Nachttisch. Da sind Nachrichten von Maya, die mich auch im Fernsehen gesehen hat und jetzt für die Coolness in Person hält. Und Nachrichten von Chris. Seine Eltern haben ihm Hausarrest verpasst, aber er meint, das wäre es wirklich wert gewesen. Absolut.

Da ist noch eine weitere Nachricht. Ausgerechnet von Hailey. Ganz kurz:

Tut mir leid.

Das ist nicht, was ich erwartet habe, auch wenn ich eigentlich gar nichts von ihr erwartet habe. Und nichts mehr mit ihr zu tun haben will. Es ist das erste Wort, das sie an mich richtet, seit wir uns geprügelt haben. Darüber beschwere ich mich nicht. Sie war für mich auch Luft. Trotzdem antworte ich.

Was tut dir leid?

Hey, ich bin nicht kleinlich. Sonst würde ich antworten mit: »Unbekannte Nummer, kenn ich dich?«. Aber es gibt, verdammt noch mal, fast endlos viele Dinge, für die sie sich entschuldigen könnte.

Wegen der Entscheidung. schreibt sie.
Und weil du sauer auf mich bist.

War in letzter Zeit nicht ich selbst.

Möchte einfach, dass alles wieder so ist wie früher.

Ihr Mitgefühl für die Gerichtsentscheidung ist nett, aber dass es ihr leidtut, weil ich sauer bin? Das ist nicht das Gleiche, als würde sie sich für ihr Verhalten oder den Mist, den sie geredet hat, entschuldigen. Ihr tut leid, dass ich so reagiert habe.

Seltsamerweise hatte ich das Gefühl, das wissen zu müssen.

Es ist tatsächlich so, wie meine Mom gesagt hat – wenn das Gute überwiegt, sollte ich Hailey als meine Freundin behalten. Jetzt ist das Schlechte tonnenschwer, eine Überlast. Es widerstrebt mir zuzugeben, dass ein winzig kleiner Teil von mir hoffte, Hailey würde einsehen, wie sehr sie daneben lag, doch das hat sie nicht. Vielleicht wird sie das auch nie.

Und ehrlich gesagt, das ist okay. Also, vielleicht nicht okay, weil es sie zu einem miesen Charakter macht. Aber jedenfalls muss ich nicht irgendwie darauf warten, dass sie sich ändert. Ich kann loslassen. Deshalb antworte ich:

Es wird nie mehr so sein wie früher.

Ich drücke auf Senden, warte, dass die Nachricht rausgeht, dann lösche ich die Unterhaltung. Ich lösche auch Haileys Nummer aus meinem Handy.

Gähnend und mich streckend tappe ich den Flur entlang. Unser neues Haus ist ganz anders geschnitten als das alte, aber ich denke, daran werde ich mich schon noch gewöhnen.

An der Küchentheke schneidet Daddy irgendwelche

Rosenstöcke zurück. Neben ihm verdrückt Sekani ein Sandwich. Brickz steht auf den Hinterbeinen, die Vorderpfoten auf Sekanis Schoß und starrt auf das Sandwich, als wäre es ein Eichhörnchen.

Momma probiert die Schalter an der Wand durch. Einer setzt offenbar den Küchenabfallzerkleinerer unter dem Spülbecken in Gang, ein anderer macht Lampen an und aus.

»Zu viele Schalter«, murmelt sie, bevor sie mich bemerkt. »Schau mal, Maverick, unsere kleine Revoluzzerin.«

Brickz kommt zu mir gerannt und springt hechelnd an meinem Bein hoch.

»Morgen«, begrüße ich ihn und kraule ihn hinter den Ohren. Er lässt von mir ab und kehrt zu Sekani und dem Sandwich zurück.

»Tu mir einen Gefallen, Starr«, sagt Seven, der gerade in einer Kiste wühlt, auf die ich KÜCHENZEUG geschrieben habe. »Beim nächsten Mal schreib drauf, was für Küchenzeug genau du eingepackt hast. Ich bin auf der Suche nach Tellern jetzt schon bei der dritten Kiste.«

Ich klettere auf einen Hocker an der Theke. »Das sagt der Richtige. Fauler Hund. Dann nimm doch ein Stück Küchenpapier, wie sonst auch.«

Sevens Augen werden schmal. »Hey, Pops, rat mal, wo ich Starr gestern gefunden ha –«

»Die Teller sind ganz unten in dieser Kiste«, unterbreche ich ihn.

»Dachte ich mir.«

Mein Mittelfinger möchte so gern eine bestimmte Geste machen.

Daddy sagt: »Ich kann nur hoffen, dass es nicht bei diesem Jungen zu Hause war, das steht mal fest.«

Ich zwinge mich zu einem Lächeln. »Nein, natürlich nicht.«

Ich bringe Seven um.

Daddy zieht die Luft durch die Zähne. »Mmm-hmm.« Dann widmet er sich wieder seinen Rosen. Ein ganzer Strauch liegt da. Wirkt ziemlich trocken das Ganze. Ein paar Blütenblätter sind schon abgefallen. Jetzt stellt Daddy die Pflanze in einen Tontopf und bedeckt die Wurzeln mit Erde.

»Werden die wieder?«, frage ich.

»Klar. Ein bisschen lädiert, aber noch am Leben. Ich werde was anderes mit ihnen probieren. Umtopfen kann manchmal wirken, als würde man auf Neustart drücken.«

»Starr«, sagt Sekani, den Mund voller Brot und Fleisch. Eklig. »Du bist in der Zeitung.«

»Hör auf mit vollem Mund zu reden, Junge!«, schimpft Momma.

Daddy deutet mit dem Kopf auf die Zeitung, die auf der Küchentheke liegt. »Yeah. Sieh dir das an, *Li'l Black Panther*.«

Ich bin auf der Titelseite. Der Fotograf hat mich beim Werfen abgelichtet. In meiner Hand die rauchende Tränengaspatrone. Die Überschrift lautet: »Die Zeugin schlägt zurück«.

Momma stützt ihr Kinn auf meine Schulter. »Die haben in jeder Nachrichtensendung heute Morgen über dich gesprochen. Deine Nana ruft alle fünf Minuten an, um uns

durchzugeben, welchen Sender wir einschalten sollen.«
Sie gibt mir einen Kuss auf die Wange. »Aber ich sage dir,
jag mir besser nicht noch mal einen solchen Schrecken
ein.«

»Werde ich nicht. Was sagen die denn so in den Nachrichten?«

»Die nennen dich mutig«, sagt Daddy. »Nur dieser eine
Sender hat sich beklagt und gemeint, du hättest die Cops
in Gefahr gebracht.«

»Ich hatte mit denen ja eigentlich kein Problem. Ich
hatte nur ein Problem mit der Tränengaspatrone, und die
haben sie zuerst geworfen.«

»Ich weiß, Baby. Das brauchst du mir nicht zu sagen.
Dieser ganze Sender kann mich mal –«

»Ein Dollar, Daddy.« Sekani grinst zu ihm hoch.

»–für meine Rosen bewundern. Die können mal meine
Rosen bewundern.« Er schmiert ein bisschen Erde auf Sekanis Nase. »Und du kriegst keinen Dollar mehr von mir.«

»Er weiß Bescheid«, sagt Seven mit einem Seitenblick
auf Sekani. Der schaut auf einmal so welpenmäßig schuld-
bewusst, dass er Brickz Konkurrenz machen könnte.

Momma nimmt das Kinn von meiner Schulter. »Okay.
Was soll das jetzt heißen?«

»Nichts. Ich hab Sekani nur gesagt, dass wir jetzt spar-
sam mit Geld umgehen müssen.«

»Er hat auch gesagt, dass wir vielleicht zurück nach Garden Heights müssen!«, petzt Sekani. »Müssen wir?«

»Nein, natürlich nicht«, sagt Momma. »Kinder, wir werden das schaffen.«

»Genau«, sagt Daddy. »Und wenn ich an der Straße Orangen verkaufen muss, dann machen wir eben das.«

»Ist es denn trotzdem okay, dass wir weggezogen sind?«, frage ich. »Ich meine, das Viertel ist in echt üblem Zustand. Was werden die Leute von uns denken, dass wir weggezogen sind, anstatt dabei zu helfen, es wieder aufzubauen?«

Niemals hätte ich es für möglich gehalten, dass ich so rede, aber seit gestern Abend denke ich eben anders über all das und über mich. Auch über Garden Heights.

»Wir können trotzdem beim Wiederaufbau mithelfen«, sagt Daddy.

»Genau. Ich werde in der Klinik ein paar Extra-Schichten übernehmen«, sagt Momma.

»Und ich finde raus, was ich tun kann, bis der Laden renoviert ist«, sagt Daddy. »Wir müssen nicht dort wohnen, um etwas zu verändern, Baby. Es darf uns nur nicht egal sein. Klar?«

»Na gut.«

Momma küsst mich auf die Wange und streicht mir übers Haar. »Sieh mal einer an. Auf einmal hast du Gemeinschaftssinn. Maverick, wann wollte der Typ von der Schadensabteilung vorbeikommen?«

Daddy schließt die Augen und drückt sich auf die Nasenwurzel. »In ein paar Stunden. Aber ich will es gar nicht sehen.«

»Ist schon gut, Daddy«, sagt Sekani, den Mund wieder voll mit Sandwich. »Du musst ja nicht alleine gehen. Wir kommen mit.«

Und das tun wir dann auch. Zwei Streifenwagen blockieren die Zufahrt nach Garden Heights. Daddy zeigt ihnen seinen Ausweis und erklärt, warum wir dorthin müssen. Ich kann während des ganzen Gesprächs normal atmen. Dann lassen sie uns durch.

Verdammt, jetzt verstehe ich, warum sie die Zufahrt kontrollieren. Überall hat sich Ruß festgesetzt; Scherben und Müll liegen auf den Straßen. Wir fahren an unzähligen abgebrannten Gebäuden vorbei, die mal Geschäfte waren.

Den Laden zu sehen, fällt mir am schwersten. Das verbrannte Dach hängt so tief durch, als könnte der leiseste Windstoß es einstürzen lassen. Die Ziegelmauern und Eisenstangen zur Einbruchssicherung schützen nichts als verkohlten Schutt.

Vor seinem Laden kehrt Mr. Lewis den Bürgersteig. Bei ihm sieht es nicht so schlimm aus, aber mit Besen und Kehrschaufel wird man auch nicht viel ausrichten.

Daddy parkt vor dem Laden und wir steigen aus. Momma streichelt und drückt die ganze Zeit Daddys Schulter.

»Starr«, flüstert Sekani und sieht mich an. »Der Laden –«

Er hat Tränen in den Augen und mir ist auch zum Heulen zumute. Ich lege den Arm um seine Schultern und drücke ihn an mich. »Ich weiß, Mann.«

Lautes Quietschen nähert sich, dann pfeift jemand eine Melodie. Fo'ty Ounce schiebt seinen Einkaufswagen den Bürgersteig entlang. Obwohl es heiß ist, trägt er einen Tarnanorak.

Vor dem Laden bleibt er so abrupt stehen, als hätte er ihn eben erst bemerkt.

»Meine-Güte-Maverick«, sagt er in seinem typischen Tempo, sodass es wie ein einziges Wort klingt. »Was-zum-Teufel-ist-denn-da-passiert?«

»Mann, wo warst du gestern Abend?«, sagt Daddy. »Mein Laden wurde abgefackelt.«

»Ich war auf der anderen Seite vom Freeway. Konnte hier doch nicht bleiben. O nein, ich wusste ja, dass diese Idioten verrücktspielen würden. Bist du versichert? Das hoffe ich mal. Ich hab eine Versicherung.«

»Für was denn?«, frage ich. Denn mal im Ernst ...

»Mein Leben«, erklärt er, als sei das offensichtlich. »Wirst du ihn wiederaufbauen, Maverick?«

»Keine Ahnung, Mann. Muss erst noch drüber nach-denken.«

»Musst du, weil wir sonst keinen Laden haben. Dann ge-hen auch alle anderen und kommen nicht mehr zurück.«

»Ich denk drüber nach.«

»Okay. Falls du irgendwas brauchst, sag Bescheid.« Dann schiebt er ab, bleibt aber gleich erneut abrupt stehen. »Den Spirituosenladen hat's auch erwischt? Oh nein!«

Ich muss kichern.

Jetzt kommt Mr. Lewis mit seinem Besen angehumpelt. »Der Narr hat recht. Die Leute brauchen hier einen Laden. Sonst gehen noch alle weg.«

»Ich weiß«, sagt Daddy. »Es ist nur – nicht so leicht, Mr. Lewis.«

»Das weiß ich. Aber du kriegst das hin. Ich hab Clarence schon erzählt, was passiert ist«, sagt er und meint Mr. Wyatt, seinen Freund, dem der Laden früher gehörte. »Er meint auch, du solltest dableiben. Wir haben so geredet, und ich denke, für mich ist es an der Zeit, es zu machen wie er. Mich an den Strand zu setzen und hübschen Frauen hinterherzusehen.«

»Sie wollen Ihren Laden schließen?«, fragt Seven.

»Wer schneidet mir dann die Haare?«, will Sekani wissen.

Mr. Lewis schaut zu ihm runter. »Nicht mein Problem. Aber da du der einzige Laden weit und breit sein wirst, Maverick, wirst du mehr Platz brauchen, wenn du neu anfängst. Deshalb möchte ich dir meinen Laden überlassen.«

»Was?«, stottert Momma.

»Whoa, Moment mal, Mr. Lewis«, sagt Daddy.

»Abwarten bringt nichts. Ich bin versichert und kriege von denen mehr als genug. Ich kann mit einem angekokelten Laden sowieso nichts anfangen. Du kannst dir einen schönen Laden bauen und den Leuten etwas bieten, wo sie stolz einkaufen können. Ich verlange nur, dass neben den Bildern von deinem Newey Dingsbums auch ein paar von Dr. King hängen.«

Daddy lacht leise. »Huey Newton.«

»Ja, genau der. Ich weiß, dass ihr alle umgezogen seid, aber das Viertel braucht mehr Männer wie dich. Auch wenn du nur einen Laden hier führst.«

Kurz darauf erscheint der Mann von der Versicherung und Daddy zeigt ihm, was übrig geblieben ist. Momma holt Handschuhe und Mülltüten aus dem Truck, verteilt sie an mich und meine Brüder und fordert uns auf, an die Arbeit zu gehen. Das ist gar nicht so einfach, weil dauernd Leute vorbeifahren, hupen und Sachen rufen wie »Kopf hoch!« oder »Wir stehen hinter euch!«.

Ein paar kommen auch und helfen, etwa Mrs. Rooks und Tim. Mr. Reuben bringt uns eisgekühlte Wasserflaschen, weil die Sonne echt gnadenlos runterbrennt. Ich setze mich auf den Bordstein, verschwitzt, müde und total kaputt. Dabei sind wir noch längst nicht fertig.

Da fällt ein Schatten auf mich und jemand sagt »Hey«.

Ich beschirme meine Augen und schaue hoch. Kenya in einem oversized T-Shirt und irgendwelchen Basketball-Shorts. Sehen aus wie von Seven.

»Hey.«

Sie setzt sich neben mich und zieht die Knie an. »Hab dich im Fernsehen gesehen«, meint sie. »Ich hatte dir ja gesagt, du sollst den Mund aufmachen, Starr. Aber verdammt, du hast ihn ganz schön weit aufgerissen.«

»Aber ich hab die Leute zum Reden gebracht, oder?«

»Yeah. Das mit dem Laden tut mir leid. Hab gehört, dass das mein Daddy war.«

»War er.« Bringt ja nichts, das zu leugnen. Mist. »Wie geht's deiner Momma?«

Kenya zieht ihre Knie noch enger an sich. »Er hat sie verprügelt. Sodass sie ins Krankenhaus musste. Sie hat eine Gehirnerschütterung und noch andere Sachen, aber sie wird wieder. Wir haben sie schon besucht. Aber die Cops kamen und wir mussten aus dem Haus.«

»Echt?«

»Ja. Die haben das Haus durchsucht und wollten ihr Fragen stellen. Lyric und ich wohnen jetzt bei Grandma.«

Also hat DeVante bereits ausgepackt. »Ist das für dich okay?«

»Ehrlich gesagt bin ich erleichtert. Komisch, was?«

»Nee, eigentlich nicht.«

Sie kratzt sich an einer ihrer Cornrows, wodurch sich alle Zöpfe vor und zurück bewegen. »Tut mir leid, dass ich Seven nur ›meinen‹, nicht ›unseren‹ Bruder genannt habe.«

»Oh.« Das hatte ich irgendwie vergessen. Nach allem, was passiert ist, kommt es mir auch nicht mehr so wichtig vor. »Ist schon okay.«

»Ich schätze, ich habe ihn *meinen* Bruder genannt, weil ... ich dann das Gefühl hatte, er wäre es auch wirklich, verstehst du?«

»Äh, er ist ja auch dein Bruder, Kenya. Es macht mich echt eifersüchtig, wie sehr er bei dir und Lyric sein will.«

»Weil er denkt, er müsste«, sagt sie. »Lieber möchte er bei euch sein. Und das kann ich ja auch verstehen. Er und Daddy verstehen sich nicht. Aber ich wünschte, er würde manchmal auch mein Bruder sein *wollen* und sich nicht nur dazu verpflichtet fühlen. Er schämt sich für uns. Wegen unserer Momma und meinem Daddy.«

»Nein, tut er nicht.«

»Doch, tut er. Du schämst dich ja auch für mich.«

»Das hab ich nie gesagt.«

»Musstest du auch nicht, Starr«, sagt sie. »Du hast mich nie eingeladen, was mit dir und diesen Mädchen zu unternehmen. Die waren nie bei dir zu Hause, wenn ich kam. Als wolltest du nicht, dass sie wissen, dass ich auch deine Freundin war. Du hast dich für mich, für Khalil, sogar für Garden Heights geschämt, und das weißt du.«

Ich schweige. Wenn ich mich der Wahrheit stelle, so hässlich sie auch sein mag, hat sie recht. Ich habe mich für Garden Heights und alles, was dazugehörte, geschämt. Auch wenn mir das jetzt dumm vorkommt. Ich kann ja nicht ändern, wo ich herkomme oder was ich erlebt habe, also warum sollte ich mich dafür schämen, was mich zu dem macht, was ich bin? Das wäre ja so, als würde ich mich für mich selbst genieren.

Nope. Zum Teufel damit.

»Vielleicht habe ich mich geschämt«, gebe ich zu. »Aber jetzt nicht mehr. Und Seven schämt sich weder für dich noch für eure Momma oder für Lyric. Er liebt euch alle, Kenya. Und wie gesagt, er ist *unser* Bruder. Nicht bloß meiner. Glaub mir, ich teile ihn nur zu gern, wenn ich ihn dadurch von der Pelle habe.«

»Er kann einem echt auf die Nerven gehen, was?«

»Und wie.«

Wir müssen beide lachen. Auch wenn ich viel verloren habe, so habe ich doch auch einiges gewonnen. Wie Kenya.

»Ja, okay«, sagt sie. »Ich denke, wir können ihn uns teilen.«

»Hopp, hopp, Starr«, ruft Momma und klatscht in die Hände, als würde ich dadurch schneller. Sie ist echt immer noch auf dem Diktatorinnentrip. »Wir haben zu tun. Und

Kenya, ich habe auch einen Müllsack und Handschuhe, auf denen dein Name steht, falls du helfen willst.«

Kenya dreht sich zu mir, also wollte sie sagen: *Ihr Ernst?*

»Sie teile ich auch gerne«, sage ich. »Oder weißt du was, nimm sie ruhig ganz.«

Lachend stehen wir auf. Kenya lässt den Blick über das ganze Chaos schweifen. Inzwischen beteiligen sich noch mehr Nachbarn am Aufräumen. Sie haben eine Kette gebildet, um den Schutt aus dem Laden und zu den Mülltonnen zu schaffen.

»Und was habt ihr jetzt vor?«, fragt Kenya. »Mit dem Laden, meine ich.«

Ein Auto hupt und der Fahrer schreit heraus, dass er hinter uns steht.

Die Antwort fällt mir leicht. »Wir bauen ihn wieder auf.«

Es war einmal ein Junge mit haselnussbraunen Augen und Grübchen. Für mich war er Khalil. Für die Welt ein *Thug*.

Er lebte, aber längst nicht lange genug. Wie er starb, werde ich mein Leben lang nicht vergessen.

Ein Märchen? Wohl kaum. Aber ich höre trotzdem nicht auf, an ein besseres Ende zu glauben.

Es wäre leicht, aufzugeben, wenn es hier nur um mich, Khalil, jenen Abend und diesen Cop damals ginge. Aber es geht um so viel mehr. Es geht um Seven. Um Sekani, Kenya und DeVante.

Es geht auch um Oscar.

Aiyana.

Trayvon.

Rekia.

Michael.

Eric.

Tamir.

John.

Ezell.

Sandra.

Freddie.

Alton.

Philando.

Es geht sogar auch um diesen kleinen Jungen aus dem Jahr 1955, den wegen seiner Verstümmelungen zuerst niemand mehr erkannte – um Emmett.

Das Schlimme daran? Es gibt noch so viel mehr Opfer.

Trotzdem denke ich, dass sich eines Tages etwas ändern wird. Wie? Keine Ahnung. Wann? Das weiß ich definitiv nicht. Warum? Weil es immer Menschen geben wird, die kämpfen. Vielleicht bin jetzt ich an der Reihe.

Andere kämpfen auch. Sogar in Garden Heights, wo es einem manchmal vorkommt, als gäbe es nicht viel, wofür es sich zu kämpfen lohnt. Aber die Leute begreifen und schreien und marschieren und fordern. Sie vergessen nicht. Ich glaube, das ist das Wichtigste.

Khalil, ich werde niemals vergessen.

Ich werde niemals aufgeben.

Ich werde niemals schweigen.

Das verspreche ich dir.

Dank

Weil das hier mit gewisser Wahrscheinlichkeit wie die Dankesrede für einen Rapper-Preis klingt, muss ich nach echter Rapper-Art zuerst meinem Herrn Jesus Christus danken. Ich verdiene alles, was du für mich getan hast, nicht. Ich danke dir, für all die Menschen, die du in mein Leben gebracht hast und die dieses Buch erst ermöglicht haben:

Brooks Sherman, außergewöhnlicher Superheld von einem Agenten, Freund und der ultimative »Gangster in einem Pulli mit V-Ausschnitt«. Vom ersten Tag an warst du mein größter Cheerleader und hin und wieder auch mein Psychologe. Wo es nötig war, hast du für mich sogar den Gangster gegeben. Nur ein echter G konnte eine Auktion mit dreizehn Verlagen so handeln, wie du es getan hast. Du bist der *Dopest*, mit großem D. Starr kann sich glücklich schätzen, dich auf ihrer Seite zu wissen, und ich erst recht.

Donna Bray, wenn Leute den Begriff *badass* recherchieren, sollte neben der Definition dein Foto aufploppen. Genauso wie bei den Umschreibungen von *genial* und *brillant*. Dieses Buch ist dank dir so viel stärker. Es beschämt mich fast, eine Lektorin zu haben, die nicht nur so an Starr und ihre Geschichte geglaubt hat wie du, sondern die auch an mich glaubt. Danke, dass du es »checkst«.

Ich danke auch dem phänomenalen Team der Bent

Agency. Unter anderem Jenny Bent, Victoria Cappello, Charlee Hoffman, John Bowers und all meinen internationalen Co-Agenten, insbesondere Molly Ker Hawn, der außergewöhnlichen Agentin für Großbritannien – Cookie Lyon wünscht sich, sie wäre du. Euch gebühren alle Karamellkuchen der Welt und eine Million Dankeschöns.

Ein RIESEN-Dank geht auch an alle bei Balzer + Bray/ Harper Collins für eure harte Arbeit und Begeisterung für dieses Buch. Ihr seid wirklich ein Dreamteam. Besonderer Dank an Alessandra Balzer, Viana Siniscalchi, Caroline Sun, Jill Amack, Bethany Reis, Jenna Stempel, Alison Donalty, Nellie Kurtzman, Bess Braswell und Patty Rosati. Debra Cartwright danke ich für das unglaubliche Cover. Du hast wirklich geholfen, Starr und Khalil lebendig zu machen.

Der besten Filmagentin des Planeten, Mary Pender-Coplan, schulde ich meinen Erstgeborenen und ewige Dankbarkeit. Ebenso danke ich der besten Filmagentur-Assistentin des Planeten, Nancy Taylor, und allen bei UTA.

Christy Garner, danke, dass du oft mein Licht in der Dunkelheit warst und immer das Gute in meinen Geschichten (und in mir) gesehen hast, selbst wenn sie (und ich) ein einziges Chaos waren. Deine Freundschaft ist ein Segen.

Team Double Stuf: Becky Albertalli, Stefani Sloma und Nic Stone. Ihr Damen habt zwar einen fragwürdigen Geschmack, was Oreos angeht, aber dass ich euch lieb habe, steht außer Frage. Es ist mir eine Ehre, euch meine Freundinnen nennen zu dürfen.

Ich danke auch all meinen Geschwistern aus dem

B-Team, insbesondere Sarah Cannon, meinem Golden-Oreo-Komplizen Adam Silvera, Lianne Oelke, Heidi Schulz, Jessica Cluess, Brad McLelland, Rita Meade und Mercy Brown.

Dank gebührt der ganzen Crew von *We Need Diverse Books*, vor allem dem Walter Dean Myers Grant Committee. Ellen Oh, du bist ein Juwel für die Kinderliteratur und eines in meinem Leben.

Tupac Shakur, dir bin ich zwar nie persönlich begegnet, aber deine Weisheit und deine Worte inspirieren mich täglich. Ob du nun in *Thugz Mansion* bist oder dich irgendwo auf Kuba versteckst, ich hoffe, diese Geschichte wird deiner Botschaft gerecht.

Ich danke meiner ganzen Belhaven-Familie, vor allem Dr. Roger Parrot, Dr. Randy Smith, Dr. Don Hubele, »Uncle« Howard Bahr, Mrs. Rose Mary Foncree, Dr. Tracy Ford und Ms. Sheila Lyons.

Joe Maxwell, Danke für deinen Rat und deine Zuneigung. Ich wünsche dir viel, viel, VIEL Segen.

Erwähnen möchte ich noch meine phänomenalen College-Freunde, Probeleser und Kumpel: Michelle Hulse, Chris Owens, Lana Wood Johnson, Linda Jackson, Dede Nesbitt, Katherine Webber, S.C., Ki-Wing Merlin, Melyssa Mercado, Bronwyn Deaver, Jeni Chappelle, Marty Mayberry (eine der Ersten, die das Exposé zu diesem Buch gelesen haben!), Jeff Zentner (Göttlich!), all meine Tweeps und alle von Sub It Club, Absolute Write und Kidlit AOC. Ich entschuldige mich bei denen, die ich nicht namentlich genannt habe. Ich liebe euch alle.

Meine Wakanda Ladies, Camryn Garrett, L. L. McKinney und Adrianne Russell: Ihr seid die personifizierte Black-Girl-Magie.

June Hardwick, ich danke dir für deinen Durchblick, deine Meinung und dafür, dass du du selbst bist. Du inspirierst mich mehr, als du denkst.

Danke, Christyl Rosewater und Laura Silverman, dass ihr mich und die Bürgerrechtsbewegung unterstützt. Ihr seid der Beweis dafür, dass eine einzige einfache Aktion etwas verändern kann!

Die Team Coffeehouse Queens, Brenda Drake, Nikki Roberti und Kimberly Chase, gehörten abgesehen von Freunden und Familie zu den ersten Leuten, denen die von mir geschriebenen Sachen gefielen. Ich verdanke euch so viel. Vor allem danke ich Brenda dafür, dass sie eine Säule in der Autoren-Community ist.

Dank gebührt der Gang von #ownvoices – denn die Leute nennen uns eine Gang, wisst ihr. Kämpft weiter, schreibt weiter und macht weiter. Eure Stimmen zählen.

Meiner Crew von #WordSmiths möchte ich sagen: You rock!

Stephanie Dayton und Lisa »Left Eye« Lopes – durch eine kleine Aktion habt ihr das Leben der vierzehnjährigen Angie verändert und in gewisser Weise gerettet. Ich danke euch.

Bischof Crudup und der Familie von New Horizon danke ich für eure Gebete, Unterstützung und Zuneigung.

Meiner Familie und all meinen Lieben, insbesondere Hazel, LuSheila und all meinen Tanten, Onkeln, Cousinen

und Cousins, danke ich. Auch wenn ihr nicht alle blutsverwandt seid, macht uns die Liebe trotzdem zu einer
Familie. Falls ich einen Namen nicht genannt habe, soll
das keine Zurücksetzung sein. Ich danke euch allen.

Onkel Charles möchte ich noch Danke sagen für all die
Fünfdollarscheine. Ich wünschte, die Welt hätte deine
Worte und du meine lesen können. Das hier ist für dich.

Meinem Vater Charles R. Orr würde ich gern sagen, dass
ich seine Nähe tagtäglich spüre. Ich verzeihe dir und hab
dich lieb. Ich hoffe, du bist stolz auf mich.

Für meinen größten Fan, Mom/Ma/Momma/Julia Thomas: Du bist das hellste Licht in der Dunkelheit, ein echter
»Starr«. Was für ein Segen, dass du meine Mom bist. Ich
hoffe, dass ich eine nur halb so tolle Frau werde wie du.
Als Dr. Maya Angelou eine »phänomenale Frau« beschrieb,
muss sie dich gemeint haben. Danke dafür, dass du mich
so liebst, wie ich bin.

Und jedem Kid in Georgetown und in all den anderen
»Gardens« der Welt will ich sagen: Eure Stimmen zählen,
eure Träume zählen, eure Leben zählen. Seid die Rosen,
die aus dem Beton wachsen.

Glossar

Afro-Irokese Frisur, bei der die Seiten des Kopfes rasiert werden und nur zwischen Stirn und Nacken ein Streifen Haare bleibt, der dank diverser Hilfsmittel (z. B. Zuckerwasser, Lack, Spray) senkrecht nach oben steht

Afro Puff Frisur, bei der das Haar oben auf dem Kopf zu einem Ball zusammengebunden ist

Angry Black Girl/Woman abwertende Bezeichnung und Stereotyp, das seit den 30er-Jahren kursiert, als die Figur »Sapphire«, eine unzufriedene, bestimmt und aggressiv auftretende Schwarze, aus der Radio Show *Amos 'n' Andy* bekannt wurde

Black Lives Matter (BLM) eine internationale Bewegung, die innerhalb der afroamerikanischen Gemeinschaft in den USA entstanden ist und sich gegen Gewalt gegen Schwarze einsetzt. BLM organisiert regelmäßig Proteste gegen die Tötung Schwarzer durch Gesetzeshüter und zu breiteren Problemen wie Racial Profiling, Polizeigewalt und Rassenungleichheit

Black Panthers/Black Panther Party eine sozialistische revolutionäre Bewegung des schwarzen Nationalismus in den USA

Beatboxing Schlagzeug- und Percussion-Instrumente mit dem Mund imitieren

Biscuits hier: gehaltvolle, mit Butter zubereitete Brötchen, besonders beliebt im Süden der USA

Bro, Brother umgangssprachliche Bezeichnung für Kumpel

Cornrows aus Afrika stammende Flechtfrisur. Cornrows werden in Europa und den USA sowohl von Frauen als auch von Männern meist als modische Frisur getragen

Dab, Dabbing Tanzfigur, bei der der Kopf gesenkt und ein Arm nach schräg oben gehoben wird

D-Boy Dealer

Dope Cannabis

Drum Pad elektronisches Schlagpolster

Dunken siehe Slam Dunk

Fade-Cut Haarschnitt, für den die Haare hinten und an den Seiten sehr kurz geschnitten werden

Frittiertes Hühnchen/Fried Chicken gilt seit dem Ku-Klux Klan-Propaganda-Film *The Birth of a Nation* (1915), in dem ein Schwarzer ohne ausgeprägte Tischmanieren frittiertes Hühnchen isst, als rassistische Assoziation

Gangbanger/Gangbanging Gangmitglied; mit der Gang rumhängen

Goon Auftragsschläger

Hampton, Fred Black Panther Aktivist

Heffa dicke, faule Frau, die viel isst

High-Top Fade Schnitt, bei dem das Haar nur oben auf dem Kopf lang stehen bleibt

High Yella/Yellow nicht ganz dunkler, sondern goldbrauner Hautton bei Schwarzen

Homie/Homeboy/Homegirl Ghetto-Ausdruck für Freund/Freundin, Kumpel

Hood Ghetto, Viertel, von engl. *Neighborhood*

Hushpuppies frittierte Bällchen aus Maismehl, Eiern, Zwiebeln

Hutton, Bobby ein Black Panther Aktivist

IHOP ursprünglich *International House of Pancakes,* ist eine US-amerikanische Restaurantkette, die auf Frühstücksspeisen wie Pancakes und Waffeln spezialisiert ist. Darüber hinaus werden komplette Menüs und Nachspeisen angeboten

Kobe Kobe Bryant, ein Profibasketballspieler, der für die Los Angeles Lakers spielte

Kool-Aid Getränkepulverkonzentrat von Kraft Foods. In den Vereinigten Staaten haben das Produkt und die Marke Kultstatus

Kumbaya Titel eines bekannten African American Spirituals. »Kum ba yah« kommt aus dem Kreolischen und bedeutet »Komm her hier«. Es ist ein Aufruf an Gott, zu kommen und zu helfen

Madden ein American Football-Playstationspiel

Meme ein Internetphänomen; ein Gedanke, der sich rasch über das Internet verbreitet und damit vervielfältigt und so soziokulturell auf ähnliche Weise vererbbar wird wie Gene auf biologischem Wege

Nae-Nae Tanzstil

Nation of Islam auch bekannt als *Black Muslims* (»Schwarze Moslems«), ist eine im Jahr 1930 durch Elijah Muhammad gegründete religiös-politische Organisation schwarzer US-Amerikaner außerhalb der islamischen Orthodoxie

NBA National Basketball Association

NCAA die National Collegiate Athletic Association ist ein Freiwilligenverband, über den viele Colleges und Universitäten der USA und Kanadas ihre Sportprogramme organisieren

Newton, Huey gründete mit Bobby Seale und Eldridge Cleaver die Black Panther Party

Nigga (im Sinne von Tupac) *Never Ignorant Getting Goals Accomplished* – Niemals unwissend, jemand, der die selbst gesetzten Ziele erreicht. Unter Schwarzen, ähnlich wie *Negro*, in verschiedenen Bedeutungen eingesetzt, im Sprachgebrauch von Weißen immer rassistisch konnotiert

Nunya *none of your business* = Geht dich nichts an

NWA Slang-Abkürzung für *Niggaz Wit Attitudes*, eine Hip-Hop-Band aus Compton, Los Angeles

OGs Original Gangsters

Onkel Tom Anspielung auf Harriet Beecher Stowes *Onkel Toms Hütte*; abwertende Bezeichnung für einen sich den Weißen unterordnenden Afroamerikaner

Pixie-Cut Haarschnitt mit längerem Deckhaar und kürzeren Seiten

PO PO Polizisten, die oft zu zweit patrouillieren und beide ein großes PO für *Police Officer* auf ihrer Uniform stehen haben, sodass sich der Schriftzug PO PO ergibt

Pop Tart süßes Gebäck von der Firma Kellogg's, das meist im Toaster aufgewärmt wird

Pound Cake Rührkuchen, der aus jeweils einem Pfund Butter, Mehl, Eiern und Zucker besteht

Praise Break eine Gebetsform mit Tanz

Red Velvet Cake in den USA sehr beliebter dunkelroter Rührkuchen mit Kakao, Buttermilch und roter Lebensmittelfarbe

Set Ableger einer Gang

Slam Dunk Wurf beim Basketball, bei dem der Ball im Zuge eines hohen Sprungs des Werfers von oben in den Korb gestopft wird

Sneakerhead Onlineshop für Turnschuhe

Snitch Verräter; jemand, der andere verpfeift

Sour Patch Kids Kaubonbons mit saurem Zuckermantel

swaggen cool sein, cool laufen

Swirl wenn Schwarze und Weiße Sex haben

Tea-Length ein bestimmter Kleidertyp im 50er-Jahre-Pettycoat-Stil, wadenlang

Thug (Klein-)Krimineller, Verbrecher- oder Schlägertyp; umgedeutet von Tupac

T-H-U-G L-I-F-E *The Hate U Give Little Infants Fucks Everybody* – was die Gesellschaft den Menschen als Kindern antut, das kriegt sie später zurück, wenn diese raus ins Leben ziehen (im Sinne des Rappers Tupac)

Tupac/Pac Tupac Shakur (Tupac Amaru Shakur, auch 2Pac; 1971 – 1996), US-amerikanischer Rapper

Wigga wenn Weiße sich mit den typischen Klamotten (z. B. Oversize, Caps, Schmuck) zum Fake-Ghetto-Typen stylen

Wilding wenn Banden plündernd und marodierend herumziehen

Wobble Tanzsstil

YG Young Gangsters

© Anissa Hidouk

Angie Thomas ist in Jackson, Mississippi aufgewachsen und lebt auch heute noch dort. Als Teenager tat sie sich als Rapperin hervor; ihr ganzer Stolz war ein Artikel im *Right-On! Magazine*. Thomas hat einen Bachelor-Abschluss im Fach Kreatives Schreiben an der Belhaven Universität. Ihr Debüt *The Hate U Give* erntete ein überschwängliches Presse- und Leserecho und schaffte es auf Anhieb auf Platz 1 der New York Times-Bestsellerliste.

Mehr zur Autorin auch auf www.angiethomas.com
Mehr zu cbj/cbt auf Instagram @hey_reader

Jandy Nelson
Ich gebe dir die Sonne

480 Seiten, ISBN 978-3-570-16459-4

Am Anfang sind Jude und ihr Zwillingsbruder Noah unzertrennlich. Noah malt ununterbrochen und verliebt sich Hals über Kopf in den neuen, faszinierenden Jungen von nebenan, während Draufgängerin Jude knallroten Lippenstift entdeckt, in ihrer Freizeit Kopfsprünge von den Klippen macht und für zwei redet. Ein paar Jahre später sprechen die Zwillinge kaum ein Wort miteinander. Etwas ist passiert, das die beiden auf unterschiedliche Art verändert und ihre Welt zerstört hat. Doch dann trifft Jude einen wilden, unwiderstehlichen Jungen und einen geheimnisvollen, charismatischen Künstler ...

www.cbt-buecher.de

70054